1001
SOLUTIONS NATURELLES POUR
RELAXER

Susannah **Marriott**

 **Broquet**

97-B, Montée des Bouleaux, Saint-Constant (Québec), Canada J5A 1A9
Tél.: 450 638-3338 Téléc.: 450 638-4338
Internet: www.broquet.qc.ca Courriel: info@broquet.qc.ca

Catalogage avant publication de Bibliothèque et Archives
nationales du Québec et Bibliothèque et Archives Canada

Marriott, Susannah

1001 solutions naturelles pour relaxer

Traduction de : *1001 ways to relax*.

Comprend un index.

ISBN 978-2-89654-049-5

1. Relaxation. 2. Gestion du stress. I. Titre. II. Titre : Mille et une
façons de réduire votre stress.

RA785.M3714 2009   613.7'92   C2008-941850-6

POUR L'AIDE À LA RÉALISATION DE SON PROGRAMME ÉDITORIAL, L'ÉDITEUR REMERCIE :
   Le gouvernement du Canada par l'entremise du Programme d'aide au développement de
l'industrie de l'édition (PADIÉ) ; La Société de développement des entreprises culturelles
(SODEC) ; l'Association pour l'exportation du livre canadien (AELC).
   Le gouvernement du Québec - Programme de crédit d'impôt pour l'édition de livres -
Gestion SODEC.

Pour l'édition originale parue sous le titre *1001 ways to relax*:
© 2008, Dorling Kindersley Limited, London
Text copyright © 2007, Susannah Marriott

Pour l'édition française :
© 2009, Éditions Vigot - 23, rue de l'École-de-Médecine, 75006 Paris, France.
Dépôt légal : janvier 2009

Traduit de l'anglais par Simone Honnorat
Réalisation de la couverture : Claire Guigal

Copyright © Ottawa 2009 Broquet Inc.
Dépôt légal - Bibliothèque et Archives nationales du Québec
1er trimestre 2009
ISBN 978-2-89654-049-5

Imprimé en Chine

Attention : si vous êtes enceinte ou atteinte d'une maladie, n'utilisez pas de plantes (dont les
infusions) sans avoir consulté au préalable un herboriste qualifié. De même, certaines huiles ne
doivent pas être employées si vous êtes enceinte, si vous allaitez, ou si vous êtes atteinte d'hypertension, d'épilepsie ou de problèmes rénaux. D'autres sont photosensibilisantes et vous devez
éviter après leur utilisation toute exposition au soleil. Pour toutes, suivez les instructions du
fabricant ainsi que nos conseils et recettes, et n'augmentez jamais le nombre de gouttes indiqué.
Pendant la grossesse, évitez les masques corporels, les exfoliants et les bains très chauds avec
des sels. Les conseils et informations sur les questions de santé prodigués dans cet ouvrage ne
sauraient en aucun cas remplacer des conseils médicaux qualifiés, et l'éditeur ainsi que l'auteur
déclinent toute responsabilité quant à d'éventuels dommages encourus suite à l'utilisation du
présent ouvrage.

*À tous mes professeurs de yoga, passés et présents,
avec mes remerciements.*

Sommaire

4 Introduction

6 Soyez moins stressée au travail

Pour commencer la journée • Pour des transports heureux • Pour se détendre à son bureau • Petit kit d'urgence contre le stress • Des moments de détente • Pour détendre des mains contractées • Pour soulager des pieds courbatus • Pour atténuer les rides • Pour détendre le haut du corps • Pour soulager le bas du dos • Traiter les urgences • Bien gérer son temps • Bilan de compétences • Ne plus s'emporter au travail • Travailler chez soi •

56 Détendez-vous chez vous

Faire de sa maison un refuge • Une zone de méditation à la maison • Mettez de l'ordre • Détendez-vous après le travail • Décompressez à la maison • Des week-ends joyeux • Le shopping sans stress • L'angoisse de la taille 36 • Un sommeil apaisant

88 Savourez la nature

Activités en plein air • Savourez la terre • Se détendre dans l'eau • Le feu libérateur • Ayez conscience de l'air • Savourez le soleil • Au diapason avec la lune

114 Des relations reposantes

Prenez plaisir à la compagnie • Pour trouver un partenaire • Une relation heureuse • Une sexualité relaxante • Une grossesse sans stress • Pour faciliter l'accouchement • Détendue avec son nouveau-né • Profiter de la première année • Du temps avec les enfants • Pour calmer les enfants • Une retraite intérieure • Des nourritures spirituelles

162 Se détendre en période de stress

Réduire ses problèmes financiers • Savoir faire face quand les temps sont durs • Pour éliminer la pression • Arrêter de fumer • Des vacances reposantes • Des festivités détendues • Des réceptions sans effort • Leçons pour une vie détendue

188 Pour en savoir plus   188 Index   192 Remerciements

Introduction

Quand j'ai commencé à rédiger cet ouvrage, j'ai demandé autour de moi comment chacun se relaxait… et j'ai reçu des réponses diverses et variées : jouer de la guitare en accompagnant les Clash, faire pousser des légumes, élaborer un apéritif maison comme le vin de noix, chanter, danser, aller au travail en marchant, nager ou encore faire des confitures. Ce qui m'a frappée, c'est que certaines n'étaient pas des activités tranquilles, que beaucoup incluaient la nature et d'autres gens, et que pratiquement personne ne mentionna s'allonger sur le canapé (ni s'adonner à des substances illégales).

Contrairement aux idées reçues, relaxation ne signifie pas ne rien faire, c'est au contraire se perdre dans une activité qui fait travailler le corps et qui éloigne l'esprit des soucis et du présent. C'est une sorte de méditation, qu'on peut pratiquer sur une planche de surf, en escaladant une montagne, en confectionnant un chapeau ou en jouant dans un orchestre.

Pourquoi avons-nous besoin de nous détendre ?

Nombre d'entre nous ont des vies tellement trépidantes qu'ils se déconnectent rarement des obligations qui déclenchent leur stress. Lorsque nous nous trouvons dans une situation menaçante, des hormones du stress – comme l'adrénaline et le cortisol – sont libérées afin de préparer notre corps et notre cerveau à entrer en action : se figer, combattre ou s'enfuir. Le cœur bat plus vite, ce qui fait grimper la tension en flèche et bouillonner le glucose dans le flux sanguin ; les sens sont en éveil et la respiration s'accélère, les grands muscles sont tendus, et des fonctions normales, comme la digestion, sont interrompues. Cela est tout à fait sain, et peut même stimuler l'immunité, dans la mesure toutefois où l'on peut s'enfuir ou frapper, actes qui stimulent les hormones qui ramènent l'équilibre corporel : la relaxation.

Mais comment combattre un délai précis, fuir d'un embouteillage ou d'un enfant en bas âge qui fait sa crise ? Lorsqu'on ne peut pas « éteindre » les réponses physiologiques activées par le stress et qu'elles restent « allumées » pendant des mois, voire des années, les systèmes cardiovasculaire et immunitaire, tout comme le cerveau, souffrent. Et encore plus, si nous ne mangeons pas sainement, dormons trop peu ou ne faisons pas suffisamment d'exercice et, pour faire face, avons recours à des stratégies comme la cigarette. Le stress prolongé est associé aux maladies cardiovasculaires, au syndrome métabolique (divers symptômes incluant l'hypertension et qui sont les signes avant-coureurs du diabète de type 2), à la dépression et à des maladies chroniques comme l'insomnie.

Quelles sont les meilleures façons de se détendre ?

Facile ! Il y a 1 001 recettes pour se détendre, mais, en bref, abordez chaque jour de manière positive, mangez « méditerranéen » avec beaucoup de légumes, de fruits et de poissons gras, faites de l'exercice pratiquement tous les jours, riez aussi chaque jour, passez du temps en plein nature, entretenez vos relations et prenez part aux activités de votre commune. Vous pourriez même vous tourner vers la religion, la méditation ou le bénévolat. Tout cela soutient vos défenses contre les effets négatifs du stress, en vous aidant à être heureuse et détendue, et ainsi, étonnamment, à vivre plus longtemps. Le plus important : vous avez besoin d'une activité qui vous transporte loin de vos soucis pendant plus qu'un bref instant. En effet, des plaisirs instantanés comme l'achat d'une nouvelle paire de chaussures n'ont aucune corrélation avec le soulagement du stress à long terme, car ils vous laissent vide. Si votre passe-temps est constructif et vous apporte un peu d'adrénaline – un poisson au bout de la ligne, le choc de la plongée dans l'océan glacé, ou le roulement d'un tambour, c'est encore mieux, car cela montre à votre corps comment devrait être la vie : très détendue, avec une poussée d'action occasionnelle, pour qu'on n'ait aucun répit.

Bonne chance pour trouver ce qui vous convient pour être zen.

Susannah Marriott   Cornouailles, 2008

1 Soyez moins stressée au travail

L'une des causes récurrentes de stress quotidien est le travail. Les salariés sous pression ont en effet tendance à se plaindre de muscles douloureux, de manque d'appétit (ou au contraire de fringales), de perte du sommeil, d'épuisement physique et mental, ainsi que d'irritabilité, ce qui augmente chez eux le risque de crise cardiaque, d'hypertension et de cholestérol, ainsi que de problèmes de santé mentale. Il ne faut cependant pas confondre stress et challenge, car il est bon d'avoir des objectifs stimulants, qui permettent au cerveau de rester alerte, et lorsqu'on est content de son travail, on peut jouir d'un état de satisfaction détendue. C'est un stress sain et gratifiant. Voici de nombreux conseils pour vous aider à convertir votre stress en défi et pour rendre votre journée de travail relaxante et productive, grâce à des aliments qui renforcent le cerveau, des idées pour mieux aménager votre temps et des méthodes pour dissiper la tension corporelle.

Pour commencer la journée

Prendre un peu de temps pour un petit-déjeuner sain et nutritif avant de partir travailler prépare à combattre tous les stress – physiques ou mentaux – qu'on est susceptible de rencontrer sur son chemin. Renforcez votre armure antistress pour la journée qui se présente avec la pensée positive et, si possible, avec quelques instants de méditation ou de yoga.

Trouvez du temps pour la famille et les êtres chers.

1

Pensez positif

Si l'on entame la journée en se sentant positive, on risque moins de souffrir des symptômes du stress et de succomber aux virus qui circulent avec la climatisation (le stress épuise le système immunitaire). Une étude parue en 2006 a révélé que ceux qui pensent « positif », sont moins susceptibles de souffrir de rhume et de grippe, et les rhumes qu'ils attrapent malgré tout sont beaucoup plus légers. Au réveil, pensez à un événement du passé qui vous a rendue intensément heureuse et pleine d'espoir pour l'avenir. Jouissez de ces émotions positives pendant 2-3 minutes, et laissez-les gonfler votre cœur afin de vous enrober d'une armure protectrice de la tête aux pieds.

2

Réorganisez votre journée

Si le soir vous rentrez tard du travail, essayez de réorganiser le début de votre journée afin d'y inclure des moments de détente en famille : levez-vous une demi-heure plus tôt afin de prendre votre petit-déjeuner avec les enfants et, si vous manquez régulièrement l'heure du coucher, lisez-leur une histoire le matin. Ceux qui se sentent soutenus par de forts liens familiaux sont généralement plus détendus et ainsi moins susceptibles de succomber au stress.

3

Composez votre muesli

Commencez chaque journée avec ce mélange calmant, bon pour le cerveau et protecteur pour le cœur, composé d'avoines et de graines.

500 g d'avoine bio jumbo
Autant de fruits à coque et de graines que vous aimez : des noix du Brésil, des noix hachées, des pignons de pins, des graines de sésame, de lin, de potiron et de tournesol…

Versez l'avoine dans un grand bocal à couvercle hermétique, puis ajoutez autant de fruits à coque et de graines que vous aimez et mélangez-les bien. Refermez le couvercle et rangez au frais et à l'abri de la lumière. Chaque matin prélevez-en 3-4 cuillerées que vous mettrez dans un bol et sur lesquelles vous verserez du lait bio demi-écrémé et 1 cuillerée à soupe de yaourt bio nature. Ajoutez une poignée d'airelles ou de grains de raisin, des tranches de pomme ou des morceaux de melon cantaloup.

Gardez un cœur et un esprit sains avec un petit-déjeuner riche en fruits et en fruits à coque.

4

Cours de méditation

Il est prouvé que la méditation réduit l'anxiété, rééquilibre les émotions, dissipe la tension, fortifie l'immunité et combat la dépression. Elle semble aussi avoir l'effet de certains médicaments sur la pression sanguine, et elle stimule performance intellectuelle et mémoire. Cherchez-vous un cours tôt le matin pour bien commencer la journée.

5

Méditation matinale

Asseyez-vous jambes croisées sur un tapis. Si c'est douloureux, asseyez-vous sur un bloc en mousse ou un annuaire téléphonique, avec des coussins sous les genoux. Mettez les mains sur les cuisses, épaules détendues. Fermez les yeux. Vos pensées sont comme des projections sur un écran. Regardez-les de manière désintéressée, puis imaginez que l'écran devient blanc. 20 minutes suffisent à vous détendre.

Préparez-vous à une journée stressante grâce à un moment de méditation silencieuse, afin de réduire votre anxiété et de favoriser le calme.

Protégez vos vaisseaux sanguins avec un citron pressé revigorant.

6

Petit-déjeuner calmant

Les céréales et les barres sucrées pour le petit-déjeuner font grimper, puis redescendre le taux de sucre dans le sang, ce qui stimule la sécrétion des hormones du stress, et apporte un sentiment d'anxiété, une humeur maussade ou une somnolence. Optez plutôt pour des œufs, des toasts au pain complet avec du fromage blanc ou du beurre de cacahuètes, un smoothie aux fruits, du porridge ou un muesli riches en fruits à coques. Si vous achetez malgré tout quelque chose en chemin, préférez un yaourt naturel et des fruits.

7

Petit-déjeuner stimulant

Le matin, pour dynamiser le taux de tyramine, substance chimique qui active le cerveau, essayez un sandwich au pain complet avec du jambon, du fromage ou de l'avocat. Lorsqu'on est alerte et qu'on peut réagir immédiatement, on est davantage susceptible de repousser les sources de stress.

8

Citron pressé

Pressez un demi-citron dans un verre et complétez avec de l'eau, pour commencer la journée avec un tonique digestif qui étanche la soif, rafraîchit le corps et l'esprit, et préserve les vaisseaux sanguins. De plus les citrons étant riches en vitamine C, ils protègent davantage contre les virus qui circulent dans les bureaux.

9

Gel douche relaxant

Lorsque vous affrontez une journée particulièrement difficile ou stressante, lavez-vous avec ce mélange d'huiles essentielles, susceptible de vous aider à vous concentrer et de renforcer vos nerfs. (À éviter pendant la grossesse.)

1 cuill. à soupe de gel douche non parfumé
1 goutte d'huile essentielle de genièvre
2 gouttes d'huile essentielle de bergamote FCF

Placez le gel de douche dans un petit bol et ajoutez-y les huiles essentielles en mélangeant bien. À utiliser pendant la douche du matin.

10

Chantez sous la douche

Chanter apporte un sentiment de bien-être en intensifiant le souffle, en stimulant la circulation et en améliorant la posture. Cela accélère aussi la sécrétion d'endorphines analgésiques qui aident à faire disparaître les symptômes du stress.

Le matin, soyez exubérante sous votre douche. Dès que vous commencez à chanter, tenez-vous plus droite en laissant retomber le coccyx et en imaginant que le sommet de votre crâne est tiré vers le plafond. Lorsque vous inspirez, visualisez votre souffle qui élargit les côtés de votre cage thoracique, comme si vous étiez un poisson ouvrant ses branchies.

11

Étirement matinal

Tenez-vous bien droite, les fesses serrées, les épaules relâchées loin des oreilles, les pieds écartés de la largeur des hanches. Étendez les bras au-dessus de votre tête, puis inspirez en tendant la main droite vers le ciel, en vous étirant des aisselles à la pointe des doigts. Expirez et relâchez un peu le bras droit, puis refaites la même chose avec le bras gauche. Répétez 10 fois en alternant les côtés.

12

Saluez le soleil

Le matin, mettez-vous en phase avec le soleil, notre principale source d'énergie, en pratiquant la Salutation au Soleil, issue du yoga (voir n° 541). Cet enchaînement coulant et énergétique renforce l'endurance physique et mentale, laquelle aide à maintenir l'équilibre tout au long de la journée. Essayez de faire 12 répétitions d'un coup.

Pour des transports heureux

Une étude réalisée en 2004 sur le taux de stress des banlieusards indique que leur rythme cardiaque et leur tension artérielle approchent ceux de pilotes de guerre, ce qui provoque frustration, anxiété et même amnésie à court terme. Évitez les embouteillages avec les antidotes suivants pour être sûre d'arriver fraîche et dispose au travail.

13

Prenez la situation en main

Soyez productive quand vous êtes dans les transports : écrivez votre courrier, traitez vos e-mails ou rédigez vos rapports. Sentir qu'on a prise sur le temps est fondamental pour rester détendue.

14

Méditation par la fenêtre

Par ailleurs, une déconnexion obligée peut être l'instrument parfait contre le stress, pour les travailleurs acharnés qui essaient d'en faire trop dans la journée. Au lieu d'emporter du travail dans le train, laissez les dossiers sur votre bureau et profitez de ce temps pour regarder par la fenêtre et contempler le monde autour de vous. Laissez le flot continuel de la vie, dans toute sa diversité, vous rappeler la nature inconstante et changeante du monde. Essayez de ne pas vous focaliser sur vos idées ni sur vos préoccupations. Si vous découvrez que vous suivez le cours de vos pensées, déconnectez-vous doucement pour vous concentrer sur cette conscience plus large.

15

Portez des lunettes de soleil

Si vous vous levez au petit matin et quittez la maison avant le lever du soleil pour vous asseoir dans un train ou un bus fortement éclairé, portez vos lunettes de soleil afin de protéger vos yeux et votre cerveau des lumières artificielles trop vives. Puis calez-vous, déconnectez, et détendez-vous jusqu'à ce que le soleil se lève, avant de retirer vos lunettes.

Profitez du transport pour déconnecter et vous offrir une calme contemplation.

16

Solutions rêveries

Si vous en avez assez de cette vie stressante, prenez 10 minutes pendant les transports quotidiens pour réfléchir aux autres options possibles. Le premier matin, laissez place à vos fantasmes, réfléchissez à toutes sortes de possibilités, aussi bêtes ou bizarres soient-elles. Pourriez-vous changer de travail, travailler plus près de chez vous, déménager dans une ville plus pratique, commencer à travailler à la maison, ou épouser un millionnaire ? Le lendemain, prenez à nouveau 10 minutes pour réfléchir à la manière grâce à laquelle vous pourriez envisager certaines de ces solutions.

17

Perdez-vous dans un livre

Tirez profit de ces longues périodes ininterrompues pour lire. Voici des livres tellement passionnants que vous attendrez le trajet du retour avec impatience :
- *Atlantique Nord*, Redmond O'Hanlon : on est content de ne pas prendre la mer pour aller au travail…
- *Message des hommes vrais au monde mutant*, Marlo Morgan : une équipée de quatre mois dans l'outback australien…
- *Le livre d'un été*, Tove Jansson : nouvelle saga sur la vie sur une île isolée de Finlande.
- *Un ami commun*, Charles Dickens : sur la vie dans une cité ouvrière.

Évadez-vous du stress des transports : perdez-vous dans une mer de sons.

Si vous préférez vous laisser happer par un bon roman policier, les auteurs ne manquent pas : Fred Vargas en France, Michael Connelly aux États-Unis ou Henning Mankell en Suède pour ne citer qu'eux. Demandez conseil à votre libraire.

18

Faites des sudokus

Les puzzles ou autres jeux qui taquinent la matière grise, comme le sudoku, offrent un entraînement mental à votre cerveau pendant le trajet vers le bureau. Des études indiquent que la logique et la concentration impliquées dans de tels aérobics mentaux aident à augmenter l'agilité mentale et qu'ils améliorent même le QI en vous préparant à vous atteler à des tâches stressantes au travail.

19

De la musique pour le MP3

Enveloppez-vous dans une mer de sons. Des études prouvent en effet que la musique calme l'esprit et évite l'anxiété et la dépression. Essayez une mélodie indienne, ou *raga*, qui transporte l'auditeur dans un voyage méditatif. Un raga commence lentement avec une introduction sobre qui entraîne et fixe des thèmes musicaux aux émotions, puis il ralentit ensuite pour participer à ces sentiments, ou *rasas*, comme des détails décoratifs, constitués de vitesse et de volume. La musique augmentant d'intensité jusqu'à atteindre un apogée épuisant, les émotions suivent, jusqu'à ce que la mélodie frappe un point de tension/relâchement affectif. Puis le morceau se calme doucement, le thème devenant imperceptible au moment où on revient au monde « réel ». Cherchez des raga écrits pour le lever du jour (*Bhairav, Bibhas, Jogiya, Ramkali*) ou pour 6-9 heures du matin (*Bhupal todi, Bilaskhani todi*).

20

Allez à pied au travail

Des chercheurs ont découvert qu'une grande partie du stress des banlieusards provient d'un sentiment de totale impuissance et de frustration : on est tributaire des horaires des trains, des feux rouges et des autres. La meilleure façon de lutter contre ce manque de contrôle sur la situation est de vous en remettre à vos pieds. Profitez du temps supplémentaire que vous mettez pour aller à pied au travail pour vous préparer aux questions et aux problèmes qui vous y attendent, et pour vous déconnecter en vous relaxant mentalement pendant le trajet de retour.

21

Allez travailler en vélo

Deux à quatre heures de vélo par semaine entraînent une réduction du stress et de la dépression et, selon des études, ceux qui vont travailler à vélo sont plus détendus, plus heureux et plus productifs que les autres quand ils arrivent sur leur lieu de travail. Profitez de l'air frais et d'un siège toujours libre !

22

Enrôlez un(e) cycliste

Si l'idée de circuler à vélo dans les rues d'une ville ou sur une voie rapide de campagne vous effraie, faites-vous accompagner par un(e) collègue/ami(e) pendant quelques jours. Découvrez les raccourcis agréables et les endroits à éviter, et laissez-vous motiver par votre compagnon. La plupart des individus trouvent qu'il est moins stressant de commencer à pédaler en été.

23

Et le covoiturage ?

Quand on partage une voiture avec quelqu'un, on réduit ses frais de réparation, ses taxes et ses assurances et, donc, on fait des économies : bonne stratégie antistress. Cherchez les associations de covoiturage de votre région, ou organisez-en une de manière informelle avec vos voisins et amis. Investiguez sur Internet.

Maîtrisez la durée de votre trajet : allez travailler à pied, en plus cela vous gardera en forme.

24

Criez-le !

Lorsque la mauvaise humeur ou l'épuisement vous frappent au volant, criez. Mettez un CD entraînant et chantez à tue-tête, jouez avec la mélodie, ajoutez des harmonies et inventez des paroles. Chanter vous permet de quitter votre corps, coincé dans l'endroit et le moment, et d'exprimer votre créativité, laquelle est étouffée dans la voiture, et vraisemblablement au travail également.

25

Musique pour planer

Une musique relaxante pour la conduite, quand on passe sa vie en voiture, devrait comprendre certaines musiques électroniques « planantes ». Essayez les CD de Kraftwerk, Tangerine Dream ou The Necks.

26

Respiration bourdonnante

Cet exercice est particulièrement efficace quand on est excédée dans les embouteillages. Inspirez normalement, puis sur une longue expiration, fredonnez. Concentrez-vous sur le son qui vibre dans votre tête. Répétez autant que nécessaire. Sous la supervision d'un professeur de yoga, cela peut aider à gérer l'hypertension.

27

Des horaires flexibles

Si les transports représentent un vrai supplice, envisagez des horaires flexibles pour éviter les embouteillages, ou travaillez chez vous un jour par semaine. Vous constaterez que votre productivité augmente, alors que votre stress diminue et que vous récupérez les heures de travail perdues (le temps moyen de trajet d'un banlieusard est de 45 à 60 minutes aller *et* retour).

28

Massage pour l'embouteillage

Si avec les embouteillages sans fin vous êtes tendue et que vos épaules sont rentrées dans vos oreilles lorsque vous êtes au volant, laissez ces relâchements rapides du cou et des épaules effacer certains des effets négatifs du stress.

  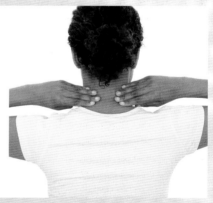

1 Les mains sur les cuisses, inspirez, remontez les épaules, retenez votre respiration et serrez les muscles. Expirez avec force et laissez retomber vos épaules.

2 Attrapez l'un de vos bras avec la main opposée. Serrez la chair, puis relâchez ; remontez jusqu'à l'épaule et le côté du cou. Répétez de l'autre côté.

3 Placez le bout de vos doigts à la base de la nuque. Appliquez une certaine pression, en décrivant des cercles de chaque côté de la colonne vertébrale. Remontez le long du cou, puis autour et derrière les oreilles.

Pour se détendre à son bureau

Nous sommes aujourd'hui beaucoup plus nombreux à passer plus de temps au travail que les générations précédentes, ce qui nous rend moins productifs et moins heureux. Une étude réalisée en 2007 indique que le stress entrave la capacité cérébrale à apprendre et à communiquer, ce qui provoque des problèmes de mémoire et de dépression. Pour se protéger, les chercheurs en neurosciences nous exhortent à manger des aliments qui renforcent le cerveau, à prendre du temps pour faire de l'exercice et de la relaxation et à utiliser au travail des techniques pour détresser. Grâce à ces stratégies, préservez votre santé physique et mentale.

29

Bichonnez votre espace

Des postes de travail indépendants entraînent l'anonymat et une certaine tendance à baisser la tête et ignorer ses collègues. Les bureaux « stériles » ou sans personnalité furent mis en cause lors d'une étude réalisée par Timotei sur le stress des employés de bureau. Sortez de votre « alcôve » pour rechercher les contacts humains et essayez de personnaliser votre espace avec des photos, des souvenirs et des plantes.

30

Affichez un poème

Un bon poème condense des pensées profondes en quelques lignes, permettant ainsi de s'évader du travail et constituant un entraînement revitalisant pour le cerveau et les émotions. Rien n'égale les fables de La Fontaine ou les poèmes de Baudelaire. Collez-en un sur un coin de votre bureau ou sur la porte de l'une de vos pièces et songez qu'il suffit

de quelques mots pour créer un réel impact, et observez comment la signification peut glisser d'un mot à l'autre.

Personnalisez votre espace de travail avec des souvenirs apaisants de votre vie personnelle.

31

Un bon rire

De nombreuses études ont révélé que le rire aide à contrer le stress et à soulager la douleur, ainsi qu'à stimuler le système immunitaire. Selon une étude rapportée dans le *Journal of Neuroscience*, les bienfaits du rire sont collectifs : votre propre rire déclenche l'activité dans le cerveau de ceux qui l'entendent, ce qui les fait rire à leur tour. Soyez celle qui désamorce les conflits et qui remonte le moral en racontant des histoires drôles.

32

Cultivez un chlorophytum

Si les bruits alarmants qui circulent au sujet des dangers environnementaux dans les bureaux vous inquiètent, entretenez un chlorophytum. Ces plantes prospèrent en effet en présence de polluants, réduisant jusqu'à 87 % en 24 heures la pollution de nos intérieurs.

33

Dévorez des abricots

Mangez une poignée d'abricots secs tous les jours. C'est une bonne source de potassium, lequel aide à contrôler la pression artérielle.

34

Un en-cas à l'avocat

Bourré de vitamines B, l'avocat aide à garder son calme lorsque les hormones du stress rendent les collègues fous. Coupez-le en deux, enlevez le noyau, ajoutez un peu de vinaigre balsamique, du sel et du poivre, et dégustez-le à la cuiller.

35

Dégustez un bol de baies

Les airelles – l'un des meilleurs aliments qui soient – sont riches en antioxydants : le réservatrol permet de réparer les dégâts provoqués par les radicaux libres (produits par le stress) et le ptérostilbène régule le taux de sucre dans le sang, en inhibant la sécrétion des hormones du stress. De plus elles se gardent mieux que les autres baies.

36

Prenez une tasse de thé

Une étude réalisée en 2006 sur des hommes qui buvaient du thé noir (mélange d'ingrédients antioxydants) indique qu'ils se remettaient plus rapidement des effets du stress que les

Bourrées d'antioxydants, les airelles équilibrent le sucre sanguin et protègent contre le stress.

autres, et qu'ils étaient plus détendus jusqu'à 50 minutes plus tard. Une autre étude, réalisée au King's College de Londres, indique que boire au moins trois tasses de thé par jour augmente les performances intellectuelles.

37

Dégustez un café

Un rapport de 2006 indique que tout en dynamisant l'acuité intellectuelle, le café soulage le stress du foie, en soutenant ses fonctions de désintoxication et en stabilisant le taux de sucre dans le sang. Il peut aussi détendre les muscles, soulager la douleur et réduire le risque de maladie cardiovasculaire et d'accident vasculaire cérébral.

38

Entraînez-vous

L'exercice contrebalance le stress en stimulant la croissance des neurones dans la partie du cerveau associée à la perte de mémoire. Prévoyez 30-60 minutes d'exercice par jour.

Supprimez les polluants du bureau avec un chlorophytum assainissant.

39

Des fleurs de Bach pour le travail

On peut améliorer les mauvais jours avec les remèdes suivants. Mettez-en 4 gouttes dans de l'eau et buvez jusqu'à ce que les symptômes disparaissent. Dans les cas extrêmes, placez directement sur la langue :

● *Hornbeam* facilite le « lundi matin », lorsqu'on manque d'enthousiasme.
● *Impatiens* pour le syndrome du poulet décapité, lorsque c'en est trop et qu'on ne sait plus où donner de la tête.
● *Walnut* protège contre les atmosphères ou les individus déplaisants, et est d'une valeur inestimable pour les personnes sensibles.

40

Détendez votre dos

Debout, la plante du pied droit sur une chaise, placez votre main gauche sur votre genou droit, tournez l'épaule droite vers l'arrière et laissez votre colonne vertébrale suivre le mouvement. Expirez, puis tournez un peu plus. Inspirez en revenant vers le centre, et répétez de l'autre côté.

41

Relâchez votre buste

Inutile de quitter votre chaise pour profiter d'un étirement revitalisant. Faites cet exercice après avoir étiré vos jambes,

pour détendre l'ensemble de votre corps. **Asseyez-vous**, le haut du dossier de votre chaise vous entrant sous les épaules. Glissez les mains le long de vos jambes ou des côtés de la chaise, jusque derrière le dossier et étirez-vous en arrière. Ne laissez pas retomber la tête en arrière, ce qui pourrait provoquer une tension dans votre nuque. Remontez doucement.
Faites glisser vos fesses en avant, écartez les genoux et plantez vos pieds dans le sol. Fléchissez les bras sur la table et penchez-vous en avant, en extension à partir des hanches. Pour allonger la colonne vertébrale, il vous faudra peut-être reculer la chaise. Revenez doucement.

42

Étirez vos jambes

Lorsque vous vous sentez éreintée, mettez-vous debout pendant quelques minutes pour étirer vos muscles contractés. Avant de commencer, concentrez-vous sur votre respiration pendant quelques instants, jusqu'à ce qu'elle soit calme et régulière.

1 Mettez les mains sur le bureau, fléchissez le genou droit, et reculez la jambe gauche. Pressez le talon gauche au sol afin d'étirer le mollet. Répétez de l'autre côté.

2 Si c'est confortable, levez les mains, puis reculez les deux jambes afin de former un angle droit. Étirez-vous des mains aux hanches pour allonger votre colonne vertébrale.

3 Mettez un pied sur la table, ou sur une chaise si c'est trop haut, jambes tendues, orteils tendus vers vous. Si c'est confortable, étirez les bras. Répétez avec l'autre jambe.

Petit kit d'urgence contre le stress

Si vous êtes trop occupée pour pouvoir vous arrêter, ayez toujours sur vous quelques éléments calmants essentiels. Des en-cas et des boissons sains sont particulièrement recommandés pour soutenir le corps et l'esprit pendant les périodes de stress. Selon la Fondation Britannique pour le Cœur, si vous avez déjà un problème de santé comme de l'hypertension ou du diabète, il est encore plus important de prendre de telles mesures d'auto-assistance afin de réduire les effets du stress au travail.

Ayez toujours sur vous votre crème hydratante favorite pour nourrir votre peau.

43
La tête calme et claire
L'essence de fleurs du bush australien *Calm and Clear* est excellente si vous êtes immergée dans le travail, car elle apporte la clarté mentale qui manque tellement à celles qui sont surchargées de travail de manière chronique.

44
Des photos qui font soupirer
Regarder des photos de ceux qu'on aime stimule les endorphines et la positivité.

45
Des raisins noirs
Réparez les dégâts provoqués par les radicaux libres. La peau des raisins contient l'antioxydant réservatrol, responsable des bienfaits du vin rouge.

46
Une bouteille d'eau
Rester hydratée aide à garder la tête claire. Les étudiants qui boivent de l'eau pendant leurs examens obtiennent de meilleurs résultats.

47
Des sachets de thé blanc
Le thé blanc contient encore plus de polyphénol antioxydant que le thé vert, ce qui permet d'éviter les maladies cardiovasculaires et les accidents vasculaires cérébraux, et de stimuler l'immunité en protégeant contre les microbes parasites. Ayez toujours des sachets individuels sous la main.

48
Une banane de secours
La banane contient des vitamines du groupe B, indispensables au système nerveux, ainsi qu'au bon fonctionnement des cellules cérébrales et à la production d'énergie.

49
Du bon chocolat noir
Un petit peu de chocolat noir est un remontant et un antioxydant très puissant. Ses flavonoïdes antioxydants détendent les vaisseaux sanguins, ce qui stimule le flux sanguin et réduit la pression artérielle. Optez pour ceux qui contiennent 70 % de cacao, qui ont meilleur goût et qui rassasient.

50
Des sachets d'infusions
- La camomille a sur le cerveau le même effet qu'un médicament antianxiété.
- La menthe calme les problèmes digestifs et les maux de tête.
- Le gingembre soulage les nausées dues à des nuits courtes et à la surcharge de travail.
- Le fenouil rééquilibre la digestion et stimule l'appétit.

51
Nourriture calmante pour la peau
Ayez sur vous une crème apaisante pour la peau, afin de contrer les effets des vents glacés. Dans des bureaux surchauffés, employez-la comme baume pour vos lèvres sèches et vos cuticules.

52
Polissoir
Se polir les ongles deux minutes leur apporte du sang frais et des nutriments. Et quand on prend soin de ses ongles, on arrête de les ronger !

53

Rafraîchissement parfumé

Versez une goutte d'huile essentielle de menthe sur un mouchoir en papier que vous mettrez ensuite dans un sac en plastique. Reniflez-le quand le moral baisse, quand vous êtes épuisée mentalement ou en colère. (À éviter pendant la grossesse et l'allaitement.)

54

Carnet de notes fabuleux

Ayez un carnet de notes pour y jeter les pensées qui vous inspirent avant qu'elles ne disparaissent, qu'elles ne soient carbonisées dans votre cerveau chauffé à blanc. Trouvez-en un fabriqué en papier artisanal avec reliure en cuir ou en tissu.

55

Stylo-plume de collection

Le fait d'avoir simplement quelque chose de bien fait et d'ancien donne l'impression d'avoir une existence tranquille. Investissez dans un beau stylo et savourez le plaisir de l'écriture pour vous changer du clavier.

56

Exercices d'écriture

Échappez aux frustrations quotidiennes en écrivant pendant 10 minutes dans votre carnet de notes. Ne pensez pas trop, et ne vous attardez pas sur la grammaire, cela favorisera votre côté créatif. Essayez les sujets suivants :

- Ma chambre quand j'avais 8 ans.
- La maison de mes grands-parents.
- J'aime le printemps parce que…
- Ma pièce favorite.
- Mon premier souvenir.
- Mes pires vacances.

Équipez-vous des indispensables réducteurs de stress qui vous permettront de venir à bout d'une journée trépidante.

Des moments de détente

Lorsqu'on se sent accablée, tout arrêter pendant quelques minutes préserve la tranquillité de l'esprit. En période de stress, cessez le travail et prenez le temps de sortir pour manger ou boire quelque chose de nourrissant, ou faites un peu d'exercice vigoureux ou une sieste régénératrice. Lorsque vous reviendrez, vous constaterez combien vous êtes davantage concentrée sur votre travail et combien vos réactions sont plus mesurées face aux facteurs de stress quotidiens. Prendre du temps pour se détendre vous rend plus ingénieuse et vous protège contre les effets négatifs du stress.

Faites une coupure avec le bureau : sortez déjeuner.

57
Toutes les heures, une pause s'impose

Si vous travaillez à une tâche impitoyable, mettez votre réveil à sonner à chaque heure. Interrompez-vous et vérifiez si vous êtes toujours productive. Notez si vous avez dérivé en mode rêverie. Prenez quelques secondes pour vous focaliser à nouveau sur vos priorités.

58
Mangez un biscuit à l'avoine

Tous les féculents complets ont un effet calmant, mais l'avoine a des propriétés plus profondément relaxantes, et elle est recommandée par les herboristes pour traiter l'épuisement nerveux,

l'anxiété et l'insomnie. Si vous vous sentez nerveuse, croquez un ou deux biscuits à l'avoine.

59
Des fruits à coque et des graines

Les fruits à coque et les graines ont un effet sédatif sur le cerveau. Gardez-en un mélange dans votre tiroir pour grignoter lors d'une pause : amandes, noisettes, graines de tournesol et de sésame. Elles sont riches en protéines qui contiennent du tryptophane, acide aminé qui aide à sécréter la sérotonine, substance chimique qui déclenche un sentiment de calme satisfait.

60
Faites un break à midi

Une étude réalisée aux États-Unis révèle que seulement 3 % des individus prennent une heure entière pour déjeuner. Quant aux Français, 24 % des salariés mangent à leur poste de travail, et les femmes s'arrêtent encore moins que les hommes. Un rapport de

l'agence Reuter indique que l'Europe rattrape l'Amérique. Souscrire sans réserve à cette culture d'heures supplémentaires à n'en plus finir qui vous scotchent à votre bureau peut vous épuiser le cerveau et entraver vos performances, alors faites une pause.

61
Quittez votre bureau

Une autre étude réalisée aux États-Unis indique que 75 % de ceux qui prennent du temps le midi mangent à leur place, et beaucoup des autres ne mangent pas du tout. C'est pourquoi, au Canada, on a obligé certains fonctionnaires à sortir pendant une heure pour déjeuner. Voyez la différence que cela fait lorsque vous déjeunez dans un café ou pique-niquez dans un parc.

62
Des déjeuners relaxants

Optez pour un repas léger qui calme les nerfs, qui soutient le cerveau, et qui donne de l'énergie comme :

- Le céleri, les carottes et le concombre avec de l'houmous,
- Les salades avec de la laitue, des épinards, de l'avocat et des noix,
- Les sushis enveloppés dans des algues,
- Les pommes de terre au four,
- Les poissons gras comme les sardines, avec du pain complet,
- Les sandwiches au poulet, la salade, ou la soupe.

63

Ajoutez de l'huile d'olive

Ajoutez un filet d'huile d'olive sur les feuilles de votre salade du déjeuner. En plus de détendre les vaisseaux sanguins – ce qui stimule la circulation, l'huile d'olive semble protéger le cerveau et aider à combattre la somnolence qui accompagne généralement la digestion.

64

Des nutriments antistress

Lorsque vous combattez le stress, votre corps a besoin de davantage de nutriments, car de nombreux minéraux et vitamines essentiels sont appauvris à cause du stress. Lorsque votre travail est particulièrement accaparant, mangez davantage de fruits et de légumes, bonnes sources de potassium et de vitamine C, de produits de la mer et de céréales complètes, qui contiennent du zinc – les trois premiers éléments que l'on perd.

65

Mangez du curry

Les épices aident à réguler l'insuline, laquelle à son tour soulage l'anxiété. Parsemez vos plats de curcuma, de clous de girofle ou de cannelle.

66

Remontant de l'après-midi

Une salade de fruits frais avec du melon, des abricots, des bananes ou de la pastèque – qui contiennent du potassium et aident ainsi à réguler la tension – réduit le stress. Ajoutez-y un yaourt nature crémeux et quelques graines grillées.

67

Stockez la B12

Le manque de vitamine B12, naturellement présente dans les aliments d'origine animale, gêne le système nerveux, ce qui entraîne des problèmes liés au stress. Si vous ne consommez pas régulièrement de viande, de poisson, d'œufs ou de produits laitiers, mangez-en davantage en période de stress, ou saupoudrez de la levure de bière ou des germes de blé sur vos salades.

Évitez la baisse de régime de l'après-midi avec des repas légers et énergisants, comme les sushis frais.

68

Contemplez le ciel

Quand il fait beau, quittez le bâtiment pendant 15 minutes, et trouvez un carré d'herbe. Allongez-vous sur le dos et fermez les yeux, puis regardez le ciel. Songez combien il est vaste et infini, et imaginez que votre esprit est tout aussi infini. Observez les nuages qui passent puis disparaissent, et imaginez que vos pensées et sentiments sont des nuages qui traversent votre esprit. Ils ne sont pas votre esprit, et de ce fait ils ne peuvent avoir un impact à long terme dessus. Après 10 minutes, fermez les yeux pendant quelques instants, puis roulez sur le côté droit et levez-vous lentement.

69

Buvez de l'eau thermale

L'eau tirée des sources riches en minéraux est réputée pour ses propriétés calmantes et curatives. Cherchez des eaux de sources thermales traditionnelles.

70

Taisez-vous

Faites le serment de ne plus parler chaque jour pendant quelques instants, pendant que vous mangez ou que vous ouvrez vos e-mails par exemple. Pendant que vous êtes silencieuse, éteignez les distractions externes, comme la radio. Quand vous aurez appris à rester silencieuse à l'extérieur, vous remarquerez combien votre voix intérieure reste folle et active. Entraînez-vous alors à essayer de la rendre également moins bavarde.

71

Faites un peu d'exercice

Activer son corps en marchant vigoureusement autour du pâté de maison atténue la tension musculaire et soulage l'anxiété. Il a été démontré que seulement 10 minutes d'exercice par jour ramènent la joie de vivre, dissipent l'anxiété et la léthargie. Une étude a même indiqué que cela pouvait déclencher un accès de productivité de deux heures dans l'après-midi. Pendant que vous marchez à grandes enjambées, réfléchissez au moyen de faire entrer une séance de 45 minutes d'activité aérobie plus intense dans votre emploi du temps de la journée, afin de vous remonter le moral, de réduire votre pression artérielle, d'augmenter votre taux d'énergie et de soulager les symptômes du stress sur le long terme.

72

Une respiration facile

Lorsqu'ils sont tendus et stressés, de nombreux individus retiennent inconsciemment leur souffle. Faites une pause de quelques minutes et essayez cet exercice pour rééquilibrer votre respiration. Fermez les yeux, et sentez l'air qui descend dans vos narines, et quand il arrive dans vos poumons, remarquez votre diaphragme qui descend et votre cage thoracique qui s'élargit. Continuez à faire attention à votre poitrine qui se contracte, et à l'air qui ressort de vos narines. Répétez plusieurs fois en restant focalisée sur votre respiration. Excluez toute autre chose de vos pensées. C'est la paix intérieure, et il est facile de la trouver.

Ayez un verre d'eau à portée de main afin de rester hydratée et de refaire le plein des minéraux perdus.

73

Trouvez un refuge

S'il y a une salle de repos sur votre lieu de travail, envisagez de prendre l'habitude d'y prier ou simplement d'y passer régulièrement dans la journée un moment assise à réfléchir. Si c'est bénéfique, essayez de considérer cet instant non pas comme un moment de dévotion spirituelle, mais comme une pause pour vous recharger, qui vous soustrait aux stress du travail pendant quelques instants, ce qui, à son tour, aide à rééquilibrer l'esprit et renouvelle l'énergie. Les heures traditionnelles de la prière chez les musulmans – aube, midi, milieu de l'après-midi, coucher du soleil et tombée de la nuit – sont de bons moments pour s'asseoir tranquillement, se tourner vers l'intérieur et établir sa concentration ailleurs que sur soi-même. On peut commencer par rendre grâce, étendre son amour à ceux qu'on aime ou méditer sur des thèmes comme le pardon ou la paix.

74

Divination aux feuilles de thé

Voici une pause divertissante à faire avec des collègues que vous connaissez bien, surtout si votre avenir vous paraît incertain.

3–4 cuill. à café de feuilles de thé noir en vrac
1 théière de taille moyenne
Tasses et soucoupes
Lait ou rondelles de citron et sucre
   suivant les goûts

Mettez le thé à la cuiller dans une théière chaude, puis remplissez-la d'eau bouillante. Laissez infuser pendant 5 minutes, puis versez le thé dans les tasses (sans filtrer) ; ajoutez un peu de lait ou de citron et sucrez si vous le souhaitez.

Placez chaque tasse sur une soucoupe ; surélevez vos pieds et dégustez le thé en bavardant. Lorsque vous l'aurez fini, retournez les tasses sur les soucoupes, puis tournez-les trois fois dans le sens des aiguilles d'une montre.

Remettez la tasse à l'endroit et passez-la à une collègue pour analyse. Elle pourra chercher une flèche susceptible d'indiquer une direction future pour votre vie, des empreintes de pieds ou des cœurs, des bateaux ou des valises, des chiffres ou le symbole de l'Euro. Voyez si vous pouvez trouver des interprétations qui conviennent aux diverses images.

75

Mettez-vous aux esquisses

Achetez un carnet de croquis et des crayons de diverses duretés (demandez conseil au vendeur), et lorsque vous aurez besoin d'une pause, attrapez votre carnet et dessinez ce que vous voyez. Vous découvrirez peut-être que vous aimez vous spécialiser dans les portraits d'individus ou d'animaux ; notez les changements de saisons en regardant par la fenêtre, ou en croquant des natures mortes. Ne soyez pas obsédée par votre adresse ; appréciez simplement le point de vue différent que cette activité vous donne sur le monde.

76

Récompensez-vous

Si la vie n'est qu'exigences pour peu de compliments, gâtez-vous chaque jour avec un petit plaisir : allez chez le fleuriste et choisissez-vous un bouquet, faites un détour par la meilleure pâtisserie de la ville, appelez une amie à qui vous avez beaucoup de choses à dire, ou lisez un chapitre d'un roman captivant.

77

Devenez mentor

Des études indiquent que faire profiter sa communauté de son savoir-faire aide réellement à se sentir plus heureux et plus détendu (les bénévoles vivent également plus longtemps). Informez-vous auprès de votre employeur pour savoir si l'entreprise organise des stages pour les jeunes, ou contactez les services communaux pour la jeunesse pour voir si vous pourriez aider un adolescent à évoluer vers une carrière dans votre secteur d'activité.

Élargissez votre conscience des choses : intégrez des moments réguliers dans la journée pour une réflexion tranquille afin de recharger votre énergie affaiblie.

Pour détendre des mains contractées

Des mains agitées et des ongles en lambeaux sont des signes révélateurs d'un esprit tracassé, et des troubles musculosquelettiques représentent un risque pour ceux qui doivent répéter la même tâche continuellement tout au long de leur journée de travail. Soulager des mains raides est un moyen facile pour dissiper la tension dans d'autres parties du corps également, car les terminaisons nerveuses des paumes communiquent avec des points clés dans lesquels nous stockons la tension, comme la nuque et les épaules.

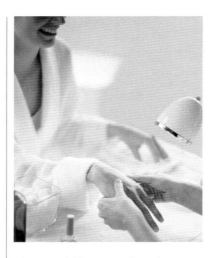

Faites-vous plaisir avec une séance de bichonnage à l'heure de table, et sentez votre tension se dissiper.

78

Dorlotez-vous grâce au cachemire

Si vos mains sont contractées parce qu'elles sont froides, les tendons et les ligaments sont davantage sujets aux blessures. Essayez de porter des mitaines fines pour taper sur votre clavier, choisissez-les en pur cachemire ou en soie – qui enrobent vos doigts comme une seconde peau et qui sont les matériaux naturels qui retiennent le mieux la chaleur.

Faites briller vos ongles avec de l'huile d'onagre.

79

Faites une manucure

Une séance de bichonnage des mains dissipe également la tension dans le visage et les épaules. Choisissez les salons proposant des produits holistiques, sans formaldéhyde ni toluène, substances chimiques associées à la fatigue, la faiblesse et la confusion.

80

Un bain des ongles à midi

Ajoutez 1 cuillerée à café d'huile d'olive et du jus de citron dans de l'eau chaude. L'huile compense la perte d'humidité due au chauffage central, tandis que le citron élimine les taches et a un parfum revigorant. Détendez-vous pendant 10-15 minutes en y immergeant le bout de vos doigts.

81

Huile rajeunissante pour les ongles

Pour renforcer des ongles affaiblis et leur apporter une brillance rosée et un éclat qui clame « je ne suis pas stressée », profitez de l'heure de table pour utiliser ces huiles pour un massage nourrissant.

1 cuill. à soupe d'huile de pépins de raisins
1 gélule d'huile d'onagre
1 cuill. à café d'huile d'avocat ou de germes de blé
2 gouttes d'huile essentielle de néroli ou de bois de santal

Mélangez les huiles, puis massez-vous les ongles avec. Passez des gants de coton si vous devez taper ensuite sur votre clavier.

82

Respiration Qigong

Cet exercice vous connecte à la Terre, l'élément de base solide, et à l'air, l'élément de l'inspiration. Cela pourra vous aider à vous sentir davantage en mesure de vous attaquer à des sources potentielles de tension.

Debout, bien droite, les plantes des pieds bien ancrées dans la terre, et le sommet de votre tête s'étendant vers le ciel. Étendez vos bras sur les côtés, puis tournez la paume de votre main droite vers le haut. **Inspirez** ; imaginez que vous inspirez par votre paume droite, en aspirant de l'énergie que vous sentez voyager jusqu'à votre paume gauche. Quand vous expirez, laissez l'énergie se vider jusque dans le sol, ce qui vous recentre et vous enracine. Continuez pendant 3 minutes en alternant les paumes.

83

Mangez du chou cru

Une étude réalisée en 2006 rapporte qu'une alimentation riche en vitamine K (présente dans les légumes verts à feuilles) diminue le risque de problèmes articulaires dans les mains. Au déjeuner, mangez du chou cru qui contient de la vitamine K et de la vitamine B. Essayez cette recette pour deux personnes.

½ chou, coupé en lamelles
2 cuill. à soupe de bettes ou épinards, coupés en lamelles
1 grande carotte bio, râpée
1 pomme, épluchée et râpée
1 poignée de raisins secs (facultative)
3-4 cuill. à soupe de mayonnaise
Poivre noir fraîchement moulu

Dans un saladier mélangez le chou, les épinards ou les bettes avec la carotte, la pomme et les raisins secs. Ajoutez la mayonnaise et le poivre.

84

Installation de l'ordinateur

Placez votre clavier de sorte que vos coudes se trouvent à angle droit par rapport à la partie supérieure de vos bras, et que vos poignets soient à plat (ne glissent pas sur le côté). Résistez à l'envie de les poser sur le bureau ; il faudra éventuellement caler le clavier. Lorsque vous arrêtez de taper, reposez vos mains. Faites des pauses fréquentes pour décrire des cercles avec vos épaules et vos poignets, et secouer la tension dans vos doigts.

85

Abandonnez la souris

Pour que vos mains ne soient pas stressées, préférez les commandes du clavier à la souris. Apprendre ces raccourcis clavier entraîne aussi le cerveau.

86

Une tasse origami

Faites une tasse en papier, qui pourra contenir de l'eau ! Cela exerce et repose les doigts, et aide à maintenir leur dextérité si on passe des heures sur la même activité, ce qui est susceptible d'entraîner des troubles musculosquelettiques.

1 Pliez un carré de papier en triangle avec deux pointes « libres » en haut. Repliez les pointes en travers, de façon à ce qu'elles rencontrent leur bord opposé.

2 Pliez la pointe supérieure du triangle vers le bas et appuyez le long du pli. Tournez le papier dans l'autre sens et répétez ce pli de l'autre côté.

3 Pressez ensemble les côtés pour ouvrir la tasse. Posez-la à plat et remplissez-la à moitié avec un peu d'eau fraîche ; buvez et profitez de cette pause réhydratante.

Fléchissez les poignets et concentrez votre énergie grâce à cette position basique de prière.

dans le sens horaire, puis anti-horaire, puis dans les deux directions. Terminez en secouant les mains.

91

Étirement du poignet et des doigts

Étendez les bras, mains vers le bas, et respirez 5 fois. Pointez les doigts vers le haut pendant 5 respirations. Croisez les doigts, faites tourner les paumes vers l'extérieur et tendez les bras.

92

Détendez vos mains

Asseyez-vous et laissez reposer la paume de vos mains sur vos cuisses, doigts légèrement écartés. Fermez les yeux. Vos coudes sont lourds, vous sentez vos poignets qui tombent et vos épaules qui se relâchent. Laissez vos mains sombrer, comme si elles étaient posées sur du sable, seulement soutenues par leurs contours. À chaque inspiration, sentez vos mains qui s'étalent.

87

Faites une pause

Étirer les muscles des mains aide à prévenir les blessures, plus susceptibles d'avoir lieu si les mains n'ont pas été échauffés. Faites les exercices indiqués ici au moins une fois toutes les heures si vous faites des tâches répétitives comme taper sur un clavier, soulever des casseroles lourdes ou jouer d'un instrument.

88

Position de prière

Les paumes assemblées et les pouces sur le sternum, pressez chaque doigt l'un contre l'autre. Inspirez et sentez la chaleur dans votre poitrine. Expirez et descendez vos paumes aussi bas que vous le pourrez avant qu'elles ne se séparent. Tenez la position pendant 5 respirations complètes.

89

Acupression d'auto-assistance

L'articulation du pouce retient souvent la tension, car c'est l'un des rares endroits de la main où se trouvent un muscle et un tendon. Soutenez l'une de vos mains avec l'autre, paumes vers le haut. Utilisez le pouce du dessous pour masser la base du pouce supérieur, en soulageant les zones douloureuses. Changez de main et répétez l'opération.

90

Mobilisez vos poignets

Laissez tomber vos mains à partir des poignets, et secouez-les de bas en haut et sur les côtés pour délier le poignet. Avec les mains à hauteur de la poitrine, et les coudes détendus, décrivez lentement des cercles, en bougeant à partir du poignet, avec les deux mains,

93

Exercice de chakra pour les mains

Selon les yogis, stimuler un centre d'énergie dans la paume rend la communication plus détendue. **Frottez-vous les paumes**, puis tenez-les séparées, face à face. **Rapprochez doucement** vos paumes jusqu'à sentir de la résistance ou de la chaleur. Bougez-les d'avant en arrière pour sentir l'énergie, que vous pouvez vous représenter comme une sphère de lumière en forme de balle de tennis. Les yeux fermés et les paumes vers le haut, connectez-vous avec cette énergie pendant 30 secondes.

Pour soulager des pieds courbatus

Après de longues heures passées debout, des pieds fatigués et douloureux créent une tension visible sur le visage, et provoquent des problèmes de posture et de dos. Se tenir simplement debout correctement peut être un élément décisif pour dissiper la tension. Une fois que vos pieds n'adhèrent plus au sol et que le poids de votre corps est redistribué équitablement, les douleurs dans le bas du dos, dans les épaules et le cou disparaissent.

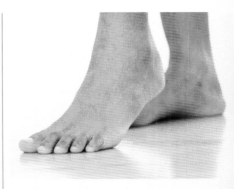

Appréciez la sensation de marcher pieds nus et du contact peu familier avec le sol.

94
Des racines solides

Enlevez vos chaussures et tenez-vous debout, pieds largement écartés, genoux relâchés. Si vous pouvez tenir en équilibre, fermez les yeux. Autrement, fixez votre regard et fermez légèrement les paupières. Laissez pendre vos bras relâchés. Sentez vos pieds contre le sol, en prenant conscience des zones où vous portez davantage de poids ; vous remarquerez peut-être une différence entre les deux pieds (pensez à l'usure de vos chaussures et aux endroits ou votre peau est plus dure). Inclinez-vous pour que la pression soit régulière. Imaginez que vous êtes connectée avec tout ce qui se trouve sous vous : le plancher, les fondations, la terre, le rocher, les strates et les rivières souterraines, les grottes, la lave. Sentez le sol qui vous soutient. Le monde entier, en réalité. Respirez.

95
Marchez pieds nus

Retirez vos chaussures dès que vous le pouvez, afin de laisser vos pieds respirer et se détendre, en étant en contact avec

Ayez un masseur plantaire à portée de main pour dissiper la tension de vos pieds fatigués et douloureux.

le sol de tous les côtés (les deux côtés des talons et la base du gros et du petit orteil).

96
Employez un masseur plantaire

Achetez un masseur plantaire pour le travail. Massez-vous les pieds toutes les heures, en insistant sur les endroits douloureux ou noués.

97
Réchauffez-vous les pieds

La laine est le matériau le plus isolant. Protégez vos pieds du froid avec des chaussettes luxueuses en cachemire ou en laine (choisissez de la pure laine vierge). Ajoutez des chaussons en peau de mouton ou des bottes.

98
Bain analgésique pour les pieds

Si vous devez rester debout pendant de longues périodes, essayez ce bain apaisant pour les pieds. Les propriétés analgésiques de la moutarde soulagent les os douloureux.

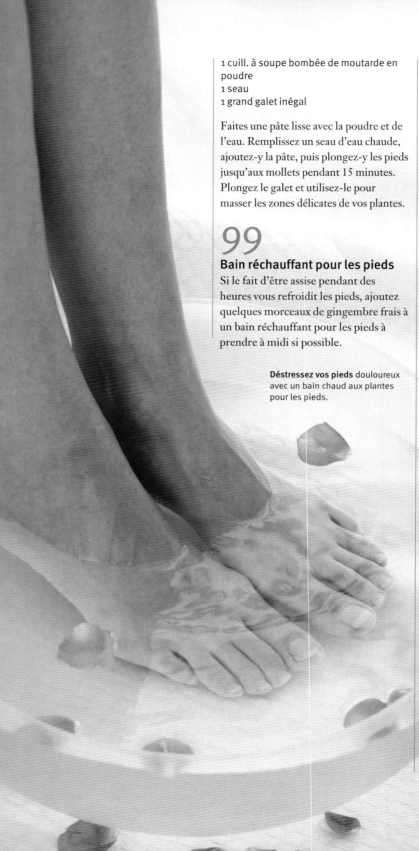

1 cuill. à soupe bombée de moutarde en poudre
1 seau
1 grand galet inégal

Faites une pâte lisse avec la poudre et de l'eau. Remplissez un seau d'eau chaude, ajoutez-y la pâte, puis plongez-y les pieds jusqu'aux mollets pendant 15 minutes. Plongez le galet et utilisez-le pour masser les zones délicates de vos plantes.

99

Bain réchauffant pour les pieds

Si le fait d'être assise pendant des heures vous refroidit les pieds, ajoutez quelques morceaux de gingembre frais à un bain réchauffant pour les pieds à prendre à midi si possible.

Déstressez vos pieds douloureux avec un bain chaud aux plantes pour les pieds.

100

Bain de pieds apaisant aux plantes

Versez 1 cuillerée à café de chacune des teintures suivantes dans un saladier d'eau tiède, ajoutez quelques pétales de rose, puis trempez-y les pieds, si possible pendant une pause, ou dès que vous êtes rentrée chez vous.

- Soucis (*Calendula officinalis*) a des propriétés antifongiques, et apaise une peau craquelée ou douloureuse.
- Trèfle rouge (*Trifolium pratense*) aide à guérir les problèmes de peau, comme l'eczéma ou le psoriasis.
- Hamamélis (*Hamamelis virginiana*) est utilisé pour les entorses, les hématomes, les meurtrissures et les varices.

101

Remède pour pieds gonflés

La station debout prolongée (ainsi que la grossesse) peut provoquer le gonflement des pieds, car les liquides stagnent dans les tissus (œdème). Pour le combattre : 2 granules de sels de Schüssler *Natrum muriaticum*, 4 fois par jour.

102

Pédicurie le midi

Pour celles qui passent des heures debout, une séance de pédicurie apporte une légèreté bienvenue à des membres inférieurs fatigués, en éliminant la fatigue, en améliorant la circulation et en réduisant la rétention d'eau. Préférez les traitements par bains de pieds, exfoliations et massages, à ceux qui se spécialisent dans des effets spéciaux pour les ongles.

103

Une séance de réflexologie

Les réflexologues ne se contentent pas de masser les pieds : en analysant des zones du pied correspondant à d'autres parties du corps, ils diagnostiquent des affections liées au stress et les traitent en exerçant des pressions sur les zones réflexes.

104

Pour des chevilles raidies

Asseyez-vous sur une chaise, pieds nus. Soulevez un pied, et croisez la cheville sur le genou opposé. Tenez votre cheville d'une main, puis avec l'autre main, attrapez le pied et faites-lui décrire lentement quelques cercles. Répétez avec l'autre pied.

105

Revitaliser la voûte plantaire

Debout près d'un support, sans chaussures, pieds écartés de la largeur des hanches, mettez-vous sur la pointe des pieds, dos bien droit, puis descendez les genoux aussi bas que possible. Ne baissez pas les talons ! Redressez-vous à nouveau, puis descendez les talons au sol. Reposez-vous, soulevez les talons à nouveau, puis répétez lentement.

106

Posture de yoga pieds sur le mur

Essayez cette posture pour détendre votre dos et vos jambes. Il faut un mur libre et de l'espace au sol. Si vous avez votre propre bureau, fermez la porte, sinon pratiquez-la chez vous après le travail.

Recroquevillez-vous sur le côté, genoux fléchis, fesses près du mur. Balancez les jambes sur le mur, en gardant le tronc aligné sur vos jambes.

Amenez vos bras sur le côté, paumes vers le haut, et détendez-vous pendant 5 minutes. Si vos jambes sont inconfortables ou pliées, éloignez vos fesses du mur, jusqu'à ce que vous soyez à votre aise.

107

Étirez vos orteils

Ces étirements sont imbattables pour des pieds courbatus et fatigués. Si vous les trouvez plutôt difficiles, essayez de respirer pendant l'inconfort.

1 Retirez vos chaussures et agenouillez-vous sur le sol, près d'un mur pour rester en équilibre. Pour plus de confort, placez une couverture pliée sous vos genoux.

2 Faites un pas en avant, et repliez les orteils du pied arrière, puis descendez lentement les fesses vers votre talon arrière. Expirez.

3 Détendez le pied arrière. Relevez votre pied avant, en appuyant les articulations dans le sol. Si possible, roulez sur les os. Répétez de l'autre côté.

Pour atténuer les rides

Des inquiétudes de tous les instants gravent nos soucis sur notre visage, sous forme de rides de renfrognement et de bouche affaissée. Par ailleurs, le stress augmente la production de radicaux libres, impliqués dans le vieillissement : ainsi notre teint souffre-t-il doublement si nous ne nous détendons pas. Le cortisol, l'hormone du stress, retarde aussi la réparation cutanée en déviant le flux sanguin et les nutriments de la peau afin d'alimenter le cerveau et les muscles pour combattre le stress ou pour lui échapper. Voici quelques moyens pour déclencher des antidotes afin que votre corps réagisse en se relaxant.

110

Croquez une pomme

Les pommes contiennent de grandes quantités de quercétine, flavonoïde antioxydant, et en manger une variété particulièrement croquante diminue le stress dans la mâchoire et les lèvres.

108

Mangez gras

Irritabilité et humeur maussade peuvent provenir d'une alimentation pauvre en acides gras oméga 3. Pour restaurer l'équilibre affectif, lequel à son tour permet de détendre un front sillonné, prenez des noix en en-cas et du poisson gras pour le déjeuner – sardines et maquereaux – au moins deux fois par semaine.

Protégez votre peau avec des aliments riches en vitamines, comme le saumon et les légumes aux couleurs vives.

109

Aliments réparateurs pour la peau

Les aliments riches en vitamines A, C, E et du groupe B aident à combattre les dégâts provoqués par les radicaux libres et à réparer la peau. Vous trouverez ces vitamines en abondance dans les œufs, les produits laitiers, les poissons gras (saumon), le foie, les fruits et légumes frais de couleur vive, ainsi que les légumes à feuilles vert foncé, les céréales complètes, les fruits à coque et les légumineuses.

111

Huiles faciales antistress

Ces huiles sont riches en antioxydants qui permettent de combattre les détériorations cutanées provoquées par les radicaux libres entraînés par le stress. Appliquez-en un peu pour masser et faire disparaître vos rides de renfrognement. Choisissez les ingrédients suivants dans les produits du commerce pour la peau :

- Huile d'olive,
- Huile de cynorrhodon,
- Huile d'argan,
- Huile de pépins de raisin,
- Huile de moringa.

112

Huile faciale apaisante

Essayez ces huiles de massage, renommées pour leurs propriétés antirides. (À éviter pendant la grossesse.)

2 cuill. à soupe d'huile de pépins de raisin
1 gélule d'huile d'onagre

4 gouttes d'huiles essentielles de
bois de rose et d'encens

Versez les huiles dans un flacon opaque,
puis ajoutez-y les gouttes d'huiles
essentielles. Fermez hermétiquement et
gardez à l'abri de la chaleur et de la
lumière. Secouez bien avant usage.

113

Tonique contre le mauvais sang

Gardez au réfrigérateur un vaporisateur
pour le visage. Quand vous êtes dans
tous vos états et avez chaud, vaporisez
votre visage et votre cou.

114

Gel rafraîchissant pour les yeux

Gardez du gel pour les yeux au
réfrigérateur pour l'appliquer lorsque
vous êtes stressée, en décrivant des
cercles avec les annulaires.

115

Vérification rapide de son expression

Lorsque vous terminez une tâche,
vérifiez votre expression. Froncez-vous
les sourcils ou plissez-vous les yeux ?
Vos lèvres sont-elles pincées et vos
mâchoires serrées ? Changez
d'expression en adoptant un léger
sourire et en allongeant le cou. Sentez
comme cela dissipe les soucis.

116

Massez-vous les sourcils

Pour détendre un front ridé, placez vos
index au milieu du front, au-dessus des
sourcils, les bouts se faisant face, puis
faites-les avancer l'un vers l'autre en
massant, et revenez. Travaillez jusqu'à
la ligne des cheveux.

Rajeunissez une peau fatiguée avec une huile faciale riche en antioxydants.

117

Des caresses apaisantes

Avec le bord de vos index, caressez-vous
en partant des sourcils jusqu'aux
cheveux, en un flot de caresses
antistress. Travaillez d'un côté du front
vers le centre, puis de l'autre côté.

118

Comme un lion

Plissez le visage (dans les toilettes !) dans
tous les sens, comme un pruneau.
Ouvrez les yeux et la bouche aussi grand
que possible. Expirez, tirez la langue et
regardez le plafond. Ajoutez un
« ahhhh » rugissant pour encore plus de
bienfaits. Détendez-vous et profitez d'un
picotement de rajeunissement, surtout si
vous avez tendance à serrer les lèvres.

119

Paumes sur les yeux

Frottez-vous énergiquement les
paumes, jusqu'à ce qu'elles picotent, et
placez-les sur vos yeux. Sentez l'énergie
qui bouillonne dans vos yeux et votre
front, détendant toute zone tendue.
Mettez vos joues et vos mâchoires dans
vos paumes, pour vous baigner de

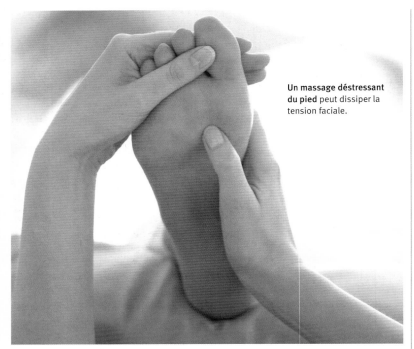

Un massage déstressant du pied peut dissiper la tension faciale.

l'énergie résiduelle. Stimuler le chakra des mains de cette façon est censé vous reconnecter à vos organes d'action, ce qui peut vous aider à éviter les efforts inutiles.

120

Essayez le massage indien du crâne

Un massage de la tête détend les muscles contractés de la nuque et des épaules qui restreignent la circulation vers le cuir chevelu et le visage. Faites-vous faire un massage indien qui consiste à presser, puis relâcher le cuir chevelu, et à faire des mouvements de percussion avec les mains pour dissiper la tension et vous apporter un rayonnement détendu. En pressant sur des points clés de l'énergie, le thérapeute restaure un flux d'énergie subtile qui dope les pouvoirs curatifs naturels du corps.

121

Faites un soin du visage à midi

Être allongée dans une pièce sombre pendant 45 minutes, pendant qu'on nettoie, qu'on masse et qu'on applique des onguents parfumés sur votre visage : il n'y a rien de meilleur pour faire fondre les rides. Faites vos séances à l'heure du déjeuner, avec 2 ou 3 esthéticiennes pour s'occuper de vos pieds, de votre visage et de vos mains.

122

Traitement capillaire

Certains salons « bio » ou naturels spécialisés dans le soin du cheveu proposent des techniques de rajeunissement des cheveux abîmés par la chaleur, la couleur et les produits coiffants (surtout utilisés avec un sèche-cheveux). L'action fortifiante de ces soins, qui

renforce le cheveu et le réhydrate, soulage également les crispations du visage.

123

Soignez vos pieds

Le stress de la plante des pieds se voit sur le visage, donc se faire un massage des pieds pendant une pause (ou mieux encore, se faire masser) peut agir comme un minilifting du visage.

124

Bannir les pensées négatives

Penser le pire des individus peut provoquer des rides autour de la bouche. Remaniez vos pensées afin de dissiper la tension faciale. Si vous avez des pensées négatives, prenez du recul et demandez-vous si vous êtes trop critique ou si vous faites des supputations.

125

Collez une citation

Collez cette citation de Julian de Norwich, mystique médiéval sur votre ordinateur : « … tout sera bien et tout sera bien, à tous égards ». Méditez sur son optimisme, sa compassion et son intérêt universel. Essayez-la comme un mantra : fermez les yeux, dites la première partie silencieusement en inspirant, puis la seconde en expirant.

126

Esprit ouvert

Abordez les expériences avec un esprit ouvert. Imaginez quelque chose de grandiose. Ne vous en tenez pas à des supputations passées : voyez les choses en face, cela vous aidera à rester détachée des conséquences si vous avez tendance à être critique ou à vous inquiéter à l'avance.

127

Training autogène

Les inquiètes invétérées devraient envisager le training autogène. Pendant les séances, on vous apprend à remplacer les réactions de stress par une réaction de relaxation semblable à la méditation. Cela peut apaiser les symptômes de stress, de l'anxiété à l'insomnie, de la douleur musculaire aux crises de panique.

128

Essence contre l'inquiétude

L'essence de fleurs du bush australien *Crowea*, convient aux inquiètes chroniques et à celles qui se sentent déstabilisées par l'anxiété, en restaurant le calme et l'équilibre. On l'utilise aussi dans le traitement des ulcères de l'estomac. Placez-en 4 gouttes dans un verre d'eau et buvez à petites gorgées jusqu'à ce que les symptômes disparaissent. Dans les cas extrêmes, placez les gouttes directement sur la langue.

Considérez chaque instant comme un espace dégagé : une nouvelle expérience à explorer.

129

Homéopathie pour les inquiètes

Essayez les remèdes suivants :

- *Arsenicum album* 30 pour celles dont l'inquiétude principale est l'argent ou la santé.
- *Calcarea carbonica* 30 pour celles qui sont stressées par la responsabilité et qui ressassent sans cesse des inquiétudes dérisoires pour éviter de penser aux choses sérieuses. Convient à celles qui ont peur de perdre leurs facultés mentales.
- *Staphysagria* 30 pour celles qui se sentent incapables de s'imposer quand elles sont traitées injustement, et toutes celles qui retiennent leur colère et ressassent inlassablement des conversations ou des querelles.

130

Acupression antistress

Dans votre front sont situés deux points qui soulagent le stress et qu'on trouve sur les deux bosses de chaque côté de sa partie supérieure. Utilisez le pouce droit et le majeur, écartés de 5 cm, pour trouver ces bosses. Si vous y allez tout en douceur, il est possible que vous trouviez ces zones avant même de les toucher. Effleurez-les doucement pour vous sentir plus calme.

131

Des mâchoires relâchées

Localisez l'endroit où vos mâchoires s'articulent devant vos oreilles. Serrez les dents pour vérifier que c'est le bon endroit : les muscles doivent se contracter. C'est l'articulation temporo-mandibulaire qui peut provoquer de la tension dans la mâchoire. Employez l'index et le majeur pour la frotter avec des mouvements circulaires. Appliquez autant de pression que cela vous est confortable.

Pour détendre le haut du corps

Nous avons tendance à stocker la tension dans la zone de la nuque et des épaules à cause d'une mauvaise posture. Cela peut être dû au fait que nous passons beaucoup de temps immobiles à notre ordinateur, un téléphone coincé entre le menton et l'épaule, ou à une réaction au stress qui nous pousse inconsciemment à raidir les muscles de notre nuque et de nos épaules, pour nous préparer à frapper quelqu'un ou à nous enfuir. Si l'on ne fait rien, on peut arriver, à la longue, à une douleur chronique.

Les propriétés calmantes de l'huile de lavande dissipent la tension et le stress des muscles raidis.

132

Évaluez votre souffle

Une respiration superficielle fait s'effondrer la poitrine, voûte les épaules et le dos. Pour revenir à une respiration profonde, mettez une main sur votre abdomen, puis l'autre sur la poitrine. Respirez, et sentez laquelle de vos mains bouge le plus. Si c'est celle du haut, vous ne respirez pas assez profondément. Expirez profondément avec votre abdomen et observez votre main du bas qui monte et qui descend.

133

Regardez en haut

Quand on est préoccupée, on baisse la tête et notre poitrine s'effondre. Marchez en regardant vers le haut et devant vous, au moins à 5 m. Imaginez que vous glissez vers ce point sur un trottoir roulant.

134

Vérifiez votre menton

Menez-vous le mouvement avec votre tête ? Votre menton fait-il saillie à cause d'un désir d'être occupée ou de mener ? Cela met le cou et les épaules à rude épreuve, ainsi que le bas du dos et la mâchoire. Rentrez le menton, et placez les oreilles au-dessus des épaules dans une position plus détendue, plus naturelle.

135

Adoucissez vos mâchoires

Vérifiez s'il y a de la tension dans votre mâchoire et vos dents à intervalles réguliers pendant la journée. Si vous avez l'habitude de les serrer, adoucissez votre bouche en vous assurant que vos lèvres sont fermées délicatement, et que votre langue repose légèrement sur votre palais.

136

Position assise

La position la moins stressante pour travailler devant un ordinateur consiste à avoir les coudes à angle droit par rapport à la partie supérieure des bras, et les épaules détendues. Placez l'écran juste devant vous (essayez de le mettre plus loin et plus bas que d'habitude), puis tirez légèrement votre menton afin d'allonger votre nuque.

137

Déblocage rapide du corps

Allongez-vous sur le dos, genoux fléchis, pieds à plat sur le sol. Croisez les bras sur la poitrine et étreignez-vous, puis commencez à balancer doucement la partie supérieure de votre corps d'un côté à l'autre pendant environ une minute. Changez le croisement de vos bras et recommencez.

138

Balancement doux

Debout, pieds écartés de la largeur des hanches, laissez vos bras détendus pendre sur les côtés. Les genoux légèrement pliés, commencez à balancer doucement les bras d'un côté à l'autre, puis suivez graduellement ce mouvement avec la partie supérieure de votre corps, en pliant les genoux et en vous tournant pour regarder par-dessus votre épaule à chaque balancement. Ne forcez pas, tout doit être doux et relâché.

139

Pour ouvrir les épaules

Debout, pieds écartés de la largeur des hanches, tenez une longue ceinture ou une écharpe avec vos deux mains écartées d'un mètre. Inspirez, gardez la ceinture tendue, levez les bras par-dessus la tête puis tirez-les derrière le dos. Ne les pliez pas et ne tordez pas les épaules. Si c'est trop serré, élargissez l'étreinte ; si c'est facile, rapprochez les mains. Expirez et ramenez les bras. Répétez plusieurs fois et arrêtez si votre cou est contracté.

140

Friction des muscles douloureux

Massez vos épaules douloureuses avec ces huiles. (À éviter pendant la grossesse, en cas d'hypertension ou d'épilepsie.)

3 cuill. à soupe d'huile d'olive
8 gouttes d'huile essentielle de lavande
4 gouttes d'huile essentielle de romarin

Versez l'huile d'olive dans un bol, ajoutez-y les huiles essentielles et remuez bien.

141

Prenez des cours d'Alexander

Un cours particulier avec un professeur de *Technique Alexander* vous réapprend à dissiper la tension dans vos muscles et à laisser la musculature sous-jacente soutenir votre corps, ce qui permet de faire des mouvements avec un moindre effort, restaure l'équilibre, la coordination et la pensée. Inscrivez-vous à un cours d'introduction avec plusieurs instructeurs, afin de trouver celui avec lequel vous pourrez travailler sur le long terme.

142

Des bras *Gomukhasana*

Debout ou assise, tenez une ceinture ou une écharpe dans une main et passez-la par-dessus votre tête. Fléchissez ce bras et laissez retomber la main derrière la tête, entre les épaules. Amenez votre autre main derrière le dos en haut, pour qu'elle attrape l'autre main ou la ceinture. Étirez l'un de vos coudes vers le plafond, et l'autre vers le sol. Relâchez et répétez de l'autre côté.

Faites travailler le haut de votre corps avec cet étirement inspiré d'une posture (*asana*) de yoga.

143

Essayez le Feldenkrais

La méthode Feldenkrais vous apprend à bouger avec aisance et sans vous forcer, en augmentant votre conscience du mouvement, de la posture et de votre respiration. Tout en permettant de soulager la tension musculaire et les douleurs chroniques, la plupart des individus trouvent que cette méthode améliore leur posture et leur coordination dans leurs activités quotidiennes. Pendant les cours, on est allongé sur le sol, et l'on exécute une série de mouvements simples et lents qui révèlent les mauvaises habitudes qu'on a prises au cours des années, et qui nous aident à trouver des façons nouvelles et plus adaptées de se mouvoir.

144

Rotations de la tête

Debout ou assise, bien droite, laissez tomber le menton sur votre poitrine. Faites tourner votre tête vers le côté, l'oreille tombant sur l'épaule. Roulez vers l'arrière et répétez de l'autre côté. Ne mettez pas la tête en arrière : c'est son poids qui crée l'étirement (ne forcez pas).

145

Relâchez votre souffle

Ceci calme les émotions tout en étirant les épaules et la poitrine.

Debout, pieds écartés de la largeur des hanches, observez votre respiration. Serrez votre poitrine avec vos bras, les doigts ancrés dans les épaules. Laissez tomber la tête en avant.

Inspirez, levez la tête et étirez les bras. Sentez comme cela ouvre le cœur et cambre le haut du dos.

Expirez, croisez les bras et laissez retomber la tête. Répétez plusieurs fois, en alternant le croisement de vos bras.

146

Relâchement Pilates des épaules

Cet exercice, beaucoup plus difficile qu'il n'y paraît, isole le mouvement dans les omoplates en les plaçant dans une position saine qui dissipe la tension.

1 Debout contre un mur, les coudes sur les côtés, pliez les bras en L, paumes vers le haut, et respirez avec les muscles abdominaux, de l'arrière vers le haut.

2 Placez vos avant-bras vers l'arrière en direction du mur : vous sentez un pincement entre vos omoplates. Tenez, en faisant participer vos muscles abdominaux.

3 Ramenez les avant-bras à la position de départ. Répétez la totalité de l'enchaînement pendant 30 à 60 secondes puis secouez les bras.

Pour soulager le bas du dos

Des recherches menées aux États-Unis par le *National Institute for Occupational Safety and Health* démontrent que le stress au travail augmente le risque de souffrir de troubles musculosquelettiques dans le dos et la partie supérieure du corps. Les kinésithérapeutes blâment les chaises de bureau, l'inactivité, l'obésité et la tension. L'un des meilleurs moyens d'éviter le mal de dos est de faire de l'exercice pratiquement tous les jours, et de faire attention à prendre de bonnes postures de base.

147

Surveillez votre posture

Si, au travail, vous êtes debout, assurez-vous que votre posture permet aux muscles principaux de votre corps de se détendre. Adoptez une posture ferme, pieds écartés de la largeur des hanches, orteils pointant vers l'avant. Quand vous soulevez quelque chose, placez vos genoux et vos hanches au-dessus de vos chevilles. Inclinez le bassin légèrement en avant et rentrez l'abdomen vers l'intérieur et le haut (sans retenir votre respiration). Puis, soulevez en partant des hanches vers les aisselles et détendez vos épaules au-dessus de vos hanches. Rapprochez les omoplates en les tirant vers le bas, et allongez le sommet de votre crâne vers le plafond.

148

Assise correctement

Lorsque vous êtes assise au travail, assurez-vous que vos deux pieds sont à plat sur le sol et que l'arrière de vos mollets est bien soutenu par le siège. Imaginez que votre coccyx retombe tandis que votre tête s'élève en dégageant un espace entre chaque vertèbre.

149

Ajustez votre siège

Les chaises de bureau mal ajustées sont l'une des causes les plus courantes de problèmes lombaires. Employez un siège de bureau ajustable à la morphologie particulière de chacun. Placez le siège de façon à ce que vos pieds soient à plat sur le sol, et reculez le dossier de façon à ce qu'il soutienne bien vos lombaires. Puis asseyez-vous de sorte que vos épaules s'équilibrent au-dessus de vos hanches, et que vos oreilles soient alignées sur vos épaules.

150

Améliorez les profondeurs

Avant de vous pencher, de soulever quelque chose ou de vous tourner, concentrez-vous sur votre abdomen. Cambrez légèrement le coccyx et expirez en rentrant les muscles stomacaux vers les lombaires. Cela fait participer les muscles profonds qui soutiennent votre charpente, et protègent le bas de votre dos. Quand vous inspirez, sentez les côtés de votre cage thoracique qui s'élargissent.

151

Bougez

Après avoir comparé des études du monde entier sur les douleurs dorsales, le *Royal College of Physician's Faculty of Occupational Medicine* indique que seulement 5 % des patients tirent profit de leur temps libre, car les douleurs lombaires peuvent empirer avec la station allongée dans un lit. Faites une pause au moins une fois par heure pour marcher un peu, ou essayez l'un des exercices suivants.

152

Votre dos au chaud

Pour soulager des muscles contractés pendant que vous travaillez, essayez de placer une bouillotte contre le dossier de votre siège. Des chercheurs de L'École de médecine de l'université John Hopkins rapportent que les bouillottes aident les travailleurs à retourner plus rapidement à leurs tâches.

153

Exercice antidouleur

Un exercice modéré semble être le moyen infaillible pour combattre la douleur dans le bas du dos. Cherchez des cours qui se concentrent sur le renforcement musculaire et l'étirement modéré, et qui incluent un élément de relaxation. Puis commencez doucement, en augmentant graduellement l'intensité. Dans une étude réalisée à l'Institut de Réhabilitation de l'université Hull, des patients ayant participé à huit cours seulement ont déclaré, un an plus tard, qu'ils souffraient moins et étaient en mesure de mieux contrôler leurs problèmes de dos.

Inscrivez-vous à un cours de yoga et apprenez à protéger le bas de votre dos.

154

Faites du yoga à midi

Une étude rapportée dans les *Annals of Internal Medicine* indique que le yoga est plus efficace que les autres exercices pour les douleurs lombaires. Cherchez des cours de yoga correctif « Iyengar », adaptés à ceux qui ont des problèmes de santé.

155

Essayez le taï-chi

Si vos douleurs lombaires semblent avoir un lien avec des hanches raides, cherchez un cours de taï-chi donné à l'heure du déjeuner. On y apprend en effet un enchaînement de mouvements continus et lents, qui se concentrent sur la fluidité et qui apprennent à faire participer son esprit à chaque action. Cela contribue à une meilleure mobilité des articulations, abaisse la tension artérielle, stimule le système immunitaire et augmente l'énergie, en garantissant que les après-midis sont moins sous pression.

156

Exercices en « huit »

Cette forme est considérée comme un moyen puissant de rassembler une énergie dissipée : en homéopathie, on s'en sert pour potentialiser les teintures. Cet exercice permet aux hanches de rester mobiles, et, comme il demande équilibre et coordination, il concentre l'esprit. Debout, pieds écartés de la largeur des hanches, portez votre poids sur votre pied droit. Élevez le pied gauche (tenez-vous à un mur pour vous stabiliser) et décrivez un huit : bougez la jambe vers l'avant, pour la boucle du haut, puis derrière, pour celle du bas. Commencez par de petits mouvements, que vous agrandirez graduellement tout en prenant de la vitesse. Répétez de l'autre côté.

157

Relâchez votre bassin

Allongée sur le dos, fléchissez les genoux et tirez vos talons vers vos fesses (ce mouvement doit être confortable et ne pas générer de douleur), en gardant les pieds écartés de la largeur des hanches. L'arrière de votre bassin doit toucher le sol. Laissez tomber les deux genoux vers la droite, de quelques centimètres, puis vers la gauche, juste assez pour sentir le poids rouler d'un côté à l'autre de votre sacrum. Répétez une vingtaine de fois jusqu'à ce que le bas de votre dos soit relâché.

158

Étirez l'arrière des cuisses et les lombaires

Allongez-vous sur le dos, les genoux pliés et les pieds à plat sur le sol, puis croisez la cheville droite pour venir l'appuyer sur le haut de votre genou gauche. Croisez les mains derrière votre genou gauche (si c'est trop difficile, passez-y une ceinture ou une écharpe pour vous tenir), puis tirez lentement les deux jambes vers votre poitrine. Changez de jambe et recommencez l'exercice.

159

Posture de l'enfant

Agenouillée en face d'une chaise, placez vos gros orteils ensemble, puis écartez les genoux. Asseyez-vous sur vos talons (sur un coussin si c'est plus confortable), et laissez-vous aller vers l'avant, en vous détendant sur le siège de la chaise. Essayez de garder les tibias en contact avec le sol. Si c'est facile, avancez la chaise jusqu'à ce que votre colonne vertébrale s'étende davantage, ou dispensez-vous carrément de la chaise et posez la tête sur le sol.

160

Respiration d'ouverture

À pratiquer avec un(e) partenaire, en inversant les rôles. Agenouillez-vous, puis placez les fesses sur vos talons, écartez les genoux, puis laissez tomber la tête sur le sol, les bras le long du corps, paumes vers le haut. Vous pouvez placer un coussin pour soutenir vos hanches ou votre tête. Demandez à votre partenaire de s'agenouiller derrière vous et de poser doucement les mains sur vos reins. Respirez lentement dans ses mains, puis demandez-lui de les déplacer sur vos flancs et d'y sentir votre respiration, laquelle élargit les côtés.

Enfin, demandez-lui de déplacer ses mains vers le haut de votre dos, puis respirez à nouveau lentement et profondément. Laissez-vous le temps de comprendre que la respiration déplace autant l'arrière du corps que l'avant. Cela ne dégage pas seulement la colonne vertébrale, mais peut aussi être profondément calmant.

161

Homéopathie et douleurs dorsales

Essayez les remèdes suivants :

- *Aesculus* 30 pour la douleur aiguë dans la région lombosacrée, susceptible d'empêcher de se tenir droite. Les douleurs, cuisantes et piquantes comme des aiguilles, empirent quand on se penche.
- *Bryonia* 30 pour les douleurs lombaires accentuées par le mouvement. Également pour la raideur dans le bas du dos, soulagée par la pression ou par le soutien de vêtements serrés.
- *Cimicifuga* 30 pour la douleur lombaire qui s'étend parfois jusqu'aux hanches et aux cuisses.

162

Utilisez une table pour vous détendre

Voici un exercice particulièrement efficace, qui étire agréablement les muscles du mollet, tout en étant également très relaxant pour le bas du dos.

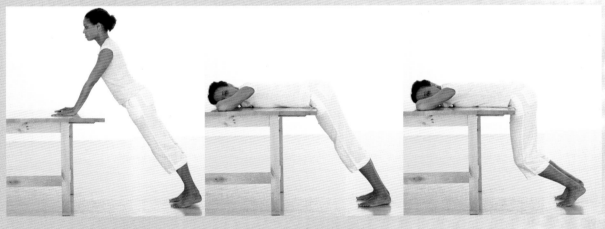

1 Ajustez les cuisses contre une table, puis reculez jusqu'à ce que vous puissiez tirer les jambes en biais derrière vous, orteils dessous.

2 Allongez l'ensemble de votre corps à plat sur la table, en tournant la tête sur un côté pour laisser reposer la joue sur vos mains. Gardez les jambes tendues.

3 Commencez lentement à détendre les jambes en pliant les genoux, jusqu'à ce que vous sentiez votre dos s'allonger. Vous sentant soutenue et en sécurité, respirez.

Traiter les urgences

Des études indiquent que travailler constamment avec des dates butoir augmente sérieusement le stress, la pression sanguine, la respiration et le rythme cardiaque, car les hormones du stress inondent le système. À court terme, cela vous anéantit, mais à la longue, cela entraîne des maladies cardiovasculaires, des accidents vasculaires cérébraux et des dépressions. Employez les stratégies suivantes pour faire face à trop de contraintes.

163

Avant tout, mangez

Prendre des repas réguliers est une technique éprouvée pour réduire le stress, car ils équipent le corps et l'esprit pour faire face à la panique.

164

Mangez en couleur

Les hormones du stress, comme le cortisol, appauvrissent le corps en vitamines essentielles dont il a besoin pour maintenir la santé et le bien-être. Pendant les périodes de tension, composez votre alimentation avec des fruits et légumes vert foncé, jaunes et rouges, qui rechargent votre stock de vitamines (ajoutez un peu d'huile d'olive vierge extra pour en aider l'assimilation). Les caroténoïdes antioxydants, qui leur donnent leurs couleurs vives, stimulent aussi votre immunité tout en protégeant votre corps contre les maladies cardiovasculaires.

Optez pour des fruits et légumes frais pour renforcer votre immunité.

165

Pas d'aliments liés au stress

Les aliments suivants augmentent et maintiennent le taux d'hormones du stress, alors évitez-les quand vous avez des délais à tenir : aliments tous prêts très gras, en-cas sucrés, alcool et boissons caféinées.

166

Davantage de protéines

Les acides aminés peuvent altérer certaines substances chimiques dans le cerveau afin d'augmenter l'énergie, de contrer l'anxiété, de stabiliser l'humeur et de réduire les fringales. En période de stress, essayez de manger des protéines (sources d'acides aminés) à chaque repas. Les meilleures sources en sont la viande, le poisson et les œufs ; on peut aussi combiner des protéines végétales, comme le riz et les haricots secs.

167

Délicieux yaourt

Appréciez un pot de yaourt naturel ou bio, riche et crémeux (ajoutez-y du miel de manuka) si des délais précis perturbent votre digestion. Des chercheurs suédois indiquent que les travailleurs qui mangent quotidiennement du yaourt sont moins souvent arrêtés pour maladie.

168

Buvez du jus de grenade

Buvez des petites gorgées de jus de grenade, pour ses polyphénols antioxydants qui aident à éradiquer les radicaux libres provoqués par le stress et qui protègent le cœur. Il soulage également les ventres nerveux. Ajoutez-y un zeste de citron pour qu'il soit plus tonique.

169

Ne sautez pas l'entraînement

Peu importe la date butoir, ne la laissez pas interférer avec votre cours régulier de yoga ou de gym. L'exercice permet de se sentir détendue et productive, ainsi que de contrer les affections en rapport avec le stress à long terme – de la dépression aux maladies cardiovasculaires. Inscrivez votre entraînement dans votre agenda (en l'appelant rendez-vous s'il le faut) et considérez-le comme sacro-saint.

170

Faites la sieste

Selon des chercheurs qui suivaient des travailleurs faisant une sieste d'environ une demi-heure trois fois par semaine le

Profitez du jus naturellement doux de la grenade, qui protège le cœur.

midi, la sieste peut faire des prodiges en ce qui concerne la productivité. Elle a aussi aidé ce groupe à diminuer de plus d'un tiers son risque de problèmes cardiaques.

171

Huiles aidant à la concentration

Ajoutez 2-4 gouttes de l'une des huiles essentielles suivantes dans un vaporisateur d'ambiance pour aider à pondérer votre esprit.

● Basilic canalise l'esprit et les sens et calme les nerfs.

● Poivre noir renforce les nerfs et stimule la résistance.

● Bergamote soulage l'anxiété et apaise la colère.

● Encens apaise et réconforte.

● Géranium déstresse et aide à remonter le moral.

172

Des fleurs de Bach sous la main

Prenez une essence de fleurs de Bach quand vous êtes accablée de travail. Placez-en 4 gouttes dans un verre d'eau et buvez par petites gorgées jusqu'à ce que les symptômes disparaissent. Dans les cas extrêmes, placez-les directement sur la langue.

● *Centaury*, si vous trouvez difficile de dire non, et que les collègues vous exploitent.

● *Elm*, si vous acceptez trop de travail et vous sentez accablée sous les responsabilités.

173

À la place du café

Le remède homéopathique *Coffea* 30, fait avec des grains de café, soigne les symptômes en rapport avec celui-ci : précipitation mentale, cœur emballé et excitation suivie par de la fatigue.

174

Remède antistress

En période de forte pression, essayez les sels de Schüssler *Kalium phosphoricum*. Ce remède homéopathique de faible puissance soutient le système nerveux en période d'épuisement nerveux ou de tension affective. Prenez-en des doses fréquentes de 2 granules jusqu'à 4 fois par jour si vous êtes très fatiguée ou que la journée est harassante.

175

Ayez une vie personnelle !

Avoir une vie en dehors du travail aide les salariés à faire face aux contraintes du métier. Si vous avez une activité à laquelle vous pouvez vous atteler le soir,

Une marche rapide quotidienne aide à revitaliser le corps et l'esprit.

vous serez plus susceptible de garder une perspective équilibrée sur vos problèmes professionnels.

176

Prenez l'air

Des pauses trop rares sont l'une des causes courantes de stress et de blessures au travail. Le *Health and Safety Executive* indique qu'une pause de 5-10 minutes après une heure sur son clavier donne de bons résultats. C'est en effet plus relaxant que d'amasser les minutes pour faire une longue pause. Sortez au soleil, respirez l'air frais ou faites le tour du pâté de maisons à vive allure.

177

Des pauses programmées

Lorsque vous avez une date butoir à honorer, concoctez-vous de petits plaisirs pour ne pas perdre la raison et pour vous reposer. Cela peut être un saut à la viennoiserie du coin ou une course à pied.

178

Soyez sympa

Quand on entretient de bonnes relations avec ses collègues, il y a moins de tensions sur le lieu de travail. Une étude réalisée en 2003 rapporte que les individus qui blaguent ensemble sont plus productifs, peut-être parce qu'ils savent lire les signaux de communication indirecte. Une autre étude indique que les individus qui ont des copains au travail jouissent d'une tension artérielle plus basse en période de stress. Invitez vos collègues à prendre un verre ou apportez-leur des croissants.

179
Souriez

Quand vous avez envie de pleurer, souriez. Des études indiquent que de faire comme si on était heureux déclenche des modifications biochimiques qui ont pour résultat le bonheur. De même, des individus à qui l'on avait demandé de faire comme s'ils étaient anxieux virent apparaître les mêmes changements physiques que ceux qui l'étaient vraiment.

180
Des mouvements croisés

Debout, levez le bras droit et la jambe gauche, et touchez votre genou gauche avec la main droite. Répétez de l'autre côté, puis continuez, en un mouvement coulant et régulier. Cela aide à connecter les deux hémisphères du cerveau, ce qui restaure la concentration et l'énergie.

181
Quand la coupe est pleine

Allez aux toilettes. Debout, pieds écartés de la largeur des hanches, penchez-vous vers l'avant et laissez-vous pendre en vous tenant les coudes. Détendez votre cou et la partie supérieure de votre corps : cela lui apporte du sang nouvellement oxygéné. Après une minute, remontez lentement en empilant vos vertèbres l'une sur l'autre. Remontez la tête en dernier. (À éviter en cas d'hypertension.)

182
Méditation antinœuds

Asseyez-vous confortablement, dos droit et bras détendus. Fermez les yeux et observez votre respiration. Lorsque vous

Restaurez votre concentration avec cet exercice de croisements qui reconnecte le cerveau.

vous sentirez plus calme, imaginez vos soucis comme une poignée de ficelles tout emmêlées et faisant des nœuds. Certaines des ficelles sont attachées à des projets professionnels, d'autres aux enfants et au partenaire. Imaginez que vous défaites ces nœuds. Au fur et à mesure qu'ils se desserrent, sentez vos problèmes qui se résolvent, et voyez comment en en dénouant quelques-uns, on dénoue aussi les autres. Après 10-20 minutes, reprenez conscience de votre environnement avant de rouvrir les yeux.

183
Recherchez les défis

Selon des recherches menées aux universités du Kentucky et de Colombie Britannique, un peu de stress est opportun, car il apporte une adrénaline motivante et peut aussi stimuler le système immunitaire, mais, toutefois, uniquement si le défi est précis,

réalisable et limité dans le temps, afin qu'on sache qu'on pourra se détendre ensuite. Cherchez-vous des défis à court terme pour doper votre estime de soi : portez-vous volontaire pour faire une présentation ou pour passer un coup de fil délicat. N'oubliez pas de vous détendre ensuite.

184
Débusquez les signes avant-coureurs

Si vous avez les symptômes suivants quand vous êtes stressée au travail, parlez-en à votre médecin et à votre directeur et tenez un « journal des déclencheurs et symptômes » :

- Insomnie,
- Maux de tête,
- Problèmes digestifs,
- Manque de concentration,
- Agacement rapide,
- Anxiété et dépression.

Bien gérer son temps

Essayer de faire trop de tâches en trop peu de temps – particulièrement si votre contrôle sur ces tâches est limité – est une source majeure de stress au travail. Lors d'un sondage mené au Royaume-Uni par le *Trade-union Congress* auprès d'employés, 74 % d'entre eux attribuèrent leur stress professionnel à leur surcharge de travail. Cultivez les capacités indispensables pour y faire face, en commençant par analyser la gestion de votre temps : évaluez vos priorités afin d'employer votre temps à votre meilleur avantage.

185
Finis les lundis matins
En planifiant correctement son temps, on se débarrasse de la hantise du lundi matin, ce qui permet de prendre des décisions difficiles et de s'attaquer aux tâches rébarbatives. Vous découvrirez peut-être aussi que vous contrecarrez les nouveaux facteurs de stress du lieu de travail : le surmenage numérique. Promettez-vous de commencer dès aujourd'hui.

186
Soyez réaliste
Tant qu'on ne sait pas comment on emploie son temps, il est difficile de savoir comment l'aborder de manière plus efficace. Alors, pendant la semaine qui précède le début d'une tâche, estimez le temps qu'il vous faudra, et quand vous aurez terminé, notez le temps qu'il vous a fallu. À la fin de la semaine, comparez les deux chiffres. Indiquez les écarts au surligneur.

Restez stimulée en planifiant vos diverses tâches tout au long de la journée.

Identifiez vos « dévoreurs de temps » majeurs. Quelles mesures pouvez-vous prendre pour améliorer les choses ?

187
Confiez-vous
Confier que vous êtes stressée par le temps peut vous aider à résoudre le problème. Même si vous ne trouvez pas de solutions, le simple fait de formuler vos angoisses enclenche le processus qui indique qu'on les prend suffisamment au sérieux pour y trouver des solutions.

188
Exploitez votre agenda
Dans votre agenda, réservez le temps approprié à vos diverses tâches. Essayez de mélanger les activités de façon à rester concentrée : des conférences ou des entretiens consécutifs torturent les méninges. Réservez du temps pour manger, pour vous reposer et pour faire de l'exercice. Cela vous aidera à fragmenter votre journée en blocs : pour la concentration silencieuse, pour les réunions, les appels et les courriels.

189
La bonne tâche au bon moment
Réfléchissez à ce qui vous convient le mieux : si vous êtes davantage concentrée le matin, faites votre travail de détail avant déjeuner, et gardez les réunions et les appels téléphoniques pour l'après-midi.

190
Faites des listes
Noter ses tâches les cristallise. Établissez trois listes. La liste A indique les tâches à court terme, qu'on peut faire en un jour ;

la liste B celles qu'on peut faire dans la semaine, et la liste C celles qu'on peut faire dans le mois. Dans chaque liste ordonnez vos tâches par ordre de priorité. Commencez et finissez la journée en passant votre liste en revue, en rayant les tâches de la liste A et en y faisant glisser celles de la liste B. Chaque semaine, faites quelque chose de la liste C, et le vendredi après-midi, recommencez la liste A du lundi.

191
Prenez du recul
De temps en temps, prenez du recul et demandez-vous si vous suivez votre plan pour la journée, et si vous faites la tâche la plus appropriée pour ce moment précis. Quelqu'un d'autre ne pourrait-il l'exécuter plus utilement ?

192
Pensez positif
Élaborez les tâches de façon positive, afin de les exécuter rapidement. Pensez : « voici un nouveau défi », plutôt que « je n'ai encore jamais fait ça ». Se concentrer sur la difficulté d'une tâche vous ralentit.

193
Déléguez
Accordez aux autres le bénéfice du doute. Si vous leur demandez de faire quelque chose, beaucoup vont saisir l'occasion et se sentir valorisés. Demandez à vos collègues ce que vous pourriez faire les uns pour les autres pour vous déstresser mutuellement. Instaurez des sessions pendant

lesquelles chacun peut dire ce qu'il a sur le cœur, afin de vous attaquer aux problèmes de chacun.

194
Comme un Romain
Si c'est vous qui dirigez, faites comme les Romains, et tenez vos réunions hors du bureau dans des endroits revigorants. Les Romains aimaient les bains, la version antique du spa et de la salle de gym.

195
Utilisez chaque minute
Au lieu de remettre une tâche à plus tard parce que vous n'avez pas assez de temps pour la terminer, commencez-la maintenant et retournez-y chaque fois que vous aurez un peu de temps. Avec cinq minutes de vraie concentration, on peut faire beaucoup.

196
Employez les temps morts
Utilisez les temps morts entre les réunions, en attendant que l'eau bouille ou que les documents s'impriment, pour passer un coup de fil, répondre à un e-mail, revoir vos notes ou rayer vos tâches à court terme de la liste.

197
Choisissez le meilleur
Lorsque vous engagez quelqu'un prenez toujours quelqu'un de meilleur que vous, vous pourrez ainsi arrêter de vous inquiéter et déléguer.

198
Le taureau par les cornes
Ne déplacez pas les tâches embêtantes au bas de la liste. C'est l'anticipation qui les rend plus rebutantes encore, et qui provoque le tourment. Attaquez-vous rapidement aux choses importantes et angoissantes, pendant que vous êtes fraîche et dispose ; réservez le reste pour la baisse de régime de l'après-midi.

199
Ne soyez pas esclave de la technologie
Pour vous ménager une période de paix ininterrompue, débranchez le téléphone pendant une heure, et ne vérifiez vos e-mails que toutes les heures. Encore mieux, ne les vérifiez que deux fois par jour, et ne répondez qu'aux plus urgents. Une étude réalisée sur des employés travaillant sur Microsoft indique qu'après avoir répondu à un e-mail, il leur fallait environ un quart d'heure pour se remettre sur les rails.

200
Une journée sans e-mail
Persuadez vos collègues de se parler face à face ou par téléphone un jour par semaine, plutôt que d'envoyer des courriels.

201
Jamais plusieurs tâches de front
Selon un rapport de 2006 du journal *Neuron*, nous sommes nombreux à devoir mener plusieurs tâches de front, ce qui peut augmenter le stress. Le risque d'erreurs augmente et il ralentit l'efficacité en perturbant la capacité à traiter l'information.

202

Fermez la porte

Si votre bureau est assiégé par les collègues, fermez chaque jour la porte pendant une période précise, et faites en sorte que chacun soit au courant qu'il ne faut pas vous déranger. Indiquez vos heures de « consultation ».

203

Échappez aux réunions

Pourquoi ne pas faire une réunion pour voir si toutes vos autres réunions sont bien nécessaires ? Certaines décisions ne pourraient-elles être prises grâce à des pièces jointes aux e-mails ou des téléconférences ?

204

Dites « non »

Si vous avez suffisamment d'estime envers vous-même et votre temps, lorsque votre agenda est plein, dites non aux collègues et aux tâches.

205

Debout

Au lieu de vous asseoir lors de réunions informelles, restez debout. Cela encourage chacun à « cracher » ce qu'il a à dire, puis à retourner travailler.

206

Corbeille « Arrivée »

N'empilez pas ! Utilisez la corbeille « Arrivée » comme une corbeille « Arrivée ». Lorsque le travail arrive, classez-le par ordre de priorité, sortez-le au fur et à mesure et terminez-le avant de le glisser dans la corbeille « Arrivée » de quelqu'un d'autre.

207

Ne remettez plus au lendemain

Au lieu de vous tourmenter sur une tâche – ce qui fait perdre du temps, faites-la. Répondez aux e-mails dès réception, comptez sur votre instinct, et prenez des décisions. Cela débloque du temps et empêche de vous stresser à la pensée que vous êtes stressée.

208

Détoxifiez votre bureau

Un bureau en désordre crée du stress supplémentaire car il vous rappelle tout ce que vous n'avez pas encore fait. Prenez quelques minutes précieuses pour classer ce qui est terminé et pour jeter ce qui peut l'être.

209

Personne n'est parfaitt

Réduisez vos ambitions si le temps est compté. Les perfectionnistes reportent souvent les tâches par peur de ne pas produire un résultat sensationnel. Visez à être suffisamment bonne : votre « suffisamment » peut s'avérer être le « très bien » de quelqu'un d'autre.

210

Concentration

Si votre énergie baisse rien qu'à l'idée de votre charge de travail, trouvez un point central de concentration pour y fixer votre esprit : une rose, un galet ou un objet religieux. Une simple concentration stimule la régularité et la maîtrise.

Examinez l'objet, en le fixant dans votre esprit en trois dimensions. Regardez sa couleur, sa forme et sa texture, et pensez aux qualités qu'il incarne, comme la perfection, la solidité ou la compassion. **Fermez les yeux.** Visualisez l'image dans la lumière intense entre et devant vos yeux. Focalisez-vous sur ses qualités. Si c'est une rose, par exemple, ressentez son essence avec vos sens : son parfum, ses fins pétales et sa sève.

Si votre esprit dérive, recanalisez-le. Après avoir médité, asseyez-vous calmement pendant quelques minutes avant de recommencer à travailler.

211

Savoir rentrer chez soi

Ceux qui ont une vie familiale et une vie sociale semblent vaccinés contre les effets négatifs du stress, mais pour cela il faut y consacrer du temps. Décidez d'une heure limite pour quitter le bureau, afin de faire de l'exercice, d'aller chercher les enfants ou de prendre le train. Et ne laissez personne vous en empêcher. Si nécessaire, commencez plus tôt le lendemain, afin de rattraper ce qui reste de la veille.

212

Réaménagez votre semaine de travail

Pourriez-vous travailler trois longues journées, ou travailler un jour chez vous afin de réduire les heures de pointe et les intrigues de bureau ?

213

Demandez de l'aide

Renseignez-vous pour savoir si votre société ou votre convention collective propose des formations sur la gestion du temps, la délégation, la négociation ou sur les objectifs à atteindre. Un face à face professionnel est toujours meilleur qu'un conseil glané dans un livre ou sur Internet.

214

À méditer

Épinglez cette pensée de Sri Ramakrisna, sage indien du XIXe siècle : « L'esprit d'un yogi est sous son contrôle ; il n'est pas sous le contrôle de son esprit. »

Un bureau en ordre est déstressant et il concentre l'esprit sur le travail en cours.

Bilan de compétences

Des études indiquent que les emplois les plus nocifs à notre bien-être physique et psychologique sont ceux qui sont les plus contraignants et sur lesquels nous avons peu de contrôle. Dans de tels cas – quand on n'arrive jamais à faire face à toutes ses obligations, la réaction de stress du corps n'a pas pour antidote un sentiment de satisfaction, et de ce fait, la santé mentale et physique, ainsi que la satisfaction professionnelle, en souffrent. Si vous vous reconnaissez, il est peut-être temps de chercher des options de travail plus saines.

215

Redonnez de la signification

Les tâches routinières au travail, qui ont peu de signification apparente, sont considérées aux États-Unis par le *National Institute for Occupational Safety and Health* comme des facteurs de stress importants. Si vous pensez que le travail que vous faites n'exploite pas complètement vos capacités, cherchez un autre débouché pour votre créativité et votre initiative : prenez un cours d'écriture en ligne ou restaurez des voitures anciennes après le travail, et évoquez la question de la satisfaction au travail lors du prochain bilan de résultats.

Réfléchissez à l'endroit où vous allez et n'ayez pas peur de viser haut.

216

Revenez à la réalité

Est-ce que certaines des choses que vous faites au travail, et qui vous stressent, sont vraiment importantes ? Pendant deux minutes, arrêtez de vous agiter et demandez-vous si elles seront toujours significatives dans 6 mois, un an ou 5 ans ? Si oui, il serait utile de réfléchir à leur sujet. Sinon, arrêtez de vous inquiéter et pensez à long terme.

217

Évaluez votre stress

Dressez la liste des facteurs de stress à votre travail : les réunions qui n'en finissent pas, les systèmes informatiques, certains collègues ? À côté de chacun, écrivez comment vous pourriez en venir à bout. Réfléchissez-y longuement.

218

Description de poste

Retrouvez la description de votre poste. Définit-elle toujours votre rôle, ou les contraintes ont-elles changé ? Ne serait-ce pas là la cause de votre stress ? Profitez des bilans de carrière pour identifier ce qu'il faudrait changer. Vous devrez peut-être améliorer vos capacités, prendre une assistante… ou demander une promotion.

219

Faites-vous le bon métier ?

Votre profil correspond-il à la description de votre poste ? Ce qui stresse un individu peut permettre à un autre de s'éclater. Votre stress provient peut-être de ce que vous n'êtes pas dans le bon rôle. Dans une colonne, dressez la liste de vos traits de caractère qui affectent votre travail, ainsi que votre façon de réagir et votre formation. Dans une autre, inscrivez vos tâches, puis tracez des traits entre les deux. Est-ce que cela correspond ? Pourriez-vous y correspondre avec une formation ? Est-ce que votre poste demande une nouvelle description ? Vos problèmes familiaux interfèrent-ils avec votre travail, ou vice-versa ? Évaluez si vous devez rester ou poursuivre un autre chemin.

220
Trouvez un modèle
Y a-t-il quelqu'un au travail dont vous admirez le succès et les capacités ? Essayez de découvrir si cette personne a reçu une formation, et ce qui la motive. Pourriez-vous demander à quelqu'un d'être votre mentor ?

221
Un plan de carrière ?
Pour se détendre au travail, il est bon de savoir où l'on va. Avoir l'impression que son potentiel n'est pas reconnu est une source majeure de stress. Ne devriez-vous pas discuter de votre avenir avec votre supérieur ?

222
Décrivez votre avenir
Pensez à vos huit ans. Que pensiez-vous que vous feriez aujourd'hui ? Les autres avaient-ils des espérances ? Employez des mots qui vous séduisent toujours. Répétez l'exercice, en pensant à vos seize ans. Pourriez-vous changer quelque chose afin d'intégrer certains de ces mots ?

223
Fixez-vous des objectifs
Notez où vous souhaitez être à la fin de votre carrière. Qu'avez-vous besoin de faire dans les 5 ou 10 ans qui viennent pour y arriver ? Quelles mesures devrez-vous prendre pendant les 12 prochains mois ? Dressez un planning mensuel, incluant la recherche, la formation, le temps pour accroître vos économies, envoyer des candidatures ou donner votre démission. Revoyez votre agenda le premier de chaque mois.

224
Remplissez des questionnaires
Essayez les évaluations de carrière en ligne, qui évaluent vos motivations, vos talents, votre tempérament et vos aptitudes pour différentes carrières, et qui vous indiquent les moyens d'acquérir le savoir-faire et la formation correspondants.

225
Faites un bébé
Si vous avez atteint la trentaine et avez une relation amoureuse, pourquoi ne pas faire un bébé ? La grossesse est l'excuse idéale pour remanier sa vie, car elle force à choisir entre les options travail ou vie personnelle. Et pourquoi ne pas arrêter de travailler pendant un certain temps ?

226
Recherchez alentour
Cherchez des employeurs qui proposent des options en accord avec la vie de famille, avec une politique antistress et des possibilités

Les questionnaires en ligne mettent les capacités en relief, ce qui aide à évaluer sa carrière et peut-être à envisager un changement de direction.

d'avancement. Des études montrent que les sociétés qui s'intéressent au bien-être de leur personnel réduisent le stress de ce dernier, même si les charges de travail sont élevées. Ce qui fait la différence, ce sont les dirigeants engagés et les collègues qui sont d'un grand soutien.

227
L'union fait la force
Syndiquez-vous. On ne peut certes pas faire grand-chose en tant qu'individu dans une entreprise qui stresse ses salariés, mais en groupe, on peut se joindre à une campagne plus importante pour obtenir des conditions de travail décentes, la réduction du temps de travail, et rappeler à l'ordre des chefs qui persécutent. Les syndicats implantés depuis longtemps ont une grande expérience et ils font souvent des percées qui ne sont pas à la portée des petites organisations locales.

Ne plus s'emporter au travail

Selon une étude, 64 % des individus ont déjà fait l'expérience de « s'emporter au bureau ». La colère provoque l'augmentation du rythme cardiaque, de la tension artérielle et de la respiration ; les muscles sont tendus, la réaction immunitaire baisse et l'appareil digestif souffre. Des colères fréquentes augmentent le risque d'hypertension, de maladies cardiovasculaires et de diabète. Heureusement, le risque diminue si l'on apprend à éviter, à désamorcer et à faire face aux situations qui déclenchent l'emportement au travail.

228
Identifiez la source

S'il est habituel pour vous de réagir par la colère aux situations stressantes, essayez de faire la distinction entre les déclencheurs et les sources sous-jacentes de votre colère. Par exemple, si, au travail, quelqu'un utilise votre place de parking, il déclenche votre colère, mais ce n'en est probablement pas la véritable source. Prendre conscience de cette distinction peut permettre de faire la part des choses.

229
Retour sur votre colère

Afin d'identifier la véritable source de votre emportement, pensez comment les incidents vous mettent en colère et vous frustrent : ressentez-vous un manque de soutien, de la peur ou de la culpabilité ? Trouvez le lien entre ces sentiments et des épisodes de fureur ayant eu lieu pendant votre enfance et les émotions qui ont étayé ou nourri vos réactions à cette époque.

230
Apprenez à lâcher prise

Ressasser à longueur de journée un scénario stressant peut entraîner une mauvaise santé, alors essayez de déconnecter et d'arrêter de penser à l'événement en question. Une étude indique que ressasser un événement du passé qui provoqua la colère ou la contrariété fait disparaître les taux corporels d'immunoglobuline A pendant environ 6 heures : ces anticorps sont les troupes de première ligne qui aident à protéger le corps contre l'infection et la maladie.

231
Tactiques d'évitement

Évitez les situations ou les individus qui vous irritent. Tenez un journal des déclencheurs pour vous aider à jauger les irritants, puis réfléchissez au moyen de réorganiser votre journée pour les éviter.

232
Cherchez les bonnes choses

Trouver des situations et des individus positifs vous protège contre ce qui est mauvais. Pensez positif pour stimuler votre santé psychologique et physique.

233
Des techniques antistress

Si vous ne pouvez simplement pas éviter des situations stressantes, employez des stratégies de soutien pour vous aider à y survivre, comme les remèdes

La sauge sclarée aide à éclairer les soucis d'un jour nouveau.

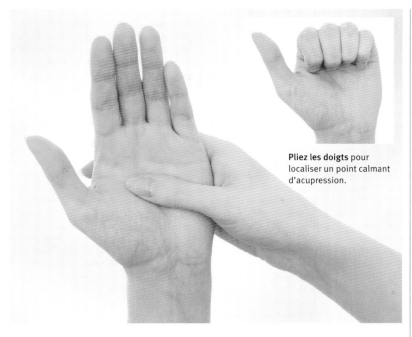

Pliez les doigts pour localiser un point calmant d'acupression.

Appliquer une pression ferme aide à détresser.

d'homéopathie et d'aromathérapie, l'exercice et la méditation. Essayez de manger sain, buvez beaucoup d'eau, dormez suffisamment, et gardez du temps pour les vôtres et pour ceux qui vous soutiennent.

234
Nourrissez votre cerveau
Pour pouvoir réagir sainement aux situations incendiaires, il est bon d'avoir la tête claire. Les graisses oméga 3 permettent aux transmetteurs neuronaux de fonctionner de façon à ce que nous restions calmes et à l'écoute, mais la plupart d'entre nous en ingèrent moins que nécessaire. Essayez de manger des poissons gras (maquereaux et sardines) au moins deux fois par semaine, et prenez quotidiennement une poignée de noix pour vos en-cas.

235
Pas de gâteau
Quand le corps est stressé, le taux de sérotonine, l'hormone calmante, chute. Les glucides stimulant le taux de sérotonine, il est naturel qu'en période de stress, on ait une envie irrésistible de gâteaux et de sucreries. Essayez de dominer vos envies de glucides en mangeant des céréales complètes au petit-déjeuner et en prenant des biscuits à l'avoine en en-cas pendant la journée. Si vous mangez du pain, choisissez-le complet.

236
Brûlez des huiles calmantes
Ajoutez 2-4 gouttes de l'une des huiles relaxantes suivantes dans un vaporisateur d'intérieur :

- *Bergamote* apaise la colère.
- *Sauge sclarée* dissipe la panique et permet de mesurer les choses.
- *Genièvre* purifie l'atmosphère.
- *Citron* aide à rafraîchir et à éclaircir un esprit troublé.

237
Brûlez de l'encens
L'encens de bois de santal est recommandé dans une pièce pour y apporter la tranquillité et apaiser l'anxiété nerveuse ainsi que la tension. On pense qu'il adoucit les attitudes inflexibles en permettant aux individus d'aller de l'avant.

238
Point de pression apaisant
Serrez fortement les doigts de votre main gauche. Le point sous le bout de votre majeur est un point d'acupression puissamment calmant. Relâchez la tension en exerçant pendant une minute une pression sur ce point avec le bout de votre pouce droit.

239
Souffle rafraîchissant
Lorsque la colère vous rend écarlate et en sueur, tirez la langue et soulevez-en les bords pour former un tube (certaines personnes n'y arrivent pas, alors ne vous angoissez pas si c'est votre cas). Inspirez lentement et profondément par ce tube, et expirez lentement par le nez.

Détournez la colère : canalisez vos énergies en acquérant de nouvelles compétences.

240
Contrôlez votre souffle

Asseyez-vous droite (sur le sol ou sur une chaise) et commencez à vous concentrer sur votre respiration, en écoutant le bruit qu'elle fait et en prenant conscience de son schéma. Comptez la durée de chaque inspiration et expiration. Voyez si vous pouvez les rendre de même longueur. Ne forcez toutefois pas votre respiration à changer ; faites que ça arrive graduellement. Enfin, à la fin de chaque expiration, essayez de retenir votre souffle, pour parvenir en douceur à la même durée pour cette pause que l'inspiration et l'expiration. Par exemple, inspirez quatre fois, expirez quatre fois et retenez votre souffle quatre fois. Entraînez-vous autant de fois que cela vous est possible, puis reprenez votre respiration normale.

241
Comptez jusqu'à 10

Avant de proférer des injures – que vous pourriez regretter plus tard, inspirez et comptez jusqu'à 10. Si ensuite, vous avez toujours envie de les dire, allez-y. Se donner du temps pour penser permet d'exprimer son point de vue d'une manière plus mesurée et plus fructueuse.

242
Pleurez

Le corps se débarrasse des hormones du stress avec les larmes, alors si la colère vous donne envie de pleurer, n'hésitez pas, faites-le.

243
Remèdes contre la colère

- *Nux vomica* est idéal pour les individus irritables ou passionnés qui aiment agir et faire les choses et qui sont facilement blessés par tout ce qu'ils perçoivent comme des obstacles.
- *Sepia* 30 est pour les femmes frappées de crises soudaines d'impatience et d'hyperactivité en période prémenstruelle.

244
Solutions ayurvédiques

L'art indien antique de la médecine traditionnelle, l'ayurveda, considère la colère comme un excès de *pitta*, l'une des trois énergies corporelles. Pour réduire votre *pitta*, évitez les aliments épicés ou aigres et prenez des douches tièdes. Si vous pratiquez le yoga, évitez les inversions et les salutations au soleil.

245
Taisez-vous simplement

Au travail, pour arrêter l'exaspération dans l'œuf, arrêtez de parler, allez vers une fenêtre et regardez dehors pendant cinq minutes. Ne faites rien, contentez-vous d'observer votre respiration qui entre et qui sort. Suivez un nuage ou un avion traversant le ciel. Continuez cinq minutes.

246
Frappez

Si vous êtes soupe au lait, à midi ou après le travail, partez en quête de plaisir pour vous aider à dissiper un peu de votre irritation avant de rentrer chez vous. Dans les cours de kickboxing, on apprend des techniques sans danger pour frapper, qui permettent de canaliser son agressivité et d'arriver à un sens de l'accomplissement. Ce système améliore également la coordination et l'équilibre, ce qui à son tour calme le cerveau.

247
Courez en salle
Selon une étude récente rapportée dans l'*American Journal of Hypertension*, courir pendant 30 minutes sur un tapis de course a un effet calmant et sédatif sur des émotions survoltées ; par ailleurs, les individus aux muscles entraînés semblent mieux se débarrasser du stress que les autres.

248
Faites du trapèze
Apprendre quelque chose de totalement nouveau, qui demande une concentration de tous les instants, est la façon idéale de dissiper le courroux si vous vous sentez frustrée dans votre vie professionnelle. Et un talent qui épate les gens, comme être trapéziste ou funambule, dope puissamment l'estime de soi. Prenez des cours hebdomadaires dans une école de cirque afin de dissiper votre tension physique et affective et d'intensifier rapidement votre force intérieure.

249
Acceptez le changement
La vie (et le travail) est un processus constant et inévitable de changement : si vous essayez d'aller à l'encontre de cela, vous allez immanquablement être insatisfaite, déçue et devoir vous débattre. Essayez de cultiver un détachement qui vous permette de réagir d'une façon plus mesurée lorsque les conditions évoluent, qu'on vous laisse tomber ou que la technologie de pointe ne fonctionne plus. Quand on s'attend à ce que ses plans puissent être modifiés par des éléments externes, on est mieux à même d'accepter le changement sans ressentiment, et ainsi plus ouverte à de nouvelles options.

250
Pensez comme une femme
Une étude rapporte que les individus qui adoptent des manières traditionnellement « féminines » pour faire face au stress – assistance et dorlotement – restent en meilleure santé que ceux qui adoptent les stratégies typiquement « masculines » – renfermement et hostilité.

251
Le sourire intérieur
Asseyez-vous droite, confortablement, fermez les yeux et concentrez-vous sur votre respiration. Une fois que vous serez calme, imaginez un sourire intérieur. Laissez-le illuminer vos orteils, puis vos jambes et vos hanches, votre abdomen, votre dos, votre poitrine, vos bras, vos mains, vos épaules et votre cou, et enfin votre visage et votre tête. Lorsque votre sourire atteint une zone, sentez que vos muscles se détendent et que vous atteigniez un état de légèreté. Retenez cette légèreté et ce sourire intérieur lorsque vous revenez au monde.

252
Achetez un Bouddha
Placez un Bouddha sur votre bureau pour vous souvenir de votre sourire intérieur.

253
Restez unies
Selon une étude menée aux États-Unis, de mauvaises conditions de travail sont une importante source de stress. Au bureau, si votre courroux est provoqué par des conditions de travail inadéquates – équipement obsolète, trop peu d'espace, bruit ou pollution, rencontrez vos collègues et un représentant syndical pour décider des changements à apporter. Parler en groupe à des supérieurs a plus d'impact.

Soyez comme le Bouddha : restez calme et saisissez votre sourire intérieur.

Travailler chez soi

Effacez les kilomètres – ces trajets improductifs, terriblement fatigants, vers votre lieu de travail – et les intrigues de bureau en installant votre bureau chez vous. Cela peut vous permettre de passer plus de temps avec votre famille et d'organiser vos journées selon votre style de vie et votre personnalité : peut-être travaillez-vous mieux tard le soir ou très tôt le matin, par exemple, et cela peut libérer davantage d'heures dans la journée pour des activités positives et relaxantes. C'est ça l'idée !

254
Évitez le stress supplémentaire

Travailler pour soi à la maison peut sembler parfait, mais cela signifie généralement de plus longues heures, moins de vacances et moins de liberté.

Documentez-vous sur le stress du travail chez soi et sur les capitaux nécessaires pour réussir, en parlant à cœur ouvert avec ceux et celles qui travaillent déjà de cette façon.

255
Pour que ça marche

Les travailleurs indépendants qui réussissent sont généralement des individus pleins d'initiatives, capables de prendre leur travail en main, de fixer des dates limites, de prendre des décisions et qui ne se laissent pas distraire. Ils apprécient leur propre compagnie et peuvent se déconnecter du travail en fin de journée. Si vous n'avez pas du tout ce profil (certaines choses peuvent s'apprendre), réfléchissez-y à deux fois avant de vous installer à votre compte.

Revendiquez votre espace vital et fermez la porte au reste de la maisonnée.

256

La détente derrière la porte

Nombreux sont ceux qui pensent qu'il est plus facile de travailler dans un lieu où l'on peut fermer la porte, pour s'isoler des problèmes du reste de la maisonnée et s'atteler à son travail. Réfléchissez-y à deux fois si votre espace de travail à la maison est un coin de la table de la cuisine.

257

Réservez une salle de réunion

Si l'idée de faire venir vos clients chez vous ne vous plaît pas, réservez une salle de réunion, soit de façon informelle dans un café, soit dans une salle prévue à cet effet et avec service, dans un hôtel ou une zone d'activités.

258

Des lieux calmes pour travailler

Si votre maison est minuscule, envisagez d'installer votre bureau à l'extérieur. Il est relaxant de fermer la porte de sa maison et d'ouvrir celle du monde privé de son travail. Un abri de jardin tout simple à monter soi-même est relativement bon marché et ne requiert généralement pas de permis de construire. Les bâtiments de jardin en bois et sur mesure ou les anciens wagons de chemin de fer en kit avec isolation et chauffage sont plus onéreux. Vous pouvez aussi louer un endroit avec un groupe d'individus dans le même cas que vous, afin de partager le coût de l'équipement, comme le réfrigérateur, la photocopieuse et la machine à café.

259

Fixez des cadres

Faites-vous la promesse de commencer et de terminer votre travail à des heures précises, et résistez à la tentation de jeter un coup d'œil à vos e-mails alors que vous devriez vous trouver avec votre partenaire ou vos enfants.

260

Évitez les interruptions

Dissuadez les voisins et les amis de vous interrompre en ne répondant pas quand on frappe à la porte, à moins d'avoir un rendez-vous. Assurez-vous toutefois qu'ils connaissent les heures pendant lesquelles vous êtes disponible pour une discussion.

261

Trouvez de l'aide

Si vous n'arrivez pas à vous concentrer à cause d'une montagne de linge à laver ou que vous ne pouvez pas atteindre votre oasis de travail à cause des ronces, réunissez la famille et répartissez les tâches, faites laver votre linge ou employez un jardinier. La teinturerie destinée à votre bureau bénéficie d'une déduction fiscale.

262

Ne remettez pas au lendemain

C'est plus dur chez soi de ne pas remettre au lendemain, car il y a beaucoup plus de choses pour vous distraire. Si vous avez des difficultés pour vous mettre au travail, dressez la liste des raisons sur une feuille et, de l'autre côté, inscrivez pourquoi ce ne sont pas des inquiétudes légitimes. Vous pouvez aussi essayer de fragmenter une

Mélangez des huiles essentielles pour créer un vaporisateur d'intérieur revigorant.

tâche : commencez par la partie que vous préférez.

263

Renforcez vos ondes cérébrales

Mettez de la musique pour créer l'atmosphère détendue, mais productive, de votre bureau à la maison. Certaines zones du cerveau peuvent augmenter leur concentration grâce à une fugue de Bach ou au minimalisme moderne de La Mont Young.

264

Spray d'intérieur relaxant

Dans un vaporisateur pour plantes, versez 5 gouttes d'huiles essentielles par centilitre d'eau de source et vaporisez votre espace de travail lorsque vous n'arrivez pas à vous concentrer sur la tâche en cours.

- Quand l'esprit dépérit : bergamote, citronnelle.
- Pour restaurer l'équilibre : mélisse.
- Pour donner de l'énergie : menthe poivrée, romarin.
- Pour l'inspiration et la créativité : gingembre.

2 Détendez-vous chez vous

Pour sauvegarder votre bien-être et contrer les effets du stress au travail, il est indispensable d'arriver à décompresser une fois à la maison. Restaurer l'équilibre travail/vie privée est un élément important, maintenant que des technologies comme le téléphone mobile, les e-mails et les BlackBerry permettent au travail de s'immiscer dans la vie privée. Le désordre est un autre facteur de stress moderne. En effet, l'accumulation d'un tas de trucs nous rappelle constamment qu'il faut ranger et qu'on a des tâches à terminer. La culpabilité et le stress mineur augmentent, nous empêchant de nous détendre, ce qui aggrave les risques de maladies liées au stress. Voici des moyens pour dissiper cette anxiété, des conseils pour créer un foyer relaxant et des passe-temps satisfaisants. Lorsque la maison est en ordre et remplie d'objets, de personnes et d'activités qu'on aime, on se sent dorlotée et l'on peut se détendre et recharger ses batteries.

Faire de sa maison un refuge

Si votre maison est votre refuge dès que vous en passez le seuil, vous vous débarrassez du stress professionnel pour entrer dans votre sanctuaire. Le comportement humain est profondément influencé par son environnement et un endroit accueillant déclenche une réaction de détente. Des études en milieu hospitalier indiquent que la lumière naturelle, une vue sur la nature, des objets d'art qui remontent le moral et des murs peints en vert réduisent le besoin de médicaments analgésiques et peuvent raccourcir les séjours de plusieurs jours. Voici des conseils pour que votre espace privé ait de telles propriétés « attentionnées ».

Agrémentez votre porte avec des fleurs et des plantes.

265

Passez du temps à la maison

Pour que la maison soit un havre de paix, il faut avoir envie d'y être. Si vous ressentez toujours le besoin de sortir, demandez-vous pourquoi. Notez vos souvenirs d'enfance du foyer. Le retour de l'école est un bon point de départ. Concentrez-vous sur vos souvenirs physiques ou sensuels, comme la porte, l'odeur qui vous accueillait et les sons que vous entendiez en l'ouvrant. Quelles indications obtenez-vous sur votre foyer actuel ?

266

Enjolivez votre seuil

L'entrée d'une maison marque la transition entre l'extérieur et l'intérieur, le public et le privé, les mondes intérieur et matériel. L'art indien de l'arrangement, le *vaastu shastra*, le considère comme l'endroit de la maison le plus chargé d'énergie. Apportez-lui des égards : peignez la porte d'une jolie couleur et dotez-la de plantes de chaque côté.

267

Des herbes aromatiques à l'entrée

Si vous avez des pots de plantes parfumées aux propriétés sédatives et apaisantes, comme la lavande, le romarin, la menthe et la verveine citronnelle, près de la porte, vous les effleurerez avec les mains à chaque passage et elles libéreront leurs huiles parfumées.

268

Renouvelez la porte

En Inde, on pense que les systèmes d'énergie et les karmas des vies passées gênent l'harmonie du présent. En remplaçant la porte d'entrée toutes les trois générations, les fantômes du passé

L'améthyste a des propriétés fortifiantes.

sont chassés et une énergie nouvelle est introduite. Avec les vies qui changent et les tendances qui évoluent, rafraîchissez votre porte pour faire le plein de réserves de bonne énergie détendue.

269

Technophobie

Les nouvelles technologies envahissent de plus en plus le foyer, des écrans de télévision au bout du lit et dans la porte du frigo à l'ordinateur toujours allumé. Quelques pièces doivent pourtant rester sans équipement électronique. En effet, certains thérapeutes naturels pensent que les champs électromagnétiques sapent l'énergie et entravent la relaxation. Gardez un endroit silencieux pour vous y réfugier et rêver, lire et faire une sieste. Ayez le courage de vous débarrasser de la télévision !

270

Créez un espace créatif

Pour véritablement se détendre, nous avons besoin d'un débouché pour notre créativité. Essayez de faire de la place à la maison pour vous changer de la télévision ou du canapé : convertissez un grenier en atelier d'artiste ou une cave en chambre noire pour la photo, ou dressez un chevalet devant la fenêtre de votre chambre.

271

Guérir avec le cristal

Placez du quartz fumé dans une pièce. Ses propriétés réchauffantes et réconfortantes aident à purifier l'environnement des énergies négatives. Ajoutez de l'améthyste pour stimuler le bien-être et la détente.

272

Selon votre humeur

Des couleurs vives stimulent les sentiments, l'esprit et l'énergie, tandis que des teintes plus douces sont relaxantes et aident à se détendre. Il convient donc de réserver des tons stimulants de jaune pour les bureaux et les pièces où l'on travaille, tout en évitant les combinaisons intenses ou discordantes susceptibles d'être trop stimulantes. Soignez la cuisine et la chambre avec des rouges chaleureux et des oranges riches, couleurs qui favorisent la chaleur et les relations sociales. Employez des bleus et des verts apaisants et calmants, connus pour

réduire la pression artérielle, pour des pièces à vivre relaxantes et décontractées.

273

Des couleurs relaxantes

La recherche en milieu hospitalier indique qu'être entouré de vert ou avoir vue sur un jardin accélère le processus de guérison. Les thérapeutes de la couleur apprécient le vert pour ses qualités rééquilibrantes et « maternelles » et son effet calmant quand on est à bout. Essayez des tons clairs de vert dans la pièce à vivre.

Créez un refuge tranquille avec des couleurs d'ambiance et beaucoup de lumière naturelle.

274
Couleur pour les minimalistes

Si vous êtes une minimaliste confirmée et que vous n'aimez pas la couleur, expérimentez-la en introduisant des tons calmants sous forme de coussins, de tapis et de tableaux.

275
Accrochez un beau tableau

Des patients de l'hôpital de San Diego soignés dans des chambres avec des œuvres d'art réconfortantes ont rapporté des effets positifs, et des patients d'un hôpital de Pennsylvanie entourés d'œuvres d'art et de fleurs ont guéri plus rapidement, tout en ayant

besoin de moins de narcotiques et de soins que ceux qui avaient vue sur un mur de briques. Remplissez vos murs d'objets nourrissants pour l'esprit.

276
Rafraîchissant instantané

Ouvrez une fenêtre pour une bouffée d'air frais (à l'intérieur, l'air est de deux à cinq fois plus pollué qu'à l'extérieur).

277
Contemplez des photos de nature

Selon une étude réalisée en 2002, des patients en postopératoire qui contemplèrent des photos de nature

Ayez des fenêtres impeccables pour maximiser l'éclairage naturel.

se sentirent moins anxieux que ceux qui regardèrent des murs vides, de l'art généré par ordinateur ou rien du tout. Les photos en couleurs s'avérèrent particulièrement calmantes. Essayez sur vous.

278
Un parfum de saison

La nature favorise le calme. Au printemps, cultivez des jacinthes ou des narcisses à l'intérieur pour créer un parfum paradisiaque. En été, essayez les roses, le lilas et le chèvrefeuille. Confectionnez des sachets aromatiques pour l'hiver en insérant des clous de girofle dans des oranges que vous pendrez avec des rubans.

279
Musique de fond

Dans la musique indienne, le veena – instrument à corde – pousse les

Apportez l'extérieur à l'intérieur avec un vase de fleurs parfumées fraîchement coupées.

auditeurs à être attentifs, à cause de sa délicate musique. En écoutant, on entraîne son ouïe à percevoir la paix du néant. Accomplissez la même chose avec de la musique classique moderne très basse. Essayez Steve Reich, Erik Satie ou l'album *Discreet Music* de Brian Eno, spécialement composé pour être joué en musique de fond.

280

Laissez entrer la lumière

Remplacez vos rideaux volumineux par des stores et enlevez les voilages pour maximiser la quantité de lumière naturelle. Cela stimule le bien-être et la clarté de l'esprit. Selon certaines études, des étudiants passant des examens dans des pièces éclairées de lumière naturelle obtiennent des notes supérieures.

281

Trouvez un laveur de carreaux

Des vitres nettoyées mensuellement de l'intérieur et de l'extérieur laissent entrer nettement plus de lumière. Faites-en votre priorité.

282

Un éclairage relaxant

Évitez l'éclairage au plafond (retirez les ampoules pour vous empêcher de l'utiliser). Optez plutôt pour des spots d'ambiance et des lampes pour créer des coins confortables pour vous détendre.

283

Des sprays purificateurs

Essayez les vaporisateurs homéopathiques d'ambiance contenant des essences des Fleurs de Bach. Ils apportent aux pièces un parfum magnifiquement frais et s'attaquent aux blocages affectifs ou énergétiques.

284

De l'encens nuit et jour

Essayez de vous procurer de l'encens japonais créé pour les différentes heures du jour : mélanges « réveil » pour la salle de bain, lorsque vous vous préparez pour le travail, et mélanges « détente » pour une chambre où l'on dort.

285

Détente à l'extérieur

Si vous avez un jardin, créez des zones accueillantes pour vous détendre, manger ou prendre un verre. Des sièges en angles pour prendre le soleil : une table et des chaises pour le petit-déjeuner, une tonnelle ombragée pour le repas de midi ou un pavillon de jardin pour les soirées fraîches.

286

Des plantations calmantes

Cultivez des plantes aux vertus relaxantes : des herbes aromatiques (lavande, romarin, verveine citronnelle) avec des roses parfumées. Pour une ambiance sereine, essayez les bambous ou une fontaine qui murmure. Faites pousser de la camomille entre les dalles du sentier : elle émettra une senteur calmante quand vous la foulerez. Pour des soirées paisibles au jardin, optez pour des plantes comme le jasmin, qui emet sa fragrance à la tombée du jour.

287

Atmosphère extérieure

Laissez la musique améliorer l'atmosphère. Joni Mitchell est parfaite pour les chaudes journées, ou essayez le bon vieux reggae d'U-Roy, de Johnny Clarke ou d'Augustus Pablo.

Transformez votre jardin en une calme oasis avec des sièges bien placés et des arômes attirants.

Une zone de méditation à la maison

Si vous participez à des cours hebdomadaires de yoga ou de méditation, mener à bien votre résolution de vous entraîner chez vous aide à alléger la culpabilité qu'on peut ressentir avant les leçons. La meilleure façon de stimuler sa motivation est de se dédier dans la maison un petit espace pour pratiquer. Suivez ces quelques suggestions pour transformer cet espace en un lieu de retraite serein et tranquille.

Se concentrer progressivement sur un dessin géométrique peut restaurer l'ordre dans un esprit préoccupé, et canaliser les émotions.

288

Un espace yoga à la maison

Rangez un coin en désordre dans une chambre ou appropriez-vous une salle à manger rarement utilisée, organisez-vous un espace dans un abri de jardin ou, en été, trouvez-vous-y un endroit abrité. L'endroit idéal sera bien ventilé, mais suffisamment chaud pour que vous puissiez y rester assise ou allongée sans bouger. Assurez-vous qu'il est assez grand pour pouvoir y dérouler un tapis antidérapant, tendre vos bras et vos jambes et vous étirer en hauteur. Comme un mur nu serait utile, retirez tout mobilier superflu et balayez le sol. Brosser le sol en un mouvement allant vers l'extérieur est censé le débarrasser des vibrations négatives.

289

Le site idéal

L'art indien du Vasstu shastra indique que l'endroit idéal pour le yoga et la méditation est situé dans la partie nord-est du foyer, car l'énergie y serait légère et fabuleuse et formerait une source de nourriture spirituelle. Un endroit situé au bas de quelques marches serait encore mieux, car un espace en contrebas rassemble et

canalise l'énergie positive. Gardez cet endroit ouvert et rangé en plaçant des meubles sur les côtés de la pièce.

290

Couleurs ayurvédiques

Décorez votre espace de contemplation avec du blanc, de l'or, du violet ou du bleu – les couleurs *sattwic* – qui engendrent la joie, l'harmonie, la paix, la sérénité et les pensées contemplatives. Évitez les bruns boueux, les noirs et les gris – considérés comme *tamasic* – qui dessèchent l'esprit et le rendent inerte.

291

Les essentiels du yoga

Empilez vos blocs de yoga dans votre coin spécial, avec une sangle de yoga et une paire de coussins ou de traversins compacts pour vous permettre de pratiquer confortablement les postures. Ajoutez une couverture ou un châle pour vous couvrir pendant la posture finale de relaxation. Il vous faudra peut-être aussi une serviette si vous transpirez. Si vous avez à la maison votre endroit permanent pour pratiquer, investissez dans un tapis épais et lourd. Ces tapis sont en

effet plus larges et plus longs que les tapis habituels antidérapants de yoga, et ainsi votre corps est davantage protégé lorsque vous vous étirez de la pointe des doigts à la pointe des orteils. Ils permettent aussi un *Savasana* très relaxant à la fin de la séance.

292

Une douche avant le yoga

Débarrassez-vous du stress de la journée avant de commencer à pratiquer. Si vous avez peu de temps, contentez-vous de vous laver les mains, les pieds et le visage.

2 cuill. à soupe de gel douche
   non-parfumé
6 gouttes d'huile essentielle de bois
   de santal
2 gouttes d'huile essentielle de patchouli

Mélangez le gel et les huiles, puis prenez une douche ou un bain, ou versez-les sous le robinet pour obtenir un bain moussant.

293

Méditation du mandala

Accrochez un mandala sur le mur, au niveau de vos yeux quand vous êtes assise. Ces dessins géométriques rééquilibrent l'esprit (qui est attiré par l'ordre) et les émotions, ce qui provoque une réaction de relaxation. Commencez sur le bord externe du cercle, puis laissez vos yeux errer vers l'intérieur, ou bien trouvez le point focal central et laissez votre regard en sortir. Fixez doucement le mandala ; ne vous concentrez pas attentivement sur ses motifs, ne vous attardez pas non plus sur la signification de ses symboles ou de ses couleurs. Laisser ses yeux s'attarder sur des formes intéressantes est censé permettre à l'inconscient et au subconscient d'arriver à des conclusions utiles pour restaurer l'équilibre de l'esprit et du corps.

294

Un refuge musical

La musique nous stimule ou nous fait décompresser. Lors de tests in vitro menés à l'université d'État de l'Ohio, la croissance de cellules cancéreuses décline avec l'exposition à des sons « primitifs » (elle augmente de manière significative lorsque les cellules sont bombardées de hard rock !). Remplissez votre espace avec les premiers. Cherchez des enregistrements de chants d'oiseaux, de vagues ou de sons de la forêt.

295

Enlevez vos chaussures

Par respect envers votre pratique, enlevez vos chaussures et laissez-les à la porte, puis allumez de l'encens et une bougie dans votre endroit spécial. Vous pouvez aussi y placer un vase de fleurs fraîches.

296

Brûlez du bois de santal

L'encens de bois de santal, l'instrument classique pour la méditation, est censé détruire les barrières psychiques pour arriver à une réflexion paisible et une méditation profonde, et aussi purifier un espace pour la méditation.

297

Senteurs et méditation

Les Japonais pratiquent le *Koh*, une forme de méditation rituelle, par l'allumage d'encens, censé apporter dix vertus, dont la paix intérieure. Asseyez-vous, allumez de l'encens et « écoutez » son parfum, en le laissant former des impressions dans votre esprit. Concentrez-vous sur les volutes de fumée, en les laissant, elles aussi, vous apporter des « messages ».

Créez un espace yoga dans la maison et dédiez-y chaque jour un moment pour pratiquer.

Mettez de l'ordre

Un foyer en désordre, avec des dossiers de travail, des jouets cassés, des vêtements qui ne vont plus et des lettres d'amour d'antan, ne pourra jamais vous permettre une relaxation complète. De tels objets encouragent en effet des sentiments comme la culpabilité, le regret et le chagrin, qui empêchent de se détendre. Se débarrasser du désordre physique dissout le désordre mental qui y est attaché, tout en transformant votre foyer en une zone tranquille et en vous donnant la possibilité de vivre dans le présent. Une maison en ordre est une maison paisible !

298
Décompressez

Prenez l'habitude de faire un peu de rangement le soir, lorsque les enfants sont couchés et que vous avez fini vos tâches de la journée. Mettre les choses lentement en ordre peut être une manière de méditer et agir comme une routine de décompression avant d'aller au lit. Se réveiller dans une maison en désordre peut vous donner un sentiment de harcèlement et saper l'énergie positive d'une nouvelle journée.

Réduisez votre stress en rangeant vos vêtements.

299
Mettez de côté

Si vous n'arrivez pas à balayer, ni à venir à bout du linge sale, des jouets ou des dossiers, adoptez le système des paniers. Trouvez une série de paniers ou de boîtes en accord avec votre décoration, et mettez-y vos rebuts en les triant : un pour le travail, un pour les jouets, etc. Empilez-les nettement jusqu'à ce que vous ayez le temps de faire du rangement.

300
Restez concentrée

Pour rester sur la bonne voie, faites une liste de ce que vous avez à ranger. Ce peut être un objectif concret comme mettre de l'ordre dans un espace de vie, ou faire de la place dans votre garde-robe, ou moins palpable, comme faire de la place dans votre vie pour un nouvel amour. Souvenez-vous-en lorsque vous faites du rangement.

301
Soyez méthodique

Lorsque vous entreprenez du rangement, commencez d'un côté de la pièce et travaillez jusqu'à l'autre. N'évitez pas les sacs et les boîtes qui évoquent des sentiments pénibles. Si nécessaire, demandez à quelqu'un de vous aider.

302
Classez

Prévoyez un sac pour les ordures, un pour les bonnes œuvres et une boîte à couvercle pour les choses « précieuses » à garder. Essayez toutefois de mettre un maximum de choses dans les sacs.

303

Adorez vos vêtements

Si vous adorez les vêtements, gardez-les comme des objets de famille (inutile de les porter). Les gens viendront vous voir pour des soirées costumées, les filles appréciant le vintage seront ravies de vous en emprunter, et vous aurez un stock constant de morceaux de tissus pour vos patchworks.

304

Recyclez

Les déchets des uns peuvent être des trésors pour les autres, qu'il s'agisse d'un câble d'ordinateur insignifiant ou d'un piano qui prend toute la place. Proposez les objets dont vous voulez vous débarrasser sur des sites gratuits sur Internet, et pour qu'on vienne vous en débarrasser, appelez le service des encombrants de votre mairie.

305

Créez des cérémonies de guérison

Pour venir à bout des vieilles lettres d'amour, des vêtements qui ne vont plus ou de votre robe de mariée d'un mariage raté, brûlez-les dans le jardin. Consacrez l'événement en rendant grâce pour un souvenir et demandez à pouvoir vivre dans le présent. Il peut être agréable de prendre ensuite un bain purificateur.

306

Dépoussiérez pour votre santé

Une étude réalisée par Greenpeace a mis à jour des produits chimiques qui aggravent l'asthme et l'eczéma dans la poussière de chaque maison testée en Europe. Considérez le dépoussiérage comme déstressant ; avec un chiffon humide, il est plus efficace.

307

Un rinçage purifiant

Versez 10 gouttes d'huile essentielle d'eucalyptus ou de tea-tree dans l'eau lorsque vous épongez, pour leurs propriétés spirituellement purifiantes et antigermes.

308

Détoxifiez votre garde-robe

Si vous grognez à chaque fois que vous ouvrez votre armoire parce que vos vêtements sont trop petits ou trop jeunes pour vous, ou que votre armoire est dans un tel état qu'il est de plus en plus difficile de trouver ce que vous cherchez, essayez cet exercice.

 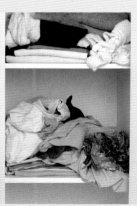  

1 Classez vos vêtements. Jetez ceux qui vous grossissent ou dans lesquels vous vous trouvez mal fagotée et les chaussures usées. Vendez-les en ligne ou donnez-les aux bonnes œuvres. Si de vieux vêtements ne sont pas encore revenus à la mode, jetez-les ou gardez-les jusqu'à ce que leur heure arrive.

2 Enlevez tout et nettoyez l'intérieur avec une éponge humide. Il y a sûrement encore des choses à jeter. Faites-le et mettez de côté les articles qui ne sont pas de saison, puis pendez chaque tenue restante sur un cintre, en regroupant les robes, les jupes et les vestes.

309

Refuge écolo

Assainissez votre foyer. Jetez les produits marqués « danger », « attention », « inflammable » ou « combustible » ainsi que tous les aérosols. Investissez dans des produits d'entretien écologiques.

310

Vaporisez

Dans un vaporisateur d'ambiance, versez 5 gouttes d'huile essentielle par 10 ml d'eau de source. Vaporisez les pièces pour les réénergiser.

● Pour purifier : bois de cèdre, eucalyptus, tea-tree.
● Pour apaiser : camomille, néroli, petit grain.
● Pour revigorer : orange, bergamote.
● Pour se détendre : lemongrass, lavande.

311

Un endroit pour stocker

Cherchez un nouvel endroit pour ranger vos vêtements hors saison : essayez les boîtes transparentes sur roulettes qu'on peut glisser sous un lit, ou remplissez des valises que vous rangerez sur les étagères que vous ne pouvez pas atteindre dans la garde-robe. Les livres et les dossiers sont facilement rangés sur des étagères au-dessus de votre tête, en haut de la pièce.

312

Un ordre nouveau

Les articles que vous choisissez de garder ont besoin d'une place appropriée. Rangez les documents relatifs à la vie du foyer, classez les photos dans des albums et placez les jolies pièces de porcelaine et les photos sur des étagères sans poussière.

313

Des autels laïques

Regroupez les articles que vous chérissez autour de votre nouvel espace purifié, pour vous rappeler vos qualités et réveiller un sourire intérieur quand vous passez : des photos avec vos amis, vos livres préférés, des fleurs parfumées, des souvenirs de vacances heureuses. Réveillez l'artiste en vous quand vous le

Employez des huiles essentielles pour créer votre propre vaporisateur qui rechargera l'énergie d'une pièce.

Trouvez des solutions de rangement intelligentes : essayez les boîtes à roulettes ou des tiroirs qu'on glisse sous le lit.

faites, en prenant soin de la position : un foyer qui témoigne d'un esprit créatif stimule l'estime de soi.

314

Les cinq règles du stockage

● Stocker les choses semblables ensemble.
● Une place pour chaque chose…
● …Chaque chose à sa place.
● Redistribuez les articles qui sont dans les paniers au moins une fois par semaine.
● Rangez les articles hors saison, comme les serviettes de plage en hiver et les manteaux en été.

315

Surcharge de travail

Si l'idée du rangement vous stresse parce que vous êtes surchargée de travail, abandonnez-la pour le moment, vous réévaluerez la situation dans six mois.

Détendez-vous après le travail

Si votre activité est frénétique au travail, faites l'effort de décrocher une fois à la maison, et laissez vos pensées en rapport avec le travail de l'autre côté de la porte. Ce n'est qu'à ce prix que vous aurez conscience de votre maison et de ceux qui s'y trouvent. Lorsqu'on est attentif à tout ce qu'on fait, que ce soit jouer avec les enfants ou laver la vaisselle, on parvient à un calme intérieur qui rayonne sans effort dans la maison et dans les relations.

316

Enlevez vos chaussures

Laissez vos chaussures sur le seuil, lorsque vous rentrez du travail. Achetez de mignonnes chaussettes d'intérieur. Ayez des chaussures différentes pour la maison et l'extérieur ou abandonnez-les purement et simplement et marchez pieds nus à la maison.

317

Éteignez votre cerveau

Une fois à la maison, coupez-vous consciemment du travail en le proclamant pour vous concentrer. Utilisez les mêmes mots tous les jours pour en renforcer l'effet. Vous pouvez dire « Travail, reste au bureau/dans la boutique » ou « Je travaille pour vivre,

je ne vis pas pour travailler ». Élaborez un autre mantra à répéter lorsque vous quittez la maison chaque matin, afin de vous préparer à une journée productive, comme « Je me sens fraîche et dispose et prête à me donner à fond ».

318

Changez de style

Si vous portez des vêtements formels pour le travail, le soir, passez des vêtements confortables avant de faire la cuisine ou de vous détendre.

319

Éteignez le téléphone

Selon deux études réalisées en 2006 au Royaume-Uni, un utilisateur de

Débarrassez-vous de vos chaussures de ville et profitez de la sensation de liberté que procure le fait de marcher pieds nus.

téléphone mobile sur six dit que celui-ci le stresse. Ceux qui s'autorisent des moments sans passer d'appels ni en recevoir ont rapporté moins de symptômes de stress, et leur tension était plus basse quand ils parlaient de leur utilisation du téléphone. Jetez-vous à l'eau et éteignez-le, puis observez les effets positifs que les heures sans téléphone ont sur votre vie familiale et vos relations.

320

Respirez des parfums

Les parfums voyagent en quelques secondes jusqu'à la partie limbique du cerveau – partie associée à l'humeur et qui traite la mémoire et les émotions – et contournent celle qui gouverne la logique. Allumez un bâton d'encens ou des bougies parfumées après une dure journée pour vous aider à déconnecter la partie de votre cerveau qui interagit avec le monde du travail.

321

Posture yoga du cadavre

C'est le décrochage suprême. Trouvez un endroit calme et tiède, et allongez-vous sur le dos, jambes légèrement écartées et pieds relâchés vers l'extérieur. Placez vos bras suffisamment loin de votre corps pour libérer vos épaules, paumes vers le haut. Assurez-vous que votre tête est parallèle au sol (si nécessaire placez un bloc de yoga ou un coussin plat dessous). Fermez les yeux et libérez votre visage de toute expression. Adoucissez votre bouche et sentez que l'avant de votre cerveau est calme.

Décompressez dans un bain avec quelques huiles essentielles calmantes.

Regardez à l'intérieur de vous, vers les profondeurs de votre cœur, puis observez votre respiration. Inspirez et expirez lentement et régulièrement. Ne vous inquiétez pas si votre esprit dérive ; contentez-vous de ramener votre attention à votre respiration. Essayez de rester dans cette position pendant dix minutes (mettez un minuteur si nécessaire).

322

Un scanner de relaxation

Allongée dans la position du cadavre, mais aussi lorsque vous êtes au lit, concentrez-vous sur les zones particulièrement tendues de votre corps. Vérifiez chaque partie, dont les épaules, les mâchoires, l'abdomen et les fesses, les doigts et les orteils. Imaginez leur raideur qui se dissipe et les muscles tendus qui se détendent lorsque vous expirez lentement. Laissez chaque zone de votre corps en contact avec le sol ou le matelas devenir lourde et sombrer ou s'étaler sur son support.

323

Acupression des yeux

Si, après le travail, vos yeux sont lourds, placez la pulpe de vos index sur les bords de l'os juste sous vos sourcils, là ou ils rejoignent votre nez. Appliquez une légère pression, puis relâchez. Déplacez légèrement vos doigts vers le bord, le long de la ligne des sourcils et répétez la pression à 5 mm d'intervalle, jusqu'à ce que vous atteigniez vos tempes. Décrivez-y des cercles.

324

Méditation sous la douche

Prenez le temps pour une douche après le travail, et laissez l'eau expulser toute préoccupation professionnelle récurrente. Si des soucis associés au travail surgissent ensuite, « éteignez-les », comme si c'étaient des fenêtres de publicité indésirables surgissant lorsque vous surfez sur le Net.

325

Huile purifiante pour le bain

L'huile de cyprès calme la colère ou l'irritabilité (prenez de l'huile fraîche), et l'huile de genièvre soutient lorsqu'on vit des moments difficiles. (À éviter si vous êtes enceinte ou avez des problèmes rénaux.)

1 cuill. à café d'huile de pépins de raisin
4 gouttes d'huile essentielle de cyprès
3 gouttes d'huile essentielle de genièvre

Dans un petit bol, mélangez toutes les huiles, puis versez-les dans un bain chaud avant d'y entrer. Lorsque vous êtes dans le bain, focalisez-vous totalement sur votre respiration ; prenez une inspiration profonde, puis expirez lentement en évacuant toute pensée négative qui traînerait.

326
Des sons qui vous emportent

Remplissez la salle de bain avec des sons marins, comme *La Mer* de Debussy, *La grotte de Fingal* de Mendelssohn ou *La Symphonie de la Mer* de Vaughan-Williams. Écoutez les vagues qui vont et viennent et la tempête qui fait rage dans le lointain.

327
Masque pour les yeux fatigués

Lorsque vous êtes reposée et que vous décompressez complètement dans votre bain, fermez les yeux et couvrez chaque paupière avec un sachet de thé vert refroidi et essoré. Gardez ce masque apaisant pendant une dizaine de minutes pour vous aider à détendre vos yeux fatigués qui ont regardé fixement l'écran de l'ordinateur toute la journée, et pour réduire boursouflures ou rougeurs. Quand vous aurez terminé votre bain, utilisez le thé vert infusé refroidi en y trempant des boules de coton et en vous en tapotant le visage, comme avec un tonique facial rafraîchissant.

Écoutez de la musique animée d'un souffle divin pendant que vous trempez : renversez-vous en arrière et laissez les ondes musicales vous emporter.

328

Saluez le retour à la maison

Marquez le retour de chacun à la maison le soir, après le travail ou les études. Prenez le temps de partager les nouvelles avec un verre de vin ou une tasse de thé à la main.

329

Dansez en cuisinant

Pendant que vous hachez ou que vous touillez, dansez avec les divas dont les voix portent passion et histoire, comme Nina Simone ou Mary J Blige, ou dansez la samba avec les meilleurs des paroliers brésiliens, comme Anton Carlos « Tom » Jobim, Vinicius De Moraes et Baden Powell.

330

Faites sauter le bouchon

Un verre de vin rouge est un plaisir relaxant à la fin d'une dure journée. Le vin rouge regorge de polyphénols antioxydants qui détruisent les radicaux libres provoqués par le stress et qui endommagent les cellules. En plus de réduire l'hypertension, il stimule la régénération du cerveau et des cellules nerveuses et tonifie le système digestif. N'en buvez toutefois pas plus de deux verres chaque fois, et passez deux ou trois soirées sans alcool par semaine.

331

Soyez concentrée pour manger

Il faut manger au calme plutôt que grignoter en courant. Éteignez la télévision et la radio, débarrassez le désordre éventuel sur la table et asseyez-vous pour manger.

Protégez votre cœur avec un verre de vin rouge riche en antioxydants.

332

Réunissez-vous

Incitez les membres de la maisonnée à partager les repas : essayez de manger ensemble au moins une fois par jour et, une fois par semaine, rassemblez-vous pour un repas plus festif, pourquoi pas avec du vin, une nappe, des bougies et des invités.

Remarquez-en les effets calmants sur les enfants qui refusent de manger, sur les ados moroses et sur les adultes trop préoccupés par leur vie pour partager une conversation.

333

Votre souper dans le placard

Tous les ingrédients de ce repas nutritif de pâtes peuvent être facilement stockés. Pour deux :

Un peu d'huile d'olive
1 oignon moyen, finement haché
1 grande boîte de tomates en conserves, hachées
1 cuill. à café d'origan sec
250 g de spaghetti
30 g de filets d'anchois, hachés
1 poignée d'olives noires
Sel de mer et poivre noir
   pour assaisonner

Faites chauffer l'huile d'olive dans une casserole en fonte, puis jetez-y les oignons. Faites cuire à feu doux en remuant jusqu'à ce qu'ils deviennent transparents et tendres. Versez les tomates, ajoutez l'origan et augmentez la chaleur. Laissez frissonner et réduire. Pendant ce temps, faites bouillir une grande casserole d'eau salée et jetez-y les spaghettis. Laissez cuire *al dente*. Passez, puis ajoutez la sauce, les anchois et les olives, et assaisonnez selon vos goûts.

Entretenez vos relations avec des repas amicaux autour d'une table.

334

Rendez grâce

Remerciez tous ceux qui ont contribué à votre repas : ceux qui l'ont cuisiné, ceux qui ont aidé à sa préparation ou qui ont fait pousser les légumes. Si vous disiez le bénédicité dans votre enfance, essayez les mêmes mots ou préférez ces grâces pour la table : « Je suis contente avec ce que j'ai, que ce soit peu ou beaucoup » ; « Dieu nous a tout donné pour que nous en profitions, alors, profitons-en ».

335

Méditez sur le goût

Avant de manger, sentez les arômes, prenez conscience de chaque couleur et de la texture. Placez la fourchette dans votre bouche, puis reposez-la ainsi que le couteau. Quelles saveurs pouvez-vous discerner ? Comment les goûts et les textures changent-ils pendant que vous mâchez et avalez ? Prenez-en conscience à chaque bouchée.

336

Regardez un film comique

S'asseoir pour regarder un film comique ou une comédie peut réduire les hormones du stress et favoriser les hormones de croissance qui régissent les réparations corporelles et stimulent les cellules tueuses du corps à repousser l'infection. Trente minutes suffisent pour déclencher une réaction positive : le simple fait d'anticiper la joie stimule les taux de substances chimiques analgésiques du corps.

Décompressez à la maison

Décorer son intérieur avec des couleurs apaisantes, bien le ranger et y faire entrer la nature n'est qu'une étape vers un foyer relaxant : ce qui change tout, c'est d'y trouver des gens heureux. Des études indiquent que l'un des moyens les plus efficaces pour réduire le stress et être heureux consiste à participer à des activités créatrices. Pour renforcer votre relaxation chez vous, essayez ce qui suit.

337

La tasse de café parfaite

Les individus détendus apprécient en général des moments courts, mais importants, de méditation ou de cérémonie privée. Se faire le café parfait peut être l'un de ces rituels apaisants. Faites des essais pour trouver celui que vous préférez et expérimentez différentes cafetières. Essayez-le noir et sucré, avec un nuage de lait, ou avec une mousse chaude et parfumée. Faites réchauffer votre tasse avant d'y verser le café, et savourez son parfum ou les sons de la cafetière. Trouvez un endroit rituel pour le déguster, loin des corvées. Ne faites rien d'autre. Sacralisez ce moment de votre journée.

338

Poésie magnétique sur le frigo

Être capable d'exprimer sa créativité innée permet d'être plus relaxée et satisfaite. Arrêtez-vous pour former une ligne ou deux de poésie avec des mots écrits sur des magnets chaque fois que vous passez devant le frigo ou en attendant que la bouilloire chante, et invitez la famille à rédiger chaque jour quelques vers.

339

Caressez un chat

Selon une étude réalisée en 2005, 62 % des propriétaires de chats ont indiqué que leurs compagnons soulageaient leur stress. Les chercheurs attribuent ceci au fait que s'occuper d'un être doué de sensations nous fait oublier nos propres soucis, ainsi qu'à l'acte de la caresse qui stimule les endorphines. Ce lien marche de deux façons : beaucoup disent que leurs chats semblent plus affectueux quand eux-mêmes sont malheureux. Adoptez un chat dans un refuge et faites-en un membre de la famille.

Prenez le temps de vous faire la tasse de café parfaite.

340
Promenez le chien

Une étude indique que les propriétaires de chiens sont plus susceptibles d'avoir le sens de l'humour et d'être détendus. En effet, être obligé de marcher chaque jour est un moyen infaillible de se débarrasser de son stress physique et mental. Et avoir un chien vous oblige aussi à échanger quelques mots avec des gens qui vous ressemblent, ce qui a des pouvoirs antistress.

341
Posture du chien renversé

Si vous n'avez pas de chien, essayez cet étirement, inspiré par la forme que prennent ces animaux. Sur une surface antidérapante, mettez-vous à quatre pattes, les mains écartées de la largeur des épaules et les pieds écartés de la largeur des hanches. Les orteils vers le sol, poussez vos fesses vers le haut, jambes droites. Écartez les doigts et appuyez bien dans le sol. Imaginez une ligne droite entre vos poignets et vos hanches. Détendez votre cou et respirez. Tenez autant que vous pouvez sans vous effondrer.

342
Éteignez

Éteindre la télé réduit le stress. Des informations inquiétantes ont un lien avec l'augmentation des hormones du stress et, selon une étude parue dans *Psychological Science*, elles ont une corrélation avec des cauchemars similaires à ceux des individus souffrant du syndrome de stress post-traumatique. Éteignez-la une fois par semaine, vous constaterez combien vous vous sentirez mieux. Choisissez vos programmes avec soin, puis éteignez juste après, plutôt que de zapper sans même y penser.

343
Trouvez-vous un hobby

Une étude réalisée par l'université de Maastricht révèle que les hommes qui ont un hobby sont moins susceptibles d'avoir un arrêt maladie. Ils sont moins sujets à la dépression, leur taux de stress est plus faible et leur système immunitaire plus efficace. Trouvez-vous un cours du soir : stimulez votre bien-être en faisant quelque chose avec vos concitoyens, avec lesquels vous ne passez généralement pas de temps.

344
Élevez des poulets

Élever des poulets est peut-être le nouveau le nouveau hobby à la mode, comme le fut le tricot, pour se dorloter. Même dans un jardin de ville, on peut avoir deux poulets. Cherchez des poulaillers pratiques et des races sociables, comme les Orpington. Si leur taille vous inquiète, choisissez des Bantam. En plus de leur doux gloussement, vous aurez des œufs frais.

345
Plongez les mains dans la terre

Lorsqu'on s'immerge dans le jardinage, on entre dans un autre fuseau horaire : l'ordre plus grand des saisons, du soleil et de la lune, ainsi que les caprices du climat. Avec les mois et les années, on devient calme et patient.

Profitez des avantages d'avoir un compagnon à poils.

346
Apprenez à jouer d'un instrument

Une étude réalisée en 2005, parue dans le *Medical Science Monitor*, indique que faire de la musique réduit le stress. Des travailleurs sociaux ayant pris un cours de musique de six semaines devinrent moins moroses, néanmoins le plus important n'est pas le résultat, mais la camaraderie et le fait d'exprimer des émotions autrement que verbalement. Trouvez-vous un professeur pour adultes débutants et des cours en groupe pour la compagnie.

347
Méditation musicale

Utilisez la musique pour déverrouiller vos émotions. Asseyez-vous droite et mettez de la musique classique ou du jazz. Choisissez des instruments et des thèmes et suivez la tension qui monte avant de se dissiper. Jouissez de vos émotions. Si votre esprit se met à errer, revenez aux notes autour desquelles gravitent les groupes de sons, l'effleurement des doigts sur les cordes, les souffles entre les phrases.

Des week-ends joyeux

Si vous travaillez toute la semaine, il faut récupérer pendant le week-end. Cela ne signifie toutefois pas qu'il faille passer des heures au lit : une étude réalisée à l'université d'Adélaïde indique qu'une sieste de deux heures le dimanche perturbe l'horloge biologique à tel point que cela augmente la torpeur *et*, jusqu'au mardi, le risque de contracter une infection. Participer à une activité est une bien meilleure façon de se détendre. Essayez ce qui suit.

348
Des week-ends sans travail
Pour préserver votre santé, essayez de faire en sorte que chaque week-end soit une zone de relaxation. Si nécessaire, travaillez plus tard le soir pendant la semaine pour y parvenir. Sans une coupure régulière de deux jours, votre santé et votre bien-être souffriront, et à la maison votre système de soutien commencera à s'effondrer : les relations doivent être entretenues.

Renforcez les liens collectifs en invitant des amis pour un curry préparé avec amour.

349
Allez au sauna
Exposer son corps à une chaleur saisissante, puis à une douche ou un bain frais, détend les muscles, nourrit les tissus, profite à la tension artérielle et à l'immunité, et stimule l'afflux d'opiacés naturels. Plus la variation de température est importante, plus l'euphorie est addictive. Faites du sauna un rituel particulier, en recherchant ceux qui sont situés dans un environnement magnifique, duquel on peut contempler la nature pendant qu'on sue, puis ruez-vous dans la neige !

350
Masque facial apaisant
Ces ingrédients conviennent particulièrement aux peaux sensibles ; employez ce masque une fois par semaine pendant que vous vous détendez dans un bain.

3 cuill. à café d'amandes en poudre
1 cuill. à café de coriandre moulue
2 cuill. à soupe de yaourt naturel

Mélangez les poudres avec le yaourt pour faire une pâte épaisse. Étalez sur votre visage et votre cou, détendez-vous pendant 15 minutes, enlevez avec un gant de toilette humide et tiède, puis arrosez-vous d'eau froide.

351
Apprenez à cuisiner
Les aliments ont bien meilleur goût quand ils sont cuisinés à la maison avec des ingrédients frais. Devenez un chef pendant les week-ends si vous n'avez pas le temps de cuisiner en semaine : cela vous aidera à considérer la cuisine comme une activité de loisir. Le secret d'une bonne cuisine rapide est la fraîcheur des ingrédients locaux, une cuisson simple pour préserver la saveur, la texture, la couleur et les nutriments. Des salades éclatantes, des tomates savoureuses, des fromages intéressants, des viandes fumées et des pains sortant du four constituent un délicieux repas. Terminez par des fruits de saison, comme le melon, les figues ou les cerises.

352

Mettez un tablier

Portez un tablier rétro pour vous donner l'impression que vous êtes une sereine mère nourricière. Avec votre nouvelle apparence, mélangez quelques légumes, de la viande dorée ou des légumineuses ayant trempé et des herbes dans une cocotte. Couvrez avec du bouillon et laissez mijoter lentement, en humant les parfums qui vous mettent l'eau à la bouche.

353

Cuisinez un repas vieux jeu

Demandez à une personne âgée de vous parler des repas en famille du temps où les boutiques étaient fermées le dimanche. Consacrez votre journée à la cuisine en employant ses recettes et en invitant vos proches à partager ce repas, puis allez ensuite vous promener tous ensemble.

354

Créez un curry ou deux

La cuisine compliquée demande du temps et de la concentration. Il peut s'avérer calmant pour vous de vous perdre dans les complexités d'un curry indien authentique. Les ingrédients – ail, gingembre, curcuma, piment et autres épices – sont bons pour le cœur et le cerveau, car ils retardent le déclin cognitif et combattent la dépression et le stress.

355

Faites pousser des herbes calmantes

Cultivez des herbes pour confectionner des sachets pour le bain, des infusions ou des coussins parfumés. S'occuper de plantes peut être d'un soutien aussi

Il suffit d'une jardinière ou d'un petit coin de jardin pour cultiver des herbes aromatiques.

grand pour le système nerveux que les plantes elles-mêmes.
- Mélisse pour apaiser l'anxiété.
- Lavande et camomille allemande pour déconnecter.
- Menthe poivrée pour apaiser les problèmes digestifs liés au stress.
- Camomille allemande pour les nerfs, l'indigestion et les problèmes de ventre.

356

Faites pousser des tomates

Il est facile de faire pousser des tomates, qui ont de forts taux de lycopène, lequel peut réduire l'hypertension. Achetez-en des plans pour éviter le stress du « poussera/poussera pas » ; cherchez des variétés de tomates cerises qui n'ont pas besoin de tuteurs. Faites également pousser du basilic pour des salades de tomates instantanées (ajoutez-y un peu de poivre noir et d'huile d'olive).

357

Faites pousser de l'ail

Achetez un bulbe d'ail dans un magasin spécialisé, et pendant les jours les plus courts de l'année plantez-en chaque gousse séparée d'une main dans un parterre ou des pots que vous aurez préparés. L'année suivante, récupérez des gousses nouvelles et juteuses

358

Faites du pain

Laissez le pétrissage effacer toutes les autres pensées de votre esprit et dissiper les tensions.

- 2 cuill. à café de levure sèche
- 30 cl d'eau tiède
- 460 g de farine pour pain blanc
- 2 cuill. à café de sel
- Farine pour saupoudrer

1 Mélangez la levure et ¼ de l'eau. Dans un saladier séparé, mélangez la farine et le sel. Creusez un puits au milieu et versez-y la levure mélangée à de l'eau. Ajoutez lentement le reste de l'eau.

2 Mettez la pâte sur une planche farinée. Pétrissez-la pendant 10 minutes avec le talon de vos mains. Debout, respirez profondément et sentez vos muscles tendus se relâcher en même temps que la pâte devient élastique.

3 Couvrez et laissez reposer 1 h 30 à 2 heures, jusqu'à ce qu'elle double de volume. Donnez des coups de poing à la pâte, puis donnez-lui forme et laissez-la reposer encore 45 minutes pour qu'elle double à nouveau de volume.

4 Entaillez le haut de la miche avec un couteau. Faites-la cuire au four préchauffé à 220 °C pendant 45-50 minutes, jusqu'à ce qu'elle soit dorée et qu'elle sonne creux quand on la tapote.

lorsque les feuilles commenceront à se flétrir. Les mangeurs d'ail semblent mieux faire face à la fatigue du stress et être plus résistants aux infections.

359

Prenez des cours de chant

Le chant aide à respirer profondément et à détendre les muscles du dos, des épaules, de la poitrine et du cou, ainsi qu'à s'exprimer. Faire de la musique est également purgatif d'un point de vue affectif, car la musique soulage l'anxiété, ce qui stimule les substances chimiques qui détériorent le stress, et elle abaisse le rythme cardiaque et la tension artérielle. Ce qui pourrait expliquer une étude réalisée à l'université de Sydney qui démontrait que le chant aide les individus à faire face à la douleur chronique. Trouvez un professeur et libérez l'étoile qui est en vous.

360

Compilez vos airs préférés

Graver un CD de ses airs favoris pour un(e) ami(e) peut émouvoir profondément, car on met tout son cœur dans ce travail et on s'identifie à son ami(e). Gardez la liste de ce que vous mettez sur son CD afin de pouvoir en graver d'autres par la suite.

361

Faites un somme

Le coup de barre de l'après-midi est la façon qu'à la nature de faire face à une journée de 16 heures. Pendant le week-end, faites un somme de 15 minutes si la fatigue vous frappe, mais pas plus longtemps, car sinon vous entreriez dans un sommeil plus profond et moins revigorant.

362

Davantage d'exercice

Se bouger seulement pendant les week-ends n'a pas les effets réducteurs de stress à long terme qu'apporte l'exercice quotidien, certes, mais mieux vaut peu que pas du tout, alors prévoyez 45 minutes d'exercice les samedis et les dimanches pour compléter vos marches de 10 minutes de la semaine. Cela vous aidera à prévenir le syndrome métabolique, précurseur des maladies cardiovasculaires, du diabète et des accidents vasculaires cérébraux.

363

Touriste pour la journée

Passez une journée à visiter votre ville. Essayez un circuit en bus ou en bateau, visitez les musées et les galeries et prenez le thé dans un grand hôtel. Savourez le monde en dehors de votre « 9 heures/18 heures » usuel.

364

Allez au concert

Selon une étude réalisée à l'hôpital Chelsea and Westminster, les individus qui assistent à des concerts sont moins stressés et ont moins de tension et de symptômes de dépression.

365

Fréquentez un club de comédie

Le rire fait baisser les taux de dopamine, substance chimique en rapport avec une tension artérielle élevée. Il réduit également les hormones du stress et dope les endorphines, ce qui entraîne plus de bien-être.

Le shopping sans stress

Une étude réalisée à l'université Exeter pour Barclaycard révèle que les femmes font souvent du shopping pour venir à bout de leur stress, comme passe-temps, mais que les hommes le considèrent comme stressant. Un chercheur qui contrôlait le rythme cardiaque, la tension artérielle et les hormones du stress chez des hommes qui faisaient leurs courses de Noël découvrit qu'ils étaient aussi élevés que ceux de la police antiémeute. Un tiers des Européens évite ce stress en faisant ses courses sur Internet. Quant aux autres, ils évitent les supermarchés, leur préférant les marchés locaux d'agriculteurs, les traiteurs et les boutiques spécialisées.

366

Arrêtez le shopping !

Grâce à Internet, on n'a plus besoin d'aller sur place pour consommer, ce qui rend le shopping potentiellement possible 24 h/24, 365 jours par an. Pour reposer votre cerveau et votre porte-monnaie, visez à au moins une journée par semaine sans achats. Osez sortir sans portefeuille !

367

Journée « sans achats »

La journée « sans achat » est célébrée chaque année en novembre dans plus de 55 pays. Ce jour-là on est censés ne faire aucun achat et se mettre à la place à l'écoute de sa propre vie, de sa famille et de ses amis. Pourquoi ne pas en profiter pour organiser une boutique de troc ou un concert gratuit, pour monter une table de découpage des cartes de crédit ou une conga contre le consumérisme ? Profitez-en pour reconsidérer vos relations avec les « objets ».

368

Shopping au masculin/féminin

Si vous faites les courses avec un homme, faites une pause toutes les heures : selon une étude réalisée à l'université Exeter, il a toutes les chances de se sentir stressé au bout d'une heure et 12 minutes. Les femmes tiennent pendant pratiquement 30 minutes de plus !

369

Planifiez à l'avance

Emmenez une liste au supermarché afin de rester concentrée, d'éviter d'être désorientée et de rester plus longtemps et de faire des achats d'impulsion. Allez-y aussi l'estomac plein.

370

Évitez le supermarché

Être entraînée dans les allées d'un supermarché, le long d'une voie organisée pour vous faire acheter, vous prive de contrôle, ce qui est un facteur de stress important. Si cela vous met à

Faites-vous livrer votre panier bio chaque semaine.

cran, réduisez vos visites à un minimum en stockant le pain, le lait (congelez-le) et les produits de base comme les tomates en conserve, les jus de fruits et les rouleaux de papier toilette. Entre deux visites, fréquentez les boutiques voisines, plus conviviales, et les marchés hebdomadaires pour les produits frais.

371
Commandez en ligne
Gardez la liste habituelle des courses au supermarché pour une livraison en ligne, ce qui fait gagner du temps. Contentez-vous de cliquer à chaque fois sur le bouton « nouvelle commande », et de temps en temps, revoyez votre sélection.

372
Quittez rapidement la ligne
Le shopping en ligne peut être si facile qu'on est de plus en plus aspirée par le cyberespace. Décidez d'un temps précis lorsque vous feuilletez les pages, et tenez-vous-en à votre liste. Si vous vous

levez la nuit pour participer à des enchères en ligne, posez-vous la question de leur réelle utilité.

373
Faites-vous livrer
Débarrassez-vous du stress des courses en vous faisant livrer à domicile un panier de fruits et légumes, de viande ou de poisson bio ou une caisse de vin.

374
Choisissez « local »
Sentez-vous mieux dans votre peau en soutenant l'économie locale pour vos courses. Une étude réalisée en 2001 révèle qu'acheter dans un programme « Panier fruits & légumes bio » transforme 10 € en 25 € parce que l'argent reste dans la communauté (10 € dépensés au supermarché n'en génèrent que 14). Vivre dans une communauté forte protège contre les effets négatifs du stress.

375
Cherchez l'origine
Être capable de remonter à l'origine de son alimentation – de la bêche de l'agriculteur à votre fourchette – est rassurant en cette époque de grippe aviaire et de vache folle. Fréquentez les marchés d'agriculteurs, les boutiques de fermes et les boucheries et poissonneries de votre quartier, dans lesquels vous pourrez discuter et connaître la provenance des produits.

376
Réduisez les distances
Sevrez-vous des aliments qui poussent à l'autre bout de la Terre si vous vous

sentez coupable de la pollution créée par les kilomètres parcourus pour atteindre nos boutiques. Investissez plutôt dans un livre de cuisine de saison, pour découvrir comment tirer parti de la plupart des produits locaux qui sont mûrs, abondants et bon marché aux différentes saisons.

377
Soutenez les spécialistes
Les boulangeries artisanales, les fromageries, les librairies indépendantes et les disquaires spécialisés dans les vinyles sont super. Chérissez leur mélange unique d'enthousiasme, de personnel bien documenté et de stocks farfelus, et profitez du service personnalisé qu'on vous y propose.

378
Un jour de sortie
En achetant directement à la ferme, dans les vide-greniers ou au marché dans les villes animées, on transforme son shopping en journée sociable.

379
Aimez votre boucher
Un petit boucher local a tendance à acheter auprès des fermiers du voisinage, et il peut même être en mesure de vous dire dans quel pré le bétail paissait. N'est-ce pas rassurant ? Profitez de son savoir-faire pour les coupes et les méthodes de cuisson, et discutez avec lui pendant qu'il travaille : vous renforcerez votre lien avec votre communauté locale.

380

Achetez commerce équitable

Si les mauvaises conditions de travail des personnes qui font pousser cacao, bananes, cannes à sucre, thé et café vous révoltent, tournez-vous vers les marques de commerce équitable et poussez un soupir de soulagement.

381

Un shopping plus sûr

Pour se détendre en sachant que les produits qu'on achète ne contiennent pas de toxines inquiétantes, visitez le site du WWF pour trouver la liste d'une multitude de produits, depuis les lessives aux planches de surf en passant par les cosmétiques ayant moins de conséquences sur la santé.

382

Soyez juste

Acheter ses aliments directement auprès de fournisseurs du voisinage évite les intermédiaires, ce qui permet ainsi de donner un prix plus juste aux producteurs. Choisissez du lait local en particulier, même si cela signifie rejeter le lait bio (qui risque d'être importé). Un acheteur juste est un acheteur plus détendu.

383

Portez correctement

Évitez les douleurs dans le cou et les épaules et protégez votre dos en répartissant vos lourds sacs de provisions des deux côtés de votre corps (encore mieux, utilisez un sac à dos). Si vous savez que vos courses vont vous stresser physiquement, préférez des baskets ou des chaussures plates aux chaussures à talons.

384

Soulevez correctement

Lorsque vous vous penchez pour soulever vos paquets, écartez les pieds de la largeur de vos épaules, près de l'objet. Fléchissez les genoux, laissez pendre les bras, puis apportez l'objet près de votre corps. Remontez en faisant participer les muscles de vos jambes, pas de votre dos. Faites en sorte que vos genoux se trouvent au-dessus de vos petits orteils.

385

Ne dépassez pas les limites

Les individus dont le compte en banque est à découvert ont davantage de problèmes de santé que les autres. Si votre carte de crédit vous stresse, demandez de l'aide (voir n° 854) ou transférez vos dettes sur un seul organisme de crédit, découpez-la en morceaux, et concentrez-vous sur les paiements, qui soulageront votre stress.

386

Économisez pour quelque chose

Économisez pour des articles de luxe et payez en liquide. Cela vous permettra de vous demander si vous en avez réellement besoin.

Faites plaisir à vos sens avec des produits traditionnels présentés de façon séduisante.

L'angoisse de la taille 36

Une étude réalisée à l'université du Sussex indique que la plupart des femmes ressentent de « l'anxiété corporelle » lorsqu'elles regardent des mannequins ultra-minces. Mais 59 % d'entre elles ont répondu à une étude réalisée par le magazine *New Woman* qu'elles trouvaient les tailles 34 et 36 attirantes, et pour 97 %, les femmes qui portent du 40 sont en surpoids (la taille moyenne étant le 42 ou 44). Rien d'étonnant donc à ce que s'acheter des vêtements nous rende anxieuses !

387
Ignorez les étiquettes
Ne vous laissez pas épouvanter par les variations de taille d'une boutique et d'une marque à l'autre. Une fois arrivée à la maison, coupez les étiquettes.

388
Comme une gamine ?
La taille 34 correspond à une enfant de 14 ans : alors si vous êtes plus âgée et que vous aspirez à porter cette taille, il est temps de revenir sur terre.

389
Laissez tomber la presse people
Gardez ces magazines pour l'attente chez le coiffeur ou chez le dentiste. Une étude réalisée à l'université de Missouri-Columbia indique que regarder des photos de célébrités ultra-minces rend même les femmes qui sont de la taille de ces modèles moins sûres de leur propre image corporelle.

390
Nourriture de l'esprit
Remplacez les magazines people stupides par des nouvelles captivantes sur des femmes au caractère bien trempé.
- *Je sais pourquoi chante l'oiseau en cage*, Maya Angelou : grandir pour défier l'adversité.
- *Beloved*, Toni Morrison : une femme hantée par son passé.

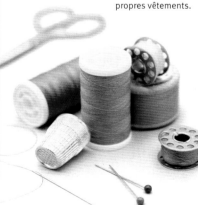

Laissez libre cours à votre créativité et cousez vos propres vêtements.

- *Orgueil et préjugés*, Jane Austen : la Bridget Jones originelle.
- *Jane Eyre*, Charlotte Brontë : romance gothique passionnée.

391
Reconnaissez ce qui est normal
Une étude réalisée à l'université d'État de Caroline du Nord indique que l'industrie de la mode ne tient pas compte de l'évolution des formes féminines, et continue à fabriquer des vêtements pour les tailles de guêpe des années cinquante. En fait, de nos jours, seulement 8 % des femmes ont la même mensuration poitrine/hanches et la taille aussi fine qu'alors. Pour les autres, 46 % sont en rectangle (la taille a augmenté en moyenne de 15,24 cm depuis les années cinquante), 20 % sont en forme de cuiller ou de poire (fesses lourdes) et 14 % sont en triangle inversé. Ce n'est donc pas notre faute si les vêtements ne nous vont pas !

392
Faites-les vous-même
De plus en plus de femmes de par le monde expriment leur créativité et évitent le stress d'aller acheter leurs vêtements en les dessinant et en les cousant elles-mêmes. Rejoignez un cours de couture en ligne pour échanger des idées et des patrons et prenez confiance en vous pour faire et porter vos propres créations. Vous trouverez sur le Net de nombreux blogs de femmes qui créent ou customisent leurs vêtements.

393

Portez ce qui vous va

Choisissez des formes flatteuses plutôt que d'essayer d'entrer dans une tunique à manches ballon à la dernière mode. Achetez l'édition de *Vogue* de cette saison, puis arrachez les pages avec les formes et les couleurs qui vous vont, et épinglez-les devant vous pour vous guider dans vos choix.

394

Achetez « vintage »

Ne suivez pas la mode : achetez des vêtements de créateurs. Quand personne d'autre ne porte la même chose, on se sent vraiment bien !

395

Customisez vos vêtements

Le prêt à porter étant moins cher et plus facile à trouver, tout le monde au bureau ou à l'école porte la même chose. Customisez vos vêtements : changez les boutons, enlevez les manches, raccourcissez-en la longueur, ou teignez-les dans la machine à laver.

396

Des fleurs pour s'assumer

L'essence de fleurs du bush australien *Five Corners* peut faire des merveilles pour celles qui ont une piètre opinion de leur beauté physique. Cette essence déclenche l'acceptation de soi et l'appréciation de sa propre beauté.

397

Expirez

Retenir son souffle peut provoquer une indigestion et créer de la tension dans le diaphragme, ce qui raccourcit le souffle ; de plus, on a l'air de sucer du citron ! Ne le faites pas ; vous êtes belle comme vous êtes, alors détendez-vous et expirez.

Glorifiez votre corps et sentez-vous fabuleuse dans des vêtements « faits pour vous ».

Un sommeil apaisant

Une bonne nuit de sommeil est indispensable, mais environ un Français sur trois souffre d'insomnie, ce qui irrite, diminue la concentration et entraîne perte de mémoire et anxiété. L'insomnie provoque le stress et le stress contribue à perturber le sommeil. Si l'on se détend, on aura plus de chances de bien dormir (si votre insomnie a une cause physique, comme la douleur, consultez votre médecin).

Une tasse de camomille au coucher favorise le sommeil.

398
Prélassez-vous au lit
Faites de votre lit un refuge dans lequel vous pouvez vous retirer pour somnoler, paresser, lire ou faire l'amour. Déplacez les bureaux, les dossiers de travail et l'équipement informatique : l'énergie active n'est pas appropriée dans une zone tranquille. Selon l'art indien du *vaastu shastra*, le meilleur endroit pour une chambre principale est la partie sud-ouest, gouvernée par une énergie terrestre reposante et qui ancre.

399
Des tons de terre
Pour décorer votre chambre, choisissez des rouges terreux et des roses foncés, considérés comme « maternels », qui refoulent les émotions, calment l'énergie et réduisent le feu mental.

400
Changez de matelas
Si votre matelas s'affaisse ou qu'il a plus de 8 ans, il se peut qu'il ne vous soutienne plus suffisamment pour vous permettre un sommeil relaxant.

Achetez-en un neuf et retournez-le selon les instructions du fabricant. Un matelas bio ou rempli de laine de mouton ou de latex naturel vous rassurera si les produits à base de pétrole dégageant des substances chimiques dangereuses vous inquiètent.

401
Obscurité totale
D'une part, le cerveau a besoin d'une période d'obscurité totale, et, d'autre part, la lumière favorise la sécrétion de cortisol stimulant. Protégez-vous des lumières nocturnes, fermez les portes et posez des rideaux épais ou des stores d'occultation qui ne laissent passer ni les lumières de la ville ni les rayons matinaux du soleil.

402
Instaurez une routine
Trouver l'heure qui convient pour aller au lit et pour se lever puis s'y tenir produit un bon sommeil constant. Toutefois, il faut continuer aussi pendant les week-ends et après une mauvaise nuit.

403
Pas plus, pas moins
D'après une étude rapportée dans *Psychosomatic Medicine*, les individus qui dorment de 7 à 8 heures dorment mieux et sont en meilleure santé que ceux qui font régulièrement des nuits plus courtes ou plus longues. Ils se sentent également mieux.

404
Adaptez votre heure de coucher
Si vous attendez le sommeil, allongée dans votre lit, ou que vous vous réveillez très tôt, adaptez votre heure de coucher ou de lever. Employez les heures ainsi gagnées pour entreprendre la méditation.

405
Adaptez-vous aux saisons
Réévaluez votre besoin de sommeil à chaque changement de saison. Si vous le pouvez, en hiver, adaptez votre schéma de sommeil sur le besoin humain d'hibernation, et ayez des journées beaucoup plus longues en été.

406

Ne vous stressez pas

Il est pénible de ne pas arriver à s'endormir, ou de se réveiller tôt le matin. Selon le *Sleep Research Centre* de Loughborough, se sentir fatiguée ou épuisée peut toutefois ne pas provenir du manque de sommeil, mais de l'inquiétude provoquée par ce manque de sommeil. Rassurez-vous, la plupart des insomniaques dorment 6 heures en moyenne (assez pour ne pas tomber de sommeil pendant la journée) ; ils ont seulement l'impression de ne pas dormir assez parce qu'ils se réveillent fréquemment.

407

Ne vous couchez pas

N'allez pas au lit avant d'avoir sommeil, et si une fois couchée vous restez éveillée, relevez-vous. Faites quelque chose d'ennuyeux, comme lire un livre difficile (évitez les histoires d'horreur ou trop captivantes), ou faites vos comptes. Ne retournez au lit que lorsque vous vous sentirez fatiguée.

408

Couchez-vous tard

Même si vous n'avez pas dormi la nuit précédente, n'allez pas au lit avant 22 heures pour avoir plus de chances de faire une bonne nuit.

409

Lisez-lui une histoire

Demandez à votre partenaire de vous lire quelque chose. Revisitez les classiques de votre enfance : les nouvelles de Roald Dahl et les Harry Potter, *Mary Poppins*, *Les Quatre Filles du Docteur March*, les romans d'aventure de Jules Verne ou de cape et d'épée d'Alexandre Dumas… Si vous avez *Les 1 001 nuits*, lisez-le chacun votre tour…

410

Calmez votre cerveau

Avant l'heure du lit, occupez-vous à une activité mentale, comme un puzzle ou un sudoku, mémorisez des verbes étrangers ou pratiquez des gammes et des arpèges.

411

Buvez une camomille

Avant d'aller au lit, buvez une infusion de camomille, connue pour soulager l'insomnie.

412

Du lait réconfortant

Une tasse de lait tiède facilite la relaxation avant d'aller au lit. Résistez à l'envie d'y ajouter du cacao, du café ou du thé, lesquels contiennent de la caféine stimulante.

Transformez votre chambre en un havre de paix avec un décor protecteur aux tons de terre.

413

Ne vous couchez pas affamée

Les féculents et la vitamine B_6 élèvent les taux du neurotransmetteur sérotonine, ce qui stimule le sentiment de calme. Mangez une banane, un en-cas à base de pommes de terre, des lentilles ou des grains complets. Mais n'en faites pas trop quand même : manger trop tard le soir perturbe aussi le sommeil.

414

De l'exercice le matin

L'exercice stimule la qualité du sommeil, mais ne le faites pas trop tard le soir, car votre cerveau continuerait à faire la course. Si vous ne pouvez vous entraîner que le soir, optez pour des cours de yoga, de Qigong ou de taï-chi, qui se concentrent sur des mouvements contrôlés et s'efforcent d'approfondir le souffle.

415

Prenez un bain tiède

Un bain tiède détend les muscles et repose les nerfs, mais évitez les bains très chauds, épuisants.

416

Traitement adoucissant

Après un bain, alors que la peau est encore humide, massez-la avec de l'huile de jojoba, d'argan ou d'avocat pour y piéger l'humidité.

417

Huile relaxante pour le bain

Un bain aux huiles laisse la peau douce (une peau chaude et humide absorbe plus facilement les huiles). Une atmosphère embuée contribue à une inhalation plus profonde des huiles qui favorisent l'endormissement. (À éviter pendant la grossesse.)

1 cuill. à café d'huile d'amande douce
6 gouttes d'huile essentielle de lavande
3 gouttes d'huile essentielle
   de camomille

Mélangez les huiles et versez-les dans un bain tiède en agitant l'eau pour les disperser avant d'y entrer. Inhalez leurs arômes.

Le soir, dorlotez votre peau avec un bain aux huiles essentielles.

Le soir avant d'aller au lit, aidez votre esprit à déconnecter avec un bain relaxant et augmentez ainsi vos chances d'avoir une nuit entière de sommeil.

construisez-en une image dans votre tête. Lorsque cette image disparaît, rouvrez les yeux et recommencez à la regarder ; essayez de la retenir pendant plus longtemps, toujours sans cligner. Fermez les yeux et recommencez à la visualiser dans votre esprit. Puis répétez à nouveau. Cela accroît le calme et la force morale.

420

Notez vos tourments

Si des « il faut faire » vous tracassent tout au long de la nuit, gardez un carnet près de votre lit et, avant de vous endormir, notez-y tout ce que vous aurez à faire le lendemain. Utilisez la fin du carnet comme journal improvisé de vos humeurs, pour noter vos pensées. Puis, déconnectez-vous consciemment de ces pensées : si cela peut vous aider, imaginez que ce sont des vaguelettes à la surface de l'eau. Plongez profondément dans les abysses non troublés.

418

Sels de bain analgésiques

Les sels d'Epsom dissipent la tension musculaire, tandis que ces huiles essentielles soulagent les muscles fatigués et calment le système nerveux. (À éviter pendant la grossesse.)

12 cuill. à soupe de sels d'Epsom
3 gouttes d'huiles essentielles de :
  lavande, romarin et géranium

Répartissez les sels dans deux bols. Versez les huiles essentielles dans l'un des deux, puis jetez-en le contenu dans le bain en agitant l'eau pour le dissoudre. Entrez dans le bain et frottez-vous les jambes, les bras, l'abdomen et le dos avec des poignées du sel restant en allant toujours en direction du cœur. Plongez dans l'eau pour rincer le sel, puis détendez-vous pendant 15 minutes. Buvez un grand verre d'eau avant d'aller au lit.

419

Méditation aux chandelles

Réduisez les lumières et allumez une bougie près de la baignoire. Sombrez dans l'eau jusqu'à ce que vos yeux soient au niveau de la flamme et regardez-la sans cligner pendant 30 secondes, en fixant votre regard sur son centre bleu ou sur le point où elle disparaît. Fermez les yeux et suscitez une image de cette flamme dans votre esprit. Ne vous laissez pas distraire par l'illusion d'optique de la flamme, mais

Focalisez-vous sur une flamme pour apporter la paix à votre esprit.

421

Tenez un journal de vos rêves

Au réveil, notez vos pensées et ce dont vous vous souvenez de vos rêves. Ils n'ont pas à avoir de sens, et inutile de faire des phrases : les impressions suffisent. N'essayez pas non plus de les interpréter. Au bout d'un mois, relisez votre journal et voyez si vous repérez des schémas ou des pensées qui jettent la lumière sur vos anxiétés actuelles.

422

Secours des plantes

Un mélange de houblon (*Humulus lupulus*), de fleur de la passion (*Passiflora incarnata*) et de valériane (*Valeriana officinalis*) peut aider à calmer des nerfs stressés et agir comme un sédatif léger. Ces trois remèdes sont souvent disponibles en mélange sous forme de gélules ou d'infusions ; autrement, vous pouvez acheter séparément ces teintures, puis verser 10 gouttes de chaque dans un verre d'eau et boire le soir avant d'aller au lit.

423

Remède pour sommeil perturbé

Si votre sommeil est perturbé depuis un certain temps – par un bébé qui vous réveille souvent la nuit, par un vieillard venu vivre chez vous, ou parce que vous faites les trois huit – vous avez peut-être perdu la capacité à dormir correctement, en dépit de votre épuisement. Le remède homéopathique *Cocculus indicus* 30 peut vous aider à vous sortir de ce cercle infernal et à reprendre l'habitude d'un sommeil tranquille.

Noter ses rêves peut aider à mettre des soucis récurrents en relief.

424

Remède contre le sommeil léger

Ceux qui parlent en dormant ou qui ont le sommeil léger et sont facilement dérangés ou réveillés par le moindre bruit, peuvent tirer profit du remède homéopathique *Lachesis* 30, lequel est particulièrement recommandé à ceux qui ne se sentent pas frais et dispos au réveil ou qui ont régulièrement des douleurs ou des maux de tête qui semblent encore pires tôt le matin.

425

Remède contre les réveils trop matinaux

Se réveiller tôt avec l'esprit hyperactif ou à cause de rêves intenses et être incapable de se rendormir peut être traité avec le remède homéopathique *Sulfur* 30. Si vous avez tendance à avoir très chaud pendant votre sommeil et/ou à ronfler, ce remède peut tout changer.

426

Encens calmant

Les mélanges d'encens utilisés depuis des siècles pour stimuler des zones du cerveau en rapport avec la relaxation comprennent l'encens, la myrrhe et le cèdre. Cherchez des mélanges qui incluent les trois si vous avez les nerfs particulièrement irritables.

427

Sons du coucher

Des chercheurs de Taïwan ont découvert que passer 45 minutes au coucher à écouter de la musique calmante apporte une meilleure qualité de sommeil. Choisissez une musique douce à l'oreille, comme des chœurs de Mozart, des morceaux de musique baroque et des airs des compositeurs classiques modernes comme Steve Reich et Arvo Pärt.

428

Flexions en avant avec support

Confortablement assise, jambes croisées, faites face à votre lit avec une pile d'oreillers à portée de main (suffisamment pour soutenir l'avant de votre corps). Détendez-vous vers l'avant, en vous étirant depuis les hanches, votre joue posée sur vos mains. Respirez régulièrement et calmement, puis remontez lentement, changez le croisement de vos jambes et détendez-vous encore une fois vers l'avant, en changeant aussi la joue sur laquelle vous vous reposez. Si vous avez un lit très bas ou un futon, empilez les oreillers ou des coussins pour vous reposer dessus.

429

Exercice de respiration du soir

Si vous possédez un magnétophone, enregistrez les instructions suivantes, puis écoutez-les juste au moment de vous mettre au lit, allongée sur le dos, yeux fermés : « Détendez la peau de votre visage. Pensez à relâcher la tension de votre bouche, puis essayez de faire un sourire à peine perceptible, comme celui du Bouddha. Regardez dans les ténèbres de votre tête et imaginez que c'est une étendue de ciel nocturne. Imaginez un petit croissant de lune vers votre nuque et observez les minuscules étoiles qui apparaissent l'une après l'autre. Sentez que vous vous étendez dans cet espace. Puis observez simplement votre respiration ; sentez la fraîcheur de l'air dans vos narines lorsque vous inspirez, et la chaleur du souffle qui sort de votre corps lorsque vous expirez. Sentez-vous à l'aise dans votre corps, et calme dans votre esprit. »

430

La méditation, c'est mieux

Un sommeil profond est marqué par l'augmentation de la fréquence des ondes alpha dans le cerveau, ce qui indique que la réaction de relaxation inverse les réactions corporelles de fuite ou de combat. Or, pendant la méditation, l'activité des ondes alpha est plus forte, et, contrairement au sommeil, elle est synchronisée à travers le cerveau. Ainsi semble-t-elle encore plus fructueuse que le sommeil pour dissiper la tension accumulée à la fois par le corps et par l'esprit. Si vous n'arrivez pas à dormir, méditez !

431

Massage des pieds pour dormir

En plus d'être un massage profondément relaxant, il peut aussi aider celles dont le sommeil (ou celui de leur partenaire) est perturbé par le syndrome des jambes sans repos – lorsque les jambes picotent et sont douloureuses pendant la nuit.

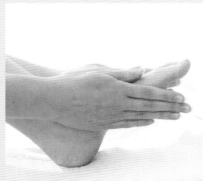

1 Faites réchauffer un peu d'huile de sésame (incolore) entre vos paumes, puis, l'un de vos pieds pris en sandwich entre vos mains, faites-les glisser plusieurs fois de la cheville aux orteils.

2 Passez un pouce le long du sillon en haut du pied. Massez vos orteils entre vos doigts. Faites des cercles autour de chacun, pressez-en le bout, puis tirez-le.

3 Faites onduler les articulations de vos doigts sur la plante de votre pied, en appuyant fermement sur toutes les zones de tension. Terminez avec un massage plus caressant.

3 Savourez la nature

Être dans la nature nous détend et nous rend plus positives. La simple contemplation de la nature déclenche en nous une réaction de relaxation. Selon une étude réalisée auprès d'étudiants qui regardaient des films de scènes naturelles ou urbaines, ceux qui avaient visionné le monde naturel se remirent mieux du stress. Ainsi, lorsque nous regardons un vaste horizon ou que nous plongeons dans une mer écumeuse, la catharsis émotionnelle est énorme. S'échapper à l'extérieur nous force également à faire de l'exercice, manière prouvée de se relaxer. Le monde naturel nous met aussi en rapport avec les éléments de l'univers : l'air et l'eau, le feu et la terre. Les systèmes traditionnels de santé nous apprennent les bienfaits pour le corps et l'esprit à prendre part à ces composants dans le macrocosme (l'univers) et de les visualiser dans le microcosme (le corps humain).

Activités en plein air

La dernière panacée est la vitamine V : mélange d'espace vert et d'air frais. Le professeur Peter Groenewegen, de l'Institut néerlandais pour la recherche sur la santé, évalue son impact sur le bien-être, la santé et la sécurité, et il a découvert que les individus qui vivent dans des zones vertes se sentent physiquement et mentalement en meilleure santé et moins stressés que les autres et qu'ils sont aussi mieux intégrés. Les femmes, en particulier, se sentent plus en sécurité.

Adaptez-vous à la vie dans la nature et savourez la chance d'acquérir de nouvelles compétences.

432

Avec les saisons

Découvrir quelles spécialités sont disponibles selon les saisons, là où vous vivez, vous aide à être en accord avec la nature. Débusquez les premières asperges et fraises locales, les fruits de mer, les agneaux, les champignons et les fromages.

433

Mangez pour le paysage

Si l'on vit à la campagne, acheter des produits alimentaires locaux permet de garder les champs dans des tons verts relaxants et de maintenir l'activité des agriculteurs qui entretiennent les haies et font pâturer le bétail dans l'herbe succulente. Sans profits, la terre ne sera plus cultivée, ou sera transformée en terrains de golf.

434

Camping heureux

En camping, la nature est notre maison et les journées suivent son rythme : on se réveille à l'aube lorsque la tente se réchauffe et que le chœur des oiseaux commence, et l'intensité de l'obscurité de la nuit nous invite probablement à nous coucher plus tôt. Ainsi, adapte-t-on ses rythmes journaliers sur ceux de la nature. Les effets positifs de cet effet miroir – on est conscient que notre vie intérieure et le vaste monde naturel sont synchrones – expliquent le succès du camping sauvage en tant que forme de thérapie pour les individus atteints de problèmes de santé affective. Prendre des risques lorsqu'on campe – faire de l'escalade ou survivre à des nuits de tempête – semble aussi développer une estime de soi fortifiante.

435

Livres sur la nature curative

Ces ouvrages classiques sur la nature nous montrent comment trouver la paix intérieure tout en prenant part à la science et aux mystères du monde naturel.

● *Walden ou la vie dans les bois*, Henry David Thoreau : un naturaliste quitte la ville pour poursuivre une vie de solitude dans les bois.

● *Pèlerinage à Tinker Creek*, Annie Dillard : un regard croisé sur la condition humaine et l'étude de la nature.

● *La nature dans votre panier*, Richard Mabey : voyage dans la nature, du tourment mental à la paix intérieure.

436

Mettez-vous à la rando

En plus de réduire la tension artérielle et d'abaisser le risque de maladie cardiovasculaire, la marche stimule aussi la sécrétion d'hormones apaisantes – seulement 30 minutes semblent suffire à dynamiser le bien-être de ceux qui souffrent de dépression. Selon des recherches, les randonneurs disent qu'ils aiment la solitude et le temps qui leur est offert pour réfléchir. Les individus qui marchent dans un environnement naturel ont tendance à s'entraîner plus longtemps ; de plus le terrain inégal défie leur sens de l'équilibre et leur coordination.

437

Marchez en groupe

La marche est l'activité sociale parfaite, car le souffle n'étant pas coupé, on peut parler, et on a tout le temps pour rattraper son retard. *English Walking Holidays* a étudié un groupe de marcheurs et a remarqué la rapidité avec laquelle un sens de camaraderie s'établissait et la vitesse avec laquelle se détendaient ceux qui étaient anxieux parce qu'ils arrivaient tard. Marcher en groupe maintient la motivation et instille la confiance pour entreprendre des marches plus ambitieuses.

438

Marche consciente

Pendant la marche, essayez de ne pas trop vous concentrer sur le terrain devant vous. Levez le menton et tirez-le légèrement. Fixez votre regard à environ 8 mètres devant et laissez tomber votre poids corporel dans votre pied arrière. Rendez chaque nouveau pas léger et dynamique, et n'y transférez votre poids que quand le terrain semble sûr.

439

Méditation en marche

Une fois que vous aurez trouvé votre rythme, coordonnez votre respiration avec votre allure ; par exemple, inspirez pendant 4 pas, et expirez pendant

Entreprenez la marche récréative pour entraîner votre cœur et garder un esprit sain.

4 autres (faites en sorte que vos inspirations/expirations soient égales). Si votre esprit est préoccupé, concentrez vos pensées sur le comptage, afin de transformer votre marche en une méditation en mouvement.

440

Portez de la laine

Des couches de base en laine – vestes, caleçons longs et chemises – sont mieux pour l'extérieur, car la laine est le meilleur des matériaux naturels : elle repousse l'humidité et régule la température corporelle. Elle est plus performante que les tissus synthétiques (qui emmagasinent la sueur, ce qui vous gèle lorsqu'elle se refroidit, sans parler de l'odeur). Le mérinos est confortable à même la peau, qu'on fasse du VTT, de la marche ou qu'on pêche.

441

Des chaussures confortables

Demandez conseil à des spécialistes sur la taille, la matière et la doublure, ainsi que sur le modèle adéquat pour chaque activité particulière. Les chaussures pour l'escalade, les boots de marche et les chaussures de course à pied ont des caractéristiques qui permettent au poids de descendre de façon à aider la foulée et à évacuer le stress musculaire et articulaire. Les spécialistes indiquent aussi s'il faut utiliser des chaussettes internes et externes, des semelles intérieures ou un matelassage pour absorber les chocs.

442

Méditation au sommet

Lorsque vous êtes assaillie par des pensées désagréables, montez sur une colline. Asseyez-vous au sommet et regardez la vie qui se déroule en bas. Repérez les gens qui vaquent à leurs occupations – tondant leur pelouse ou se débattant avec de lourds sacs – puis élargissez votre vision jusqu'au ciel, aux nuages, à l'horizon et au sommet des arbres. Imaginez que vos soucis sont ces gens qui travaillent et regardez combien ils sont petits dans l'immensité du paysage. Inspirez l'air qui soutient la vie avant de redescendre.

443

Lisez les poètes romantiques

La marche devint populaire au XIXᵉ siècle, quand les citadins erraient dans la campagne, grimpant, nageant dans la nature et communiant avec elle. Chateaubriand ou les poètes romantiques Alphonse de Lamartine et Alfred de Vigny, par exemple, partageaient leurs émotions vis-à-vis du monde naturel avec la poésie ou la littérature. Lisez-les pour voir combien ils subliment à la fois l'intellect et l'instinct, et comment ils considèrent un arbre ou un poème comme une même émanation d'une force créative.

444

Thérapie du jardin

Une étude réalisée à l'université de Floride rapporte que le fait de marcher dans un jardin botanique fait baisser le stress, les plus stressés constatent les plus grandes baisses, attribuées aux vues exaltantes, à la tranquillité qui permet une réflexion calme et aux effets fortifiants de la promenade dans un environnement naturel cultivé ou les sens se réjouissent à chaque détour de chemin et où l'on erre sans peur de se perdre.

445

Prenez une leçon d'équitation

L'équitation stimule l'estime de soi et dissipe la tension posturale. Prenez une leçon pour adulte débutant pour apprendre comment relâcher vos raideurs et vous laisser aller : la posture d'équitation vous apprend à mélanger douceur et stabilité, de la même façon que le yoga. Vous ne parviendrez pas au mouvement rythmique du trot, qui monte et qui descend, tant que vous ne serez pas détendue et n'aurez pas

Échappez-vous de la foule et élargissez votre vision à un paysage beaucoup plus grand.

instauré une relation avec votre cheval. Pour de bons instructeurs et de bonnes écoles, contactez la Fédération française d'équitation sur www.ffe.com.

446
Caressez un cheval

L'École de médecine de l'université de Yale a découvert que le simple fait de flatter un cheval abaisse la pression sanguine et le taux de stress et dynamise la santé mentale. Les chevaux sont sensibles et ils devinent les tensions mentales et physiques. Le temps passé avec eux déclenche nécessairement en vous une réaction de relaxation.

447
Spectateurs en plein air

Inutile d'être active pour se détendre. Regarder un sport lent se déroulant pendant plusieurs jours dans un environnement magnifique apaise de nombreux esprits. Le tennis ou les sports hippiques sont efficaces : on peut garder un œil sur le déroulement des événements pendant qu'on lit, qu'on regarde les gens ou qu'on pique-nique et pour les fanatiques de sport, c'est un antidote sain à l'adrénaline provoquée par un match intense de football ou de rugby.

448
Envoyez une e-carte

Lorsque vous êtes coincée dans un bureau climatisé, envoyez une e-carte sur le thème de la nature pour qu'elle arrive sur l'écran d'un(e) collègue et lui apporte un instant de détente.

449
Travail à l'extérieur

Le bonheur de travailler à la maison est que votre bureau peut être aussi stimulant que vous le souhaitez. Aspirez à un camping-car près d'une plage ou à un hamac relaxant.

450
Méditez dehors

Cherchez des « journées yoga » ayant lieu dehors, dans les champs, les jardins, les clairières et sur les plages. Pratiquer des postures où l'on regarde vers le ciel est particulièrement relaxant.

451
Recherchez le silence

Une étude indique que les citadins peuvent passer 73 jours avec moins de 5 minutes de silence ; tandis que pour les ruraux ce temps se réduit à 2 à 3 semaines. Dans certaines régions, il est encore possible de n'entendre que la nature. Si vous connaissez l'un de ces endroits, essayez d'y aller, ou cherchez-en.

452
Appropriez-vous la journée

Gardez du temps pour la nature. Lorsque la houle est bonne et que le ciel est dégagé, sans risque de pluie, levez-vous avant l'aube et partez pour votre site préféré de dorlotement. En chemin, appelez votre bureau pour dire que vous ne vous sentez pas bien.

Découvrez le frisson de l'escalade et respectez le pouvoir de la nature.

453
Écoutez la nature

Lorsque le travail vous met à cran, pourquoi ne pas mettre un CD de chants d'oiseaux ou de bruits des vagues ? Cela devrait vous aider à vous détendre immédiatement.

454
Une nouvelle passion

Ravivez une passion d'enfance, comme le skateboard, ou acquérez une compétence nouvelle comme l'escalade. Un peu de frayeur accentue la puissance de la nature : si on ne la respecte pas, elle peut nous nuire. C'est une bonne leçon de base.

Savourez la Terre

Pour se détendre, il est souhaitable de s'ancrer – pour s'échapper du monde de notre tête qui nous entrave avec des quêtes et des soucis intellectuels – et de s'enraciner davantage dans le présent où nous vivons et dans nos besoins physiques. Il y a de nombreuses façons de le faire, depuis les postures de yoga qui relient à la terre, à la méditation des chakras ; mais enfoncer au sens propre les mains dans la terre est l'une des plus efficaces.

Récoltez la récompense de votre propre arbre fruitier.

455
Des pâtés de sable
Si vous avez un jardin, envoyez les enfants dehors faire des pâtés de sable et joignez-vous à eux. Mettez des pelletées de terre dans un seau, puis ajoutez-y de l'eau et mélangez avec un bâton. Quand c'est collant, mais malléable, plongez-y les mains et faites du modelage. En plus des pâtés (à décorer avec des galets, des boutons de fleurs et des feuilles), essayez de faire des bonshommes (moulez une tête et des traits). Alignez vos créations pour les faire sécher.

456
Compostez !
Essayez de faire votre propre compost. Si vous avez de la place dans votre jardin, achetez un bac à compost ou clouez ensemble trois palettes pour constituer le dos et les côtés d'un conteneur. Versez-y vos coupures de gazon, vos épluchures, les restes d'élagage (pas les branches ni les mauvaises herbes), ainsi que le contenu de vieux pots de fleurs (si les plantes étaient saines). Ajoutez du carton si ça semble trop humide. Demandez aux hommes de la maison de faire pipi sur la pile pour accélérer le processus de décomposition (ils adorent ça). On peut le retourner au bout de quelques mois ou le laisser plus longtemps avant de l'utiliser. Réfléchissez au processus de décomposition.

457
Cherchez un jardin ouvrier
Les propriétés antistress des jardins ouvriers commencent à être connues : c'est un moyen de retourner à la nature et de se détendre. Les bienfaits pour la santé peuvent provenir de l'exercice, des liens sociaux que les allocataires tissent malgré des milieux différents, de la fatigue mentale réduite, et, bien sûr, des produits frais : les jardiniers mangent davantage de légumes et plus de variétés. Les débutantes trouveront peut-être plus facile de partager avec une amie (le travail, mais aussi les récoltes). Contactez votre mairie pour obtenir des informations.

458
Cultivez un arbre fruitier
Senteur, fleurs, feuilles qui tombent, récoltes : les arbres fruitiers ont tout et ils incitent à aller dehors pour apprécier chaque saison. Les meilleurs endroits pour les acheter sont les pépinières spécialisées. Cherchez les types « héritage » développés depuis des siècles et donc adaptés au climat et au sol et qui permettent aux insectes et aux oiseaux indigènes de vivre. Cela vous aide à vous enraciner dans votre région et à partager ce que les gens d'ici ont mangé depuis des siècles.

459
Plantez un arbre
Essayez de planter l'arbre en hiver pendant qu'il est dormant. Creusez dans votre terrain pour obtenir une fine terre arable avec un bon drainage ; si elle est saturée d'eau, incorporez de la matière organique.

Creusez un grand trou, suffisamment profond pour que la motte de racines repose légèrement plus bas que dans le pot. Plantez un piquet ; ajoutez du compost.

Mettez le pot dans l'eau pendant quelques heures. Enlevez-le, puis dégagez doucement les racines de la motte avec les doigts.

Descendez l'arbre dans le trou. Étalez-lui les racines et taillez celles qui sont abîmées. Ajoutez de la terre dans et autour des racines ; secouez l'arbre pour disperser la terre. Remplissez le trou et ajoutez de l'eau si nécessaire, puis marchez dessus avec les talons. Attachez l'arbre au piquet.

460

À l'écoute de l'énergie terrestre

La prospection à la baguette pour trouver de l'eau, des objets ou des minéraux figure déjà sur des peintures rupestres et elle est utilisée par les armées pour retrouver des mines. Une enquête réalisée à l'université de Munich indique que les radiesthésistes ont davantage de succès pour trouver des sources d'eau potable que les hydrogéologues. Pour être à l'écoute de l'énergie terrestre, prenez une branche en forme de Y (traditionnellement en coudrier en France) et concentrez-vous. Tenez la fourche parallèle au sol et marchez lentement en évitant les pensées extérieures. Si le bois passe au dessus d'un objet ou de l'eau, il est attiré vers le bas, ou vers le haut s'il est repoussé par une force magnétique.

461

Un jour « Pomme »

Organisez une fête avec des danses traditionnelles, des chansons, la possibilité de goûter les variétés locales, des concours pour attraper avec les dents des pommes flottant dans une bassine d'eau, du meilleur gâteau aux pommes et du meilleur cidre. Y aurait-il un endroit dans la commune où l'on pourrait planter des pommiers ? De nombreux vergers ont été détruits en France depuis les années 1960…

462

« Étreignez » la terre

Allongez-vous, le visage dans l'herbe ou dans le sable, jambes et bras largement écartés, et les pieds dans le sol. Sentez la consistance du monde. Fermez les yeux et « écoutez » le sol.

463

Le plaisir de la cueillette

Jouissez des fruits gratuits, la meilleure façon de connaître ce qui pousse près de chez vous. Achetez un guide sur les champignons, inscrivez-vous à une journée initiation à la cueillette sauvage, ou demandez aux anciens ce qu'ils

464

Masque de beauté à l'argile

Étalez cette argile sur une partie de votre corps, comme les jambes, les bras ou le ventre, puis asseyez-vous en arrière et détendez-vous pendant qu'elle sèche nettoie votre peau de ses impuretés et lui apporte des minéraux essentiels.

- 3 tasses de boue de la mer Morte ou d'argile blanche
- 80 cl d'eau de fleur d'oranger
- 8 gouttes d'huile essentielle de bois de santal

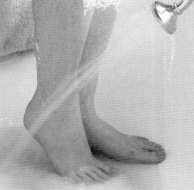

1 Placez la boue dans un bol et mélangez-la peu à peu avec l'eau jusqu'à la consistance que vous souhaitez, en remuant pour éviter les grumeaux. Ajoutez l'huile essentielle et mélangez bien.

2 Debout sur une vieille serviette dans une pièce bien chauffée, étalez la boue sur votre corps en allant du bas vers le haut en gestes larges.

3 Laissez sécher, ce qui devrait prendre une vingtaine de minutes, puis enlevez-en la plus grande partie avec un vieux gant de toilette avant de vous doucher.

En lithothérapie, des pierres placées à des endroits stratégiques stimulent les centres d'énergie chakra.

ramassaient jadis : prunes de Damas, ail des ours, mûres, fleurs de sureau, prunelles, noisettes, etc. Demandez-leur des recettes pour faire des conserves avec le surplus.

465

Gin de prunelles

Cette boisson très alcoolisée peut se boire après 3 mois, mais elle développe davantage de goût après un an.

Une grande passoire de prunelles mûres
5 cuill. à soupe de sucre en poudre
1 l de gin
4 gouttes d'essence d'amande (optionnel)

Lavez les prunelles, piquez-les chacunes plusieurs fois avec une aiguille à repriser, puis versez-les dans une bouteille d'un litre jusqu'à ce qu'elle soit à moitié pleine. Ajoutez le sucre et le gin, puis l'essence d'amande si vous voulez. Bouchez et secouez. Placez dans un endroit frais et retournez chaque jour plusieurs fois.

466

Allez voir des menhirs

Certains thérapeutes pensent que les cercles ou les rangées de menhirs agissent comme d'énormes aiguilles d'acupuncture, en tirant l'énergie de la Terre. Allez en visiter pour absorber leur énergie. Cela peut signifier une randonnée dans des landes ou grimper une colline, ce qui est relaxant en soi. S'il y a une coutume pour contourner les menhirs, pour franchir des trous, ou jeter des pierres, suivez-la.

467

Chasse aux galets

Cherchez des pierres insolites et rapportez-les à la maison pour vous connecter à l'énergie de la Terre. Attachez-en une avec un trou naturel à votre lit pour combattre l'insomnie.

468

Marchez sur des galets

Marchez pieds nus sur des plages de galets ou de gravier. En Chine, on le fait traditionnellement avant le travail pour se donner du courage : les galets stimulent les points d'acupuncture des pieds. Pour faire un sentier, remplissez des plateaux avec du gravier de diverses tailles et posez des bambous et des manches de balai pour marcher dessus.

469

Lithothérapie

Des pierres volcaniques et du marbre froid sont placés sur le corps ; les pierres chauffées dissipent les zones tendues en relaxant les muscles et en stimulant la circulation, et les pierres froides soulagent l'inflammation. On attribue souvent la relaxation au fait qu'on aligne le corps sur les pouvoirs thérapeutiques et l'association des pierres.

470

Des cristaux pour s'enraciner

Pour rééquilibrer le flux d'énergie et soulager les blocages provoqués par le stress, allongez-vous avec un quartz pur sur la tête et un quartz fumé près de vos pieds. Placez un quartz rose sur votre poitrine et détendez-vous ainsi, simplement, chaque jour pendant 10 minutes.

471

Relaxer les individus « Terre »

Les individus du type « Terre » sont fiables et concrets, mais s'ils sont trop terre à terre, ils peuvent être sujets à la mélancolie et craindre le changement, ce qui pourrait être dû à un chakra de base excessif ou bloqué, associé à des maladies de « stagnation » (constipation, varices, digestion léthargique) et à la calcification (arthrite, calculs vésiculaires, cataracte). Prenez les sels de Schüssler de *Calcarea phosphorica* et de *Calcarea fluorica* pour contrecarrer les tendances excessivement terre à terre.

472
Remèdes pour le changement

Si vous avez peur du changement, essayez les essences de fleurs du bush australien :
- *Bauhinia* pour la résistance au changement.
- *Red Grevillea* lorsqu'on est bloqué dans une ornière.
- *Sunshine wattle* si vous résistez au changement avec des « ça n'apportera rien de bon ».

473
Méditation du chakra de la base

Asseyez-vous jambes croisées, dos droit. Yeux fermés, respirez profondément et reportez votre attention au fond de vous, autour de votre périnée. Inspirez et imaginez ce centre d'énergie qui s'enflamme, comme une étincelle qui devient plus brillante. Laissez le feu se transformer en quatre pétales de lotus cramoisis et gravez-les dans votre esprit à cet endroit de votre corps puis méditez pendant 10 minutes.

474
Puissance de l'éléphant

Des éléphants noirs symbolisent l'énergie du chakra de la base. Ayez-en une représentation sur votre bureau ou votre table pour vous rappeler votre force et vos ressources intérieures. Sentez le poids de ses pattes qui vous ancrent et qui vous apportent sécurité, patience, stabilité et courage.

475
Respiration pour s'ancrer

Debout bien droite, pieds parallèles, écartés de la largeur des hanches. Laissez tomber vos épaules, étirez la nuque et imaginez la queue d'un kangourou qui pèse sur votre sacrum. Sentez votre respiration qui commence profondément dans la terre, et faites-la remonter par vos pieds jusqu'au sommet de votre crâne. Expirez depuis le sommet du crâne jusqu'à vos pieds et à la terre. Laissez la tension être drainée hors de vous avec l'expiration.

Cherchez des pierres et des galets insolites : ceux avec des trous naturels sont considérés comme magiques.

Se détendre dans l'eau

Rien n'est plus relaxant que d'écouter une cascade, de regarder la mer ou de s'immerger dans un bain. Des recherches ont révélé que regarder la mer est le moyen le plus efficace pour réduire le stress. L'immersion dans de l'eau tiède est également relaxante : elle rend d'une extrême légèreté et stimule les endorphines analgésiques ainsi que celles qui réduisent le stress. Se baigner dans de l'eau naturelle nous rapproche de la nature. Suivez le mouvement et restez zen malgré le stress.

476
Une oasis
L'affinité des humains avec l'eau fait souvent de la salle de bain l'endroit le plus relaxant de la maison. Faites-en un lieu de retraite, où vous pouvez échapper au téléphone et à la télé ; allumez des bougies et laissez les contraintes du monde partir à la dérive.

477
La bonne température
Pour induire la réaction de relaxation, l'eau du bain doit être à la bonne température. Trop tiède, elle est trop stimulante, et trop chaude, on peut avoir un malaise. Il faut donc qu'elle soit à une température supérieure à celle du corps : 38 à 41 °C. Ne restez pas immergée pendant plus de 15 minutes, car c'est épuisant.

478
Détente avec une infusion
Ajoutez une infusion de camomille à un bain tiède pour la relaxation et du thé vert pour ses antioxydants qui restaurent la peau.

4 sachets de camomille
2 sachets de thé vert
1 grande théière

Mettez les sachets dans une théière d'eau bouillante. Faites couler le bain, ajoutez-y l'infusion et dispersez-la. Pressez les sachets de thé vert, puis placez-les sur vos yeux.

479
Huile apaisante pour le bain
Ces huiles apaisantes calment la peau et aident à soulager les symptômes de l'anxiété.

1 cuill. à soupe d'huile de graines de carotte
5 gouttes d'huile essentielle de bois de santal
1 goutte d'huile essentielle d'ylang ylang

Versez l'huile de graines de carotte dans un bol et ajoutez-y les huiles essentielles. Versez les huiles dans le bain juste avant d'y entrer et agitez l'eau pour les disperser.

480
Bain de vapeur
La chaleur et l'humidité de la vapeur soulagent la tension musculaire et les articulations douloureuses, apportent au système cardiovasculaire les bienfaits d'une marche rapide, stimulent l'immunité, tonifient la peau et engourdissent l'esprit. Allez au sauna, au bain turc ou au hammam toutes les semaines. Vous pourrez vous détendre dans les pièces embuées à différentes températures, jouir de massages qui nettoient en profondeur, déguster un verre de thé à la menthe ou encore passer en mode méditation en contemplant les dessins intriqués des faïences islamiques. (À éviter pendant la grossesse ou si vous avez des problèmes cardiaques ou de tension.)

481
Vapeur apaisante pour le visage
Calmez les éruptions cutanées avec ce traitement nettoyant à la vapeur qui ralentit la respiration et la rend plus profonde. (À éviter si vous êtes enceinte ou asthmatique.)

Ouvrez et nettoyez des pores obstrués avec une inhalation de vapeur purifiante.

2 gouttes d'huile essentielle de lavande
1 goutte d'huile essentielle de néroli
1 grande serviette

Remplissez une bassine d'eau venant de bouillir et versez-y les huiles. Placez la tête à 25 cm au-dessus de l'eau et couvrez-la, ainsi que la bassine, avec la serviette. Restez ainsi pendant environ 10 minutes, en inspirant par le nez et en expirant par la bouche. Observez votre respiration qui devient plus profonde et plus longue.

482
Flottez dans la sérénité

Une heure passée dans une cabine de flottaison obscure est censée avoir le même effet que huit heures de sommeil. Le neuropsychologue John C. Lilly pense que le corps ne pesant plus rien, il libère le cerveau d'avoir à penser comment bouger sans tomber, ce qui, selon lui, représente 90 % de l'activité neurale. Le cerveau entre alors dans un état de profonde relaxation, entre éveil et sommeil, où il est très réceptif. Pour vous défaire de vos habitudes malsaines ou pour faire face au stress, comme fumer ou manger trop, écoutez une cassette thérapeutique pendant que vous flottez.

483
Nagez avec aisance

Le caractère répétitif de la natation apaise les esprits agités et c'est une façon efficace et relaxante de vous tonifier, car jusqu'à 90 % de votre poids est soutenu, et vos articulations sont protégées contre les secousses. Si vous manquez de confiance en vous, cherchez une leçon privée pour adultes débutants ou des cours de maître. Les instructeurs de la méthode Shaw vous montrent comment vous débarrasser de la tension et être plus aérodynamique, ce qui stimule la vitesse et l'efficacité dans l'eau.

484
Buvez beaucoup d'eau

Le cerveau est constitué d'eau à 85 %, et quand il est hydraté, ses cellules envoient des messages plus efficaces, ce qui permet de rester calme en période de tension. Le manque d'eau, quant à lui, mène au stress si vous travaillez dans une pièce surchauffée, si vous mangez des plats tout préparés ou des en-cas salés et buvez des boissons caféinées ou alcoolisées. Cela à son tour mène aux céphalées de tension, à la léthargie et à la dépression. Buvez 8 verres d'eau par jour, et plus si vous travaillez à l'extérieur ou passez du temps dehors en pleine chaleur.

485
Plongeon fortifiant en hiver

Des études indiquent que plonger le corps dans de l'eau froide est *profondément* relaxant. En effet, après le choc initial le métabolisme baisse, ce qui a un effet d'ensemble tranquillisant. Un plongeon dans l'eau froide dynamise aussi la sécrétion rapide des endorphines qui boostent l'humeur, plus rapidement qu'un entraînement : cette sensation de bien-être peut aider à traiter la dépression. Cela stimule aussi les globules blancs à combattre la maladie. Si vous ne pouvez envisager un plongeon régulier dehors, essayez aux moments traditionnels de l'année, comme Noël et le Jour de l'An.

Restez bien hydratée tout au long de la journée pour garder l'esprit clair et calme.

486
Essayez la thalassothérapie

Les médecins français recommandent 6 jours de spa bisannuels pour rajeunir. Dans les stations de thalassothérapie on est plongé dans des piscines d'eau de mer chauffée, on vous enduit d'algues, et on vous masse avec des jets d'eau chaude. Les stations les plus authentiques de France sont situées sur la côte atlantique. Dans les magasins de produits diététiques et dans les rayons beauté, on trouve les produits de thalassothérapie et les traitements aux algues pour les spas urbains.

487
Allez dans une station thermale

Faites des brasses curatives dans les eaux minérales – souvent naturellement chaudes – des villes thermales, déjà utilisées avant les Romains pour soigner les affections de l'esprit et du corps : on en compte plus d'une centaine dans toute la France : Vichy, Vittel, La Bourboule, etc. (www.france-thermale. org), mais vous pouvez aussi aller à Bath en Angleterre, à Marienbad en République tchèque, à Baden Baden en Allemagne, à Val en Suisse et au spa géothermique Blue Lagoon en Islande.

488

Nagez nue

De l'eau pure et fraîche sur une peau nue est un délice sensuel qui enivre le cerveau et est d'autant plus relaxant que c'est un acte de bravoure. Essayez une piscine protégée des regards indiscrets ou une plage de nudistes. Ou bien nagez dans l'eau froide sans combinaison de plongée, laquelle vous protège du froid, mais vous prive d'un plaisir intensément revigorant.

489

De l'eau pour détendre le cerveau

Au Japon, prendre une douche sous une cascade s'appelle *utesayo* (laissez frapper l'eau). Cette pratique méditative est employée par les pèlerins qui marchent vers des lieux de retraite sur les montagnes. Si vous trouvez une cascade, c'est encore plus relaxant, sinon faites l'expérience chez vous : tenez-vous sous la douche à l'intensité maximale, pendant 2 à 3 minutes. Pendant que l'eau dégouline sur vous, laissez-la nettoyer votre esprit de ses pensées et sensations. Si vous remarquez que vous suivez vos pensées, prenez-en note, puis revenez à l'expérience calmante et engourdissante de l'eau qui vous frappe.

490

Protégez vos pieds

Si vous avez l'intention d'essayer la natation sauvage – là où il y a peu d'équipements – protégez-vous les pieds avec des chaussures de plongée pour rendre l'entrée et la sortie plus faciles.

491

Sauvez l'océan

Rejoignez un organisme de protection marine pour vous détendre un peu plus lorsque vous nagez dans l'océan, marchez sur des chemins côtiers ou mangez du poisson. Cherchez parmi ces organismes celui qui diminuerait le plus vos inquiétudes et faites-lui une donation mensuelle (Greenpeace :

Faites un plongeon revigorant et prenez plaisir à la sensation de l'eau fraîche sur votre peau nue.

www.greenpeace.org ou www. seasailsurf.com pour le nettoyage bénévole des plages par exemple).

492
Magie du surf
Pour sentir l'immense relaxation qui naît de la communion avec l'eau, offrez-vous un cours de surf. Lorsque vous pourrez aller au-delà des déferlantes, allongez-vous sur votre planche et regardez les vagues qui ondulent, l'écume qui scintille comme un arc-en-ciel, puis laissez-vous balancer par la vague suivante – vous parviendrez à vous connecter sur les marées, les courants et les forces de la nature (et à les respecter), et relativiserez ainsi vos soucis.

493
En sécurité à la plage
Atténuez votre peur de l'eau en respectant les règles de sécurité. Apprenez ce que les drapeaux des garde-côtes signifient, suivez les consignes, et ne mettez pas de gonflables à la mer. Nagez parallèlement à la plage, et si vous sentez que vous êtes aspirée par un courant, criez à l'aide sans abandonner votre planche ou votre youyou. Avant d'entreprendre de faire du surf ou d'autres activités nautiques, assurez-vous que vous êtes en forme, reposée, et que vous avez mangé. Et écoutez les garde-côtes !

494
Rendez grâce à une source sacrée
La réputation durable des pouvoirs régénérants de l'eau est attestée par la nature sacrée des sources. Allez en visiter une qui est vénérée avec des

Apprendre à surfer entraîne une intense communion avec l'eau.

ex-voto sous forme de rubans ou des lambeaux de tissu représentant des parties du corps qui ont besoin de guérir. Attachez votre requête à un arbre près de la source en même temps que vous faites votre vœu et que vous jetez une pièce d'argent dans les eaux.

495
Pas de soucis pour le poisson
Les poissons gras qui permettent au cœur et au cerveau de rester sains sont susceptibles d'être contaminés par du mercure. Savoir lesquels sont les moins toxiques apaise le stress de l'acheteur. Optez pour des poissons plus petits comme le hareng, le saumon sauvage ou les sardines, ou pour la truite d'eau douce et le colin. Évitez l'espadon, le requin, le thazard barré et le poisson-couvreur. Les steaks de thon frais ne sont pas recommandés non plus : les morceaux en conserve sont meilleurs.

496
Allez pêcher
La pêche, loisir le plus populaire utilisant une ressource naturelle, est un modèle pour apprendre à faire face au stress. Des périodes de contemplation sont interrompues par de courtes périodes d'action remplies d'adrénaline, puis retour à la contemplation. Certains disent que de rester assis en silence près de l'eau est relaxant ; d'autres pensent que ne pas savoir si on va réussir oblige à se concentrer sur le processus plus que sur les résultats. L'environnement aquatique, ainsi que la pratique d'une activité modérée seule ou avec des amis, sont aussi relaxants.

497
Buvez de l'eau solarisée
Remplissez des bouteilles en verre coloré (ou transparent, qu'on colore avec du gel acheté dans une boutique

Dorlotez votre peau avec des produits à base d'algues, apaisants et riches en minéraux.

d'articles pour artistes) avec de l'eau de source, puis exposez-les à la lumière du soleil (mais pas à sa chaleur). Buvez l'eau pour vous imprégner de l'énergie solaire et des vibrations de la couleur : vert pour la compassion et l'harmonie, bleu pour une méditation plus profonde, la créativité et la paix, et violet pour la dévotion.

498
Bains en plein air

Le bain naturel atteint ses sommets au Japon dans le *rotenburo*, « bain dans la rosée et sous le ciel ». On y admire les montagnes, on respire le parfum des pins et l'on voit les cerisiers et les pruniers en fleurs au printemps ou les érables flamboyants en automne. Méditez sur une image de fleurs et de montagnes lorsque vous êtes dans votre bain chez vous.

499
Des algues apaisantes

Les produits dérivés du sel de la mer Morte (algues, minéraux et boue) contiennent des phytonutriments

marins et des ingrédients comme le potassium, le brome et le magnésium qui calment les problèmes cutanés. Si vous ne pouvez vous y rendre, achetez dans les magasins de produits bio des sels ou de l'argile de la mer Morte à dissoudre dans un bain ou à appliquer sur la peau comme indiqué.

500
Promenade côtière

Lorsque vous vous promenez sur un sentier côtier, respirez les ions électronégatifs de la mer qu'on dit chargés d'oligo-éléments bénéfiques et qui ravivent et déstressent le corps et les émotions.

501
Calmer les signes d'« Eau »

Les individus de type « Eau » ont une constitution « flegmatique ». Flexibles, maternels et sensuels, ils deviennent toutefois indécis ou mous s'ils sont stressés. Un chackra sacral excessif ou bloqué peut les rendre sujets à une surproduction de mucus, à la prise de poids, à la rétention d'eau et aux difficultés menstruelles ou sexuelles. Essayez les sels de Schüssler *Natrum muriaticum* pour les tendances « eau » et *Ferrum phosphoricum* pour un excès de catarrhe.

502
Remèdes « Eau »

Si vous êtes « eau » et passez trop de temps à vous occuper des autres, mais que vous trouvez difficile d'imposer vos propres besoins, l'essence de fleurs du bush australien, *Alpine Mint Bush* peut vous aider à devenir un peu plus égoïste.

503
Avec le courant

L'eau est l'élément associé au chakra sacral, le centre d'énergie situé autour des reins. Méditer sur ce chakra vous apporte la capacité d'aller avec le courant, et, comme l'eau, de vous adapter à ce que la vie vous apporte de bon ou de mauvais.

Asseyez-vous, jambes croisées, dos droit, paumes posées sur les jambes. Fermez les yeux et observez pendant quelques minutes votre respiration qui se ralentit et s'approfondit.

Portez votre attention sur vos reins. Visualisez un ruisseau. Concentrez-vous sur l'eau : son mouvement et sa capacité à s'adapter à son environnement, sans toutefois perdre son intégrité, la façon qu'elle a de contourner les objets sur son chemin.

Faites une assertion pour exprimer ces qualités, comme « je suis libre de changer selon les circonstances » ou « je peux aller avec le courant ». Répétez-la silencieusement pendant que vous vous concentrez sur la région de vos reins. Pratiquez pendant une dizaine de minutes.

504
Connexion avec l'eau

Méditez sur le fait que nos corps sont constitués d'eau à 70 %. Trouvez un endroit calme et allongez-vous en imaginant que vous êtes un sac plein d'eau pure. Roulez lentement du côté où votre corps tombe. Lâchez prise en coordonnant les actions avec les inspirations (pour commencer des mouvements actifs) et les expirations (pour vraiment lâcher prise).

Le feu libérateur

Être assis près d'un feu nous réchauffe et nous nous sentons satisfaits et à l'aise, ce qui nous apaise avec un sentiment de sécurité et de confort. Le psychologue évolutionniste George Fieldman pense qu'on se sent en sécurité près d'un feu parce que, pendant des millénaires, il nous a protégés contre les attaques des prédateurs, nous a réchauffés et nourris. Il pense que le scintillement d'une télévision apporte la même sensation de sécurité qui évacue le stress, ce qui nous pousse à passer des heures avachis sur le canapé. Levez-vous et allumez un feu à la place.

Jouissez de démonstrations éblouissantes pendant les mois sombres.

505

Lancez une soirée feu de joie

Célébrez les moments de changement d'énergie l'année avec un feu de joie. Le calendrier celte propose Beltrane, un festival du feu qui marque l'arrivée de l'été et la nouvelle vie, le 1er mai, et Samhain le festival du feu à Halloween, qui marque l'arrivée de la moitié sombre de l'année.

Faites une soirée feu de joie pour célébrer les réussites de cette moitié de l'année et profitez-en pour brûler des choses qui symbolisent des éléments de cette période que vous préféreriez oublier (faites des effigies et brûlez-les !). S'aligner sur l'énergie des saisons et les changements dans la luminosité et l'obscurité aide ceux qui sont stressés par les symptômes de dépression saisonnière et la fatigue.

Célébrez un festival avec un feu de joie réchauffant.

506

Feux d'artifice pour le plaisir

Profitez de toutes les occasions du plaisir des feux d'artifice pendant les mois sombres de l'année – assistez à des feux d'artifice, plantez des cierges magiques dans les gâteaux et faites des feux d'artifice d'intérieur. Réjouissez-vous de la capacité inventive de l'homme à créer une énergie légère qui contraste avec l'obscurité.

507
Allumez un feu sans allumettes

Procurez-vous un silex et de la pyrite et rassemblez les articles suivants :

Amadou sec, écorce de bouleau, herbe sèche, pommes et aiguilles de pin, sciure de bois, papier, résidus de coton, 2-3 disques de coton, bois d'allumage, des bûches de différentes tailles.

Faites un foyer (voir ci-après) ; disposez-y des brindilles sèches, de l'amadou et un disque de coton. Frappez le silex avec la pyrite pour que des étincelles tombent sur le coton. Soufflez doucement pour que les flammes prennent.

Faites une pyramide de bois d'allumage en employant du bois de plus en plus gros.

Ajoutez les petites bûches. Pour la cuisine, mettez 3 bûches en rayons. Rapprochez-les au fur et à mesure qu'elles ont brûlé.

508
Sécurité incendie

Informez-vous pour savoir s'il faut une autorisation et si vous pouvez collecter le bois d'allumage et les bûches. Choisissez un endroit, loin des tentes et des bâtiments, sans branches pendantes au-dessus, sans aiguilles de pin, fougères, bruyères et herbe sèche, ni au bas d'une pente (le feu monte). S'il n'y a pas d'âtre, nettoyez 1 m² de sol, et mettez de la terre ou des roches autour. Ayez un seau d'eau ou du sable et une pelle à portée de main au cas où vous perdriez le contrôle du feu. Surveillez la direction du vent et les enfants, et ne laissez jamais le feu sans surveillance.

509
Pommes de terre braisées

Grattez les pommes de terre et piquez-les avec une fourchette. Passez-les au

510
Yoga pour la mise à feu

Virabhdrasana 1 (Posture 1 du guerrier) remplit le ventre de feu et aide à générer la confiance calme d'un combattant.

1 Debout pieds assemblés, faites un très grand pas en avant du pied droit, puis tournez légèrement le pied arrière pour rester en équilibre.

2 Expirez et levez les bras au-dessus de la tête, en vous étirant des coudes à la pointe des doigts. Concentrez-vous pour garder le torse vers l'avant.

3 Expirez et fléchissez le genou droit afin de former un angle droit. Levez les doigts, regardez vers le ciel, et tenez quelques instants. Répétez avec l'autre pied en avant.

micro-ondes pendant 5 minutes ou au four à feu doux pendant une heure. Enveloppez-les dans du papier d'aluminium et placez-les dans les braises pendant 30 minutes. Coupez-les et garnissez-les de beurre, de sel et de poivre.

511
Plaisir du feu de camp

Pour vos soirées en camping, apportez une guitare, un harmonica, des percussions et des partitions. Mélangez les chansons et les rondes enfantines, et quand les enfants seront couchés, partagez des histoires de fantômes.

512
Guimauve grillée

Un paquet de marshmallows
Des brochettes en bois pour barbecue
Un grand paquet de biscuits au chocolat

Enfilez un marshmallow sur une brochette et faites-le brunir sur les braises, puis placez-le en sandwich entre deux biscuits.

513
Mélange masala

Ajoutez ½ cuillerée à café du mélange suivant à mi-cuisson, l'autre à la fin.

3 cuill. à soupe de poivre noir
½ cuill. à soupe de clous de girofle
1 gousse de cardamome
1 cuill. à café de graines de cumin
2,5 cm de bâton de cannelle

Faites chauffer les ingrédients ci-dessus à sec dans une poêle à feu moyen pendant quelques minutes jusqu'à ce que l'air soit parfumé. Quand ils ont refroidi, moulez-les finement et stockez-les dans un bocal à couvercle.

Badigeonnez de l'huile d'olive et du sel de mer moulu sur la peau des pommes de terre avant de les mettre à braiser.

514
Pour calmer les individus « Feu »

Les individus « Feu » peuvent être passionnés et avoir mauvais caractère, et, une fois échauffés, être impossibles à arrêter. Une dépression peut suivre, si les autres tempèrent leur enthousiasme. Ils sont sujets aux problèmes hépatiques et gastriques, aux migraines, aux inflammations et aux bouffées de chaleur. Pour calmer, lorsque l'immunité tourne au ralenti, prendre les sels de Schüssler *Natrum sulph* ou *Calc sulph*.

515
Remèdes « anti-feu »

L'essence de fleurs du bush australien *Mountain Devil* calme la colère. Pour le manque d'enthousiasme prenez le remède *Gentian* ou *Gorse* des fleurs de Bach.

516
Méditation du plexus solaire

Méditez sur le centre d'énergie du plexus solaire pour mettre le feu à votre ventre, stimuler votre estime de soi et apaiser votre digestion.

Asseyez-vous confortablement, dos droit et yeux fermés. Concentrez-vous sur votre plexus solaire, entre le sternum et le nombril. Inspirez, pour le remplir d'énergie.

Visualisez un lotus bleu, avec 10 pétales, son centre bleu, comme le centre d'une flamme. Sentez les flammes qui vous remplissent de confiance en vous.

517
Mantra du feu

Avant un événement perturbant, détendez-vous en récitant à voix basse le mantra associé à l'élément feu, *ram*.

Ayez conscience de l'air

Une inspiration et une expiration lentes réduisent le rythme cardiaque, abaissent la tension artérielle, évacuent la tension située dans la partie supérieure du corps et aident l'oxygène à nourrir le corps, ainsi qu'à restaurer l'équilibre affectif et mental. La respiration étant dans l'instant présent, se focaliser sur elle nous connecte avec « maintenant », en effaçant nos soucis. Les forces aériennes, comme les nuages et le vent, nous aident à connecter l'air que nous respirons avec la force de vie, le *chi*, ou *prana*, qui anime tous les êtres vivants.

518

Expirez les toxines

Lorsque vous êtes dans un endroit magnifique, inspirez profondément, puis expirez l'air vicié de vos poumons en tirant sur vos muscles abdominaux. Ensuite, remplissez vos poumons avec une longue bouffée d'air frais et pur.

519

Respirez profondément

Allongez-vous sur le dos et expirez en regardant le ciel. Inspirez lentement en remplissant un tiers de vos poumons, puis arrêtez. Remplissez le tiers suivant en sentant votre cage thoracique qui se dilate, puis arrêtez. Enfin, terminez de remplir vos poumons en sentant votre souffle qui élargit les os de vos clavicules et de vos épaules. Expirez lentement.

520

Observez les oiseaux

Arrêtez-vous pour regarder les oiseaux de votre jardin, depuis la fenêtre de votre bureau ou lorsque vous êtes dehors. Imaginez que vous volez : descendez en piqué, montez en flèche, planez avec les courants – un esprit libre, mais qui ne dévie pas de sa route. L'observation sérieuse des oiseaux détend, car elle demande de rester silencieux et immobile dans des endroits magnifiques, et d'abandonner le contrôle, ce qui peut enseigner la patience. Lisez des livres d'ornithologie. Pouvez-vous tirer des leçons de leurs accouplements, de la construction de leurs nids, de leurs cycles saisonniers de migration et de leur instinct d'orientation ?

521

Réveillez-vous à l'aube

Avec les jours qui allongent au printemps, dormez à l'occasion avec rideaux et fenêtres ouverts, afin d'être réveillée à l'aube par le chœur des oiseaux lorsque dardent les premiers rayons du soleil.

522

Écoutez les oiseaux

Mettez-vous à l'écoute des oiseaux comme si c'était une méditation d'écoute. Baignez-vous dans le son, puis repérez un appel, en essayant d'anticiper son schéma et cherchez à identifier la réponse de son partenaire ou de son adversaire. Écoutez un chant dans le lointain, puis un plus près. On peut mettre des mots sur les thèmes répétitifs qui expriment pour soi une assertion positive : le roucoulement substantiel du ramier peut être bon pour ça, ou simplement ressentez l'émotion de la spontanéité joyeuse des chants d'oiseaux qui vous inondent d'un flot de notes en apparence liquides, complexes et improvisées.

523

Méditation sur l'immensité

Lorsque vous vous sentez cernée par les soucis, contemplez l'horizon, là où l'eau ou la terre rejoignent l'air. Concentrez-vous délicatement dessus, puis détournez vos yeux vers le ciel infini et allongez-vous sur le dos pour contempler cet espace immense ; laissez-le remplir votre esprit, et étouffer vos soucis.

524

Contemplez les nuages

Achetez un livre sur les nuages et apprenez à les identifier. Ce passe-temps divertissant vous permet d'accéder à un endroit qui est là pour toujours, qui change toujours et qu'on peut interpréter indéfiniment.

525

Pendez des carillons à vent

Lorsque vous avez besoin d'un souffle d'air frais pour dissiper vos ennuis, pendez des carillons à vent. Laissez leurs sons vous rappeler le perpétuel mouvement du vent et de la vie qui avance.

526

Jouez au cerf-volant

Faire voler un cerf-volant c'est comme libérer une partie de soi-même pour exister dans le ciel, en s'en remettant au vent. Prenez un MP3 et volez avec la musique. Au County Community College d'Ulster on utilise le cerf-volant pour déstresser les étudiants ayant des problèmes mentaux. Assistez à un festival de cerfs-volants et demandez conseil sur l'équipement pour débutants.

527

Vapeur sacrée

Lorsque vous êtes au sauna, examinez son élément spirituel. Le mot finlandais pour vapeur – *löyly* – signifie esprit ou force de vie, et c'est une façon de visualiser la force de la vie, le *prana* ou *chi*. Lorsque la vapeur vous frappe, réfléchissez à ce qui anime la nature dans ses différentes formes.

528

Prana Mudra

Pour se débarrasser d'émotions pesantes, asseyez-vous en *Prana Mudra*, jambes croisées, dos droit, mains sur les cuisses et paumes vers le haut. Joignez les bouts de vos pouces au bout de vos annulaires et de vos auriculaires. Fermez les yeux et restez assise calmement pendant 5 minutes.

529

Méditation d'observation des arbres

Avec leurs racines profondes et leurs branches tendues vers le ciel, les arbres habitent deux domaines offrant une image d'intégrité et d'harmonie. Adossez-vous contre un arbre et pensez au symbole qu'il offre. Peut-être une échelle qui monte au paradis, un modèle de solidité qui prospère tout en oscillant, sa capacité à inhaler du poison et à expirer l'oxygène vital, ou l'espoir régénérant de se débarrasser du vieux pour mieux renaître.

530

Posture de l'arbre *Vrksasana*

Debout près d'un mur, pieds enracinés dans le sol, attrapez votre pied droit et placez-en la plante près de votre aine. S'il glisse, coincez votre talon au-dessus du genou de votre jambe droite. Une fois en équilibre, levez les mains très haut, comme les branches d'un arbre. Si vous vous sentez chancelante, tenez-vous d'une main au mur, et trouvez un point sur lequel fixer votre regard.

531

Méditation des vents du changement

En automne, observez un arbre à feuilles caduques osciller dans le vent. Imaginez que ses feuilles sont vos soucis. Donnez-leur un nom au fur et à mesure qu'elles tombent, et voyez vos soucis qui tombent avec, peut-être pendant des jours et des semaines, en laissant les branches exploser avec de nouveaux bourgeons d'espoir après une période de repli sur soi.

Profitez de la sensation de liberté qu'apporte le cerf-volant quand vous jouez avec les courants aériens pour créer du mouvement.

Allongez-vous sur un tapis de pétales vaporeux.

532
Contemplez des fleurs

Essayez la coutume japonaise qui consiste à s'allonger ou à pique-niquer sous un arbre en fleurs. Sentez-vous bénie par les pétales qui tombent et levez le regard sur les jeux de lumière et d'ombre sur les boutons vaporeux. Pensez à la promesse des fruits. Méditez sur des projets – professionnels ou de cœur – et à la façon dont ils pourraient mûrir. Vous pouvez penser à la naissance du Bouddha, lorsque sa mère, la reine Maya, se tenait à des branches lorsque l'énergie divine jaillit en elle et dans le monde via son fils. Regardez les boutons de pommiers à cinq pétales, lesquels, comme la rose, sont associés à la vierge Marie et à la rédemption.

533
Accrochez des Turner

Apportez les qualités de l'air à l'intérieur en épinglant des cartes postales représentant des œuvres de Turner (1775-1851), le peintre de la lumière. Ses ciels et ses marines à l'aube et au crépuscule, voilés dans la brume et dans des couleurs pâles mais éclatantes, ont un côté visionnaire qui rend tangible le mouvement de l'air.

534
Pour calmer les individus « Air »

Les individus trop « Air », bien que créatifs et imaginatifs, peuvent avoir du mal à se concentrer et être rêveurs, la tête dans les nuages, ils peuvent souffrir d'une anxiété monumentale quand ils sont face à des défis pratiques. Les types « Air » sont sujets aux problèmes cutanés et pulmonaires, et au syndrome de l'intestin irritable, associé à l'anxiété. Les sels de Schüssler *Kalium phosphoricum* peuvent les aider.

535
Remèdes contre l'insouciance
Si vous êtes désinvolte et manquez de concentration, ou si vous essayez d'en faire trop d'un coup, essayez les essences de fleurs du bush australien :
- *Sundew* pour le manque de concentration.
- *Jacaranda*, pour les indécis chroniques.
- *Red lily* pour ceux qui « planent ».

536
Méditation du chakra
Dans le système indien du chakra, l'air est associé au centre d'énergie du cœur : songez à vos poumons et à votre cœur qui partagent un espace dans votre corps. Connectez-vous avec cela en utilisant la méditation de bonté au n° 604, ou ouvrez-vous à la dévotion spirituelle. Les deux peuvent apaiser les affections liées au stress, vous rendre plus légère et vous donner plus d'espoir.

537
Méditation de l'étoile
Ce symbole figure dans le chakra du cœur, *yantra*, et se concentrer dessus stimule l'énergie du chakra du cœur. Le triangle montant de l'étoile représente l'énergie masculine, fixée, rationnelle et extravertie. Le triangle descendant, quant à lui, symbolise l'énergie féminine créative, fluide, intuitive et introvertie. Parvenir à la symétrie de ces deux forces est indispensable au bien-être.

Savourez le soleil

Si vous travaillez de longues heures, essayez de passer quotidiennement 10 à 15 minutes au soleil pendant le week-end afin de stimuler votre immunité, de combattre la dépression et les problèmes cutanés liés au stress, et de réduire vos risques de maladies cardiovasculaires et d'hypertension. La lumière du soleil stimule la production de tryptamine et d'endorphines qui remontent le moral.

538
Méditation du levant
Le lever du soleil est perçu comme un moment propice et bénéfique de la journée pour la méditation. Si vous trouvez qu'il est difficile de vous débarrasser de pensées importunes, imaginez un triangle d'énergie orienté vers le bas, autour de votre nombril. Voyez le soleil rouge qui monte dans le point du bas et suivez-le tandis qu'il monte.

539
Des en-cas de tournesol
Source de vie des tournesols, leurs graines offrent davantage que des propriétés antioxydantes et protectrices pour le cœur : elles ont une signification rituelle. Les Amérindiens les employaient jadis au cours de leurs danses rituelles pour marquer le cycle annuel en tant que symbole de lumière, d'espoir, de force et d'endurance.

540
Méditez sur un tournesol
Faites pousser un tournesol à partir de graines, ou achetez-en un que vous mettrez sur votre bureau quand il sera fleuri.

Utilisez-le comme un mandala : fixez doucement votre regard sur un point central, puis faites pivoter vos yeux autour des graines et des pétales. Pendant ce temps, connectez-vous au centre d'énergie de votre plexus solaire pour recharger votre feu intérieur.

541
Saluez le soleil
Cet enchaînement de yoga peut être exécuté à la vitesse qui vous convient. Les mouvements sont animés, francs et joyeux – essayez de les synchroniser

Faites pousser un tournesol comme symbole de lumière et d'espoir.

avec votre respiration et exécutez des séries complètes.

Commencez pieds serrés, bras sur le côté. À l'inspiration, ramenez les bras au-dessus de votre tête en décrivant un grand cercle.

À l'expiration, penchez-vous en avant pour toucher le sol ; essayez de garder les jambes droites.

À l'inspiration, regardez devant vous, paumes à plat sur le sol ; faites un grand pas en arrière avec le pied droit. Laissez votre jambe avant faire un angle droit (mains de chaque côté de votre pied) et essayez de tendre la jambe arrière.

À l'expiration, amenez votre pied gauche en arrière, au niveau du pied droit, pieds écartés de la largeur des hanches. Soulevez les hanches et reportez votre poids corporel sur vos talons (posture du Chien renversé).

Inspirez et abaissez-vous au sol, le corps aussi droit que possible, puis remontez en posture du Cobra en étirant vos jambes et vos pieds le long du sol et en arquant votre poitrine et vos épaules vers le haut et l'arrière, coudes fléchis. Faites des mouvements réguliers, ils ne devraient pas vous faire mal au dos.

Maintenant inversez les mouvements pour quitter l'enchaînement :

à l'expiration, soulevez-vous en arrière en position du Chien renversé.

À l'inspiration, faites un grand pas en avant du pied droit. Laissez la jambe avant à angle droit, la jambe arrière, bien droite, et les paumes sur le sol.

À l'expiration, faites un pas en avant du pied gauche et mettez la tête dans vos genoux, les doigts touchant le sol.

À l'inspiration, remettez-vous debout les bras au-dessus de la tête.

À l'expiration, ramenez vos mains ensemble sur la poitrine, en position de prière. Vous avez fait la moitié d'un cycle. Pour terminer, refaites à nouveau le cycle, mais en mettant cette fois-ci le pied gauche en arrière puis en avant.

542
N'ayez pas peur du soleil

Le soleil peut certes vieillir la peau prématurément et augmenter le risque de cancer de la peau, mais il stimule également l'immunité, et la vitamine D améliore l'humeur, protège la densité osseuse et peut même protéger contre les cancers du sein et de la prostate. Détendez-vous 10 minutes par jour au soleil.

543
Vaincre le blues

Prendre un bain de soleil est particulièrement calmant pour les individus qui souffrent du syndrome de dépression saisonnière et qui sont très affectés par le déclin hivernal des heures de lumière (les symptômes incluent manque d'énergie, insomnie, léthargie, besoin de plus de sommeil et dépression). Cela peut partiellement provenir d'un manque de mélatonine (substance neurochimique sécrétée par l'épiphyse, en réaction au soleil). Visez à vous exposer 20 à 30 minutes au soleil quand il fait beau, ayez des heures régulières de réveil et de coucher, et renseignez-vous sur les « light-boxes » qui simulent la lumière du jour.

544
Aide homéopathique

Si vous êtes restée trop longtemps au soleil, prenez le remède homéopathique Belladona 30 contre les maux de tête lancinants et la chaleur cutanée.

Arrêtez-vous pour contempler le coucher du soleil et en faire un moment de grâce.

545
Protection solaire

Si vous vivez en montagne ou en bord de mer, vous ne pourrez pas toujours éviter le soleil. Aidez votre peau à faire face en mangeant des fruits et des légumes orange, rouge foncé et vert foncé, qui contiennent de la zéaxanthine, de la lutéine et des bêtas carotènes protecteurs de la peau et des yeux. Le lycopène, nutriment végétal antioxydant des tomates, est également censé protéger. Lors de tests effectués sur des femmes à la peau claire, il a en effet augmenté les pouvoirs protecteurs de la peau de près de 30 %. Le concentré de tomates en est la forme la plus efficace.

546
Fruits apaisants pour la peau

Il a été démontré lors d'une étude réalisée en 2001 que le jus de grenade, riche en acide ellagique et en polyphénols, augmente le coefficient de protection de 20 % ; il a également été démontré qu'il ralentit l'inflammation provoquée par les rayons UV. La papaye, le melon, les nectarines, les abricots, les mangues, le raisin noir et le thé vert offrent également une protection naturelle contre les rayons UV.

547
Portez une pierre de soleil

Portez la pierre précieuse du soleil, le rubis, pour la vitalité, l'assurance, l'estime de soi et des relations détendues. Allongez-vous avec un rubis sur le chakra du cœur (le centre de votre poitrine) ou portez-en un en pendentif.

548
Augmentez la lumière

Des recherches indiquent que laisser entrer la lumière stimule la vivacité et le dynamisme et avive les réactions au stress. Cela aide également à surmonter le coup de fatigue de l'après-midi.

549
Bain aux œillets d'Inde

Les œillets d'Inde sont considérés comme les fleurs du soleil. Ils calment une peau inflammée, dissipent les spasmes musculaires et accélèrent également la cicatrisation des blessures.

7 cuill. à soupe d'œillets d'Inde séchés ou 8 cuill. à soupe s'ils sont frais

Si vous utilisez des fleurs de votre jardin, assurez-vous qu'elles ne contiennent pas de substances chimiques, puis cueillez-les et laissez-les macérer directement au soleil dans de l'eau chaude pendant quelques heures. Faites couler un bain et versez-y l'eau de l'infusion et les fleurs, en gardant un peu de l'infusion. Trempez une boule de coton dans l'eau et utilisez-la pour apaiser une peau inflammée et des éruptions cutanées.

550
Action de grâce au crépuscule

Une fois que le soleil s'est couché et que le ciel est nuancé de rouge, faites une prière de grâce. C'est une heure traditionnelle pour penser au pardon et pour demander protection. Un autre moment pour penser à la lumière éternelle a lieu quand vous allumez la première lampe de la soirée. Offrez un peu d'encens lorsque vous le faites.

Au diapason avec la lune

Regarder la lune est équilibrant. Son cycle affecte la nature, depuis les marées jusqu'aux modifications des champs électromagnétiques. Ce rythme a un effet sur nos propres rythmes biologiques, ainsi que sur le mélange de substances chimiques dans notre cerveau. De nombreuses femmes attribuent leurs changements d'humeur pendant leur cycle menstruel aux phases de la lune.

551
Observez la lune
Notez le cycle de la lune en observant la lumière ou en utilisant un calendrier lunaire et observez vos propres humeurs. Une lune croissante est une période d'énergie, une lune décroissante correspond à une période de réflexion.

552
Marchez avec la lune
Rassemblez un groupe de femmes qui aiment marcher et organisez des marches de nuit à la prochaine pleine lune. Mettez le cap sur la campagne et marchez ensemble en silence vers un endroit duquel vous pourrez voir la lune : essayez la lande, une plage ou la montagne. Asseyez-vous en silence pour observer l'astre. Si vous le pouvez, faites un feu et partagez vos pensées (et des boissons et des douceurs).

553
Méditation du 3ᵉ œil
Dans le cerveau, l'épiphyse est responsable de la sécrétion de mélatonine qui aide à réguler les cycles circadiens en réaction aux changements saisonniers de lumière. Cette glande est associée au chakra du troisième œil, dont le mantra est *Om*. Dites-le en silence à vous-même lorsque vous fermez les yeux et que vous vous focalisez sur le milieu de votre front.

554
Portez une pierre de lune
Selon des guérisseurs utilisant les cristaux, les pierres de lune sont censées mettre ceux qui les portent au diapason avec les cycles de la nature et soulager le stress physique. Cette pierre féminine est particulièrement bonne pour les femmes.

555
Entretenez votre intuition
Hommes et femmes peuvent essayer l'élixir de pierre de lune pour ses qualités « féminines » d'intuition et de réceptivité.

556
Dormez sous les étoiles
Dormez sans tente, pour sombrer dans l'obscurité céleste. Prenez un sac de couchage que vous porterez sur les épaules avant de vous glisser dedans et après avoir apporté un matelas dans le jardin, ou participez à des Nuits des étoiles pour découvrir le ciel.

557
Mangez biodynamique
Les récoltes biodynamiques, cultivées selon le cycle de la lune, visent à renforcer le sol et à préserver les traditions locales.

558

Dorlotez-vous avec la lune

Cherchez des produits biologiques pour la peau, issus de l'agriculture biodynamique, et portant le label Demeter.

559

Goûtez le terroir

Les viticulteurs biodynamiques clament qu'on sent la force de la vie du terroir dans leur vin : le caractère du sol et du climat. Organisez une séance pour y goûter.

560

Cultivez

Achetez un almanach biodynamique pour trouver le bon moment pour les racines, les fruits, les graines et la floraison et jardinez au diapason avec les mois lunaires.

561

Homéopathie et SPM (syndrome prémenstruel)

● *Sepia* 30 pour l'irritabilité, le manque d'énergie et les sanglots.
● *Cimifuga* 30 quand on a l'impression de vivre dans un nuage noir.
● *Pulsatilla* 30 pour les sanglots.

562

Aide végétale et SPM

Pendant la seconde moitié de votre cycle, prenez quotidiennement 10 gouttes de gattilier dans de l'eau pour équilibrer vos hormones.

563

Infusion de camomille

Buvez une infusion de camomille, recommandée pour calmer les crampes menstruelles, surtout juste avant d'aller au lit lorsque vous avez besoin d'une bonne nuit pour récupérer.

564

Yoga contre le SPM

Allongez-vous sur le dos, genoux écartés, plantes des pieds qui se touchent. Tirez les talons vers vos fesses, et détendez vos bras, paumes vers le haut. Pour plus de confort, glissez des coussins sous vos genoux, vos cuisses et votre tête et une couverture sur votre abdomen. Portez un masque pour les yeux pour dissiper la tension dans votre front et vos yeux.

565

Salut à la lune

Ceci a une propriété méditative lente.
Debout, pieds légèrement écartés, joignez les paumes et élevez vos mains.
Expirez, fléchissez les genoux légèrement et laissez tomber vos mains sur le sol.
Inspirez, faites un pas en arrière du pied droit et fléchissez le genou. Déplacez

Ressentez un lien avec la lune lors de cette posture de concentration du yoga.

les hanches vers l'avant. Joignez vos paumes, glissez-les vers le haut et décrivez un croissant avec votre dos.
Avec les mains baissées, faites un pas en arrière et soulevez les fesses (le Chien renversé). Sur les mains et les genoux, poussez vers le haut dans la posture du Cobra (n° 541), puis reprenez la posture du Chien renversé et reposez-vous.
Inversez l'enchaînement : inspirez, mettez le pied droit en avant, laissez tomber le genou arrière, faites une fente en avant et glissez les mains en forme de croissant.
Expirez, mettez le pied gauche en avant, et tombez en vous penchant en avant.
Inspirez et déroulez-vous jusqu'à ce que vos bras se trouvent au-dessus de votre tête, paumes jointes. Expirez et ramenez vos paumes devant votre poitrine. Répétez l'enchaînement avec le pied gauche allant d'avant en arrière.

4 Des relations reposantes

Avoir une famille qui vous soutient, de vrais amis et beaucoup de personnes à saluer quand on passe dans les rues de son quartier ou de son lieu de travail rend plus heureux, en meilleure santé et plus détendu. Selon des études réalisées en Californie, les individus qui bénéficient d'un bon réseau d'aide vivent également plus longtemps. La meilleure façon d'éviter l'isolement social consiste peut-être à regarder votre relation avec vous-même. C'est en effet seulement en s'aimant soi-même et en se pardonnant ses fautes, qu'on peut répandre compassion et ambiance attentionnée. Ce chapitre propose des moyens pour créer des liens avec vous-même et les autres, ainsi que des idées pour que ces liens restent forts, que ce soit par le bénévolat et l'exploration d'une vie spirituelle, ou par le temps que l'on trouve pour ses partenaires et ses enfants, et pour se détendre pendant des périodes de changement comme la grossesse.

Prenez plaisir à la compagnie

Bien que les familles nous stressent parfois, des recherches indiquent que même les contacts avec des gens qui nous horripilent, stimulent le bien-être et gardent le cerveau alerte et mieux à même de faire face aux mauvaises passes. Une étude révèle que c'étaient les hypertendus qui voyaient le moins souvent leur famille et leurs amis qui obtenaient les chiffres les plus élevés. Essayez les idées suivantes pour que votre cœur reste sain sur les plans physique et affectif.

Garder une amitié estimée peut protéger des effets du stress.

566
Qui est à la maison ?
Le département de psychiatrie de la *Queen Mary's school of Medicine* de Londres a découvert que les hommes sont plus heureux si leur partenaire reste à la maison ou qu'elle travaille à mi-temps, car dans ce cas il est plus probable que la famille appartienne à un réseau de soutien communautaire. Quelqu'un pourrait-il être à la maison parfois pour que la vie vous semble mois dure ?

567
Soyez motivée
Faites que le désir d'être en bonne santé vous motive pour rencontrer les autres. Une étude a en effet dévoilé que les femmes qui ont moins de six contacts sociaux ont davantage de risques d'hypertension, de dépression, d'obésité, de diabète et de thrombose.

568
Pensez aux autres…
Si vous avez des difficultés à vous déconnecter des facteurs de stress du travail, pensez à vos proches. Être stressé ne fait pas que rendre plus probables les affections physiques et mentales : des études indiquent que cela touche aussi la santé de ceux que vous aimez.

569
Élisez votre meilleur(e) ami(e)
Avoir un(e) meilleur(e) ami(e) réduit le stress ; selon une étude cela diminue même d'un tiers le risque de décès. Appelez ou écrivez. Maintenant.

570
Se faire des amis
Lorsque nous déménageons dans une autre ville, que nous finissons nos études, que nous changeons de travail ou que nous avons un bébé, le nombre de nos amis diminue fatalement. Des études indiquent que les individus qui restent en bonne santé et détendus ont tendance à construire de nouvelles relations amicales et que les femmes ont plus de succès que les hommes dans ce domaine. Dans des situations nouvelles, essayez la stratégie qui rend les femmes plus sociables : elles ont tendance à se lier d'amitié en période de stress, tandis que la plupart du temps les hommes trouvent refuge dans le confort de l'isolement maussade et dans des substances qui altèrent l'humeur.

571
Nouveaux endroits, nouvelles têtes
Si vous déménagez dans une autre ville, établissez un réseau de contacts avec acharnement. Employez tous vos contacts, ceux des enfants, du travail, des amis d'amis, et allez partout où vous êtes invitée, même si c'est très ennuyeux. Sevrez-vous des visites hebdomadaires aux anciens amis. Aussi charmants soient-ils, ils retardent votre intégration dans un monde nouveau.

572
N'essayez pas de les remplacer
Les individus avec lesquels vous avez grandi ou avec lesquels vous avez fait des bébés ne se remplacent pas facilement. Donnez-vous du temps ainsi que de l'énergie.

573
Abandonnez votre MP3
Voyagez sans la bulle d'isolement que votre MP3 vous apporte et parlez à des inconnus. Votre nouvelle meilleure amie, ou petit copain, pourrait bien être la personne qui vous prépare le café chaque matin.

574

Osez le faire

Demander à de nouveaux amis potentiels de sortir peut s'avérer aussi difficile que proposer un rendez-vous galant, surtout s'ils ont déjà un réseau d'amis proches. Tentez le coup quand même !

575

Rejoignez un club

Ratissez les brochures de cours pour adultes et les tableaux d'affichage pour des cours du soir – des leçons d'espagnol aux cercles de tricotage – et rejoignez-en un ou deux. Si vous passez deux heures par semaine en compagnie d'inconnus poursuivant un même objectif, vous vous ferez rapidement des amis.

576

Chantez dans une chorale

Faire partie d'un groupe organisé d'inconnus augmente les propriétés déjà considérablement relaxantes du chant à haute voix. Le chant en chorale implique de chanter en canon – la concentration requise pour rester dans sa ligne mélodique pendant que les autres chantent un air différent, ainsi que le minutage, vous détournent de votre ego. La splendeur harmonieuse du résultat est impressionnante, tout comme la camaraderie qu'elle entraîne. Après avoir chanté, 93 % des membres d'un chœur questionnés lors d'une étude rapportée dans le *Journal of the Royal Society for the Promotion of Health*, se sentaient plus positifs ; 89 % étaient plus heureux, et 79 % se sentaient moins stressés (ils se sentaient aussi plus énergiques et plus alertes).

Faire partie d'un groupe partageant les mêmes intérêts est idéal pour se faire de nouveaux amis.

577

De quoi lire

Rejoignez un club de lecture, ne serait-ce que pour vous forcer à élargir votre champ de lecture ; réfléchissez à vos opinions et sortez de chez vous pour discuter avec les autres.

578

Devenez un pot de miel

Qu'est-ce qui vous inspire ? Les dragons, le free-jazz, les pélargoniums ? Montez un club dans votre ville ou sur Internet pour attirer ceux qui partagent vos goûts.

579

Devenez secrétaire sociale

Organisez des soirées à thème pour vos amis comme une séance de « Faisons quelque chose les mercredis », une soirée « Maman est sortie » une fois par mois, ou occupez-vous des boissons lors des anniversaires.

Prenez le temps
d'écrire une lettre
vieux jeu.

580

Connectez-vous en ligne

Une étude réalisée par AOL indique que nous maintenons désormais des cercles sociaux en ligne, en utilisant Internet pour faire circuler des invitations, partager les nouvelles des bébés ou des mariages, reprendre contact avec d'anciens amis et en rencontrer de nouveaux (en donnant une adresse e-mail, plutôt que son numéro de téléphone). Observez les résultats sur votre vie, si vous créez un blog, si vous téléchargez sur You Tube une vidéo que vous avez tournée ou que vous mettez votre candidature sur un site en ligne.

581

Écrivez à un(e) ami(e)

À l'ère d'Internet, une lettre écrite à la main prouve l'intérêt que vous portez à quelqu'un. Rendez l'écriture relaxante en éteignant la télé et en vous tournant vers de la musique stimulante pour le cerveau (essayez Mozart ou Steve Reich) et employez un papier et un stylo magnifiques qui mettent votre écriture en valeur. Glissez des articles de presse, des cartes postales, des petits cadeaux et autres choses éphémères dans l'enveloppe – les articles physiques impossibles à envoyer par le web.

582

Rencontrez les voisins

Si votre foyer ressemble à un dortoir que vous quittez le matin pour le travail et où vous retournez le soir après avoir fréquenté du monde pendant la journée, vous ne risquez pas de construire un réseau de soutien de voisinage. Jetez-vous à l'eau et présentez-vous à vos voisins. Faites-le subrepticement en nettoyant les fenêtres du devant, en repeignant la porte d'entrée ou en cultivant des pots sur le rebord de la fenêtre. Les passants s'arrêteront pour vous parler.

583

Faites du sport de rue

Trouvez quelque chose que vous pouvez pratiquer devant votre porte pour que les gens s'arrêtent et vous parlent. Le monocycle ou le jonglage sont des déclencheurs efficaces de conversations !

584

Que pensent les voisins ?

Vos voisins sont susceptibles d'avoir les mêmes récriminations que vous là où vous vivez. Faites donc quelque chose ensemble. Organisez une session pour planter des arbres, plaignez-vous des routes à problèmes ou contactez la municipalité sur le tri sélectif, la pollution par le bruit ou par la lumière urbaine.

585

Manifestez pour survivre

N'y aurait-il pas dans le voisinage un groupe faisant campagne auquel vous pourriez vous joindre pour protester contre des problèmes comme la construction d'une route, le manque de crèches ou la fermeture d'un hôpital ? Une manifestation avec bébés est particulièrement efficace. Tout ce dont vous avez besoin est un étendard, quelques mères motivées avec leurs bébés et enfants en bas âge, des tas d'en-cas, de livres et de jouets – des couleurs pour le visage et des ballons pour s'amuser, aussi. Arrivez, dépliez vos bannières, conviez la presse locale et mettez fin au show en jouant avec les enfants et en nourrissant les bébés.

586

Jardinage et guérilla

Des plantes dont on s'occupe bien transforment les espaces communaux non utilisés. Les jardiniers guérilleros plantent en secret, en enlevant les mauvaises herbes pendant la nuit et en dispersant des graines de coquelicots et de capucines en passant. Trouvez des conseils en tapant « Guérilla jardinière » sur un moteur de recherche, ou organisez un groupe de jardinage, éventuellement avec une école ou une église et demandez une petite subvention pour transformer une zone. Essayez de découvrir un voisin qui est jardinier paysager, architecte ou urbaniste, et demandez-lui un peu de son temps et de son savoir faire.

587

Organisez une fête dans la rue

Lors des fêtes ou manifestations locales ou nationales, si vous ne pouvez monopoliser la rue pour une réception (avec des tables à tréteaux, des drapeaux, de la nourriture et des musiciens), essayez une fête de rue informelle en sofa : demandez aux voisins de sortir leurs canapés dans leur jardin d'accueil ou sur le trottoir, buvez du vin et invitez les passants. Certaines communautés sortent un piano ou une machine de karaoké pour un concours de talents ; d'autres projettent un film sur le mur d'une maison.

588

Bloquez les rues

Si le trafic empêche les enfants de jouer, organisez une manifestation à vélo. Roulez aussi lentement que possible et aussi nombreux que possible, et voyez pendant combien de temps vous pouvez bloquer quelques rues.

589

Remplissez un espace public

Organisez un happening grâce au bouche à oreille : dites aux gens de se retrouver tous en même temps à un certain endroit et de prendre part à une activité collective pendant 2 minutes, puis de se disperser tout aussi rapidement. Un combat d'oreiller est parfait – ceux qui s'y joignent doivent se cacher ainsi que l'oreiller jusqu'à l'heure dite.

590

Devenez un simple rouage

Sentez-vous le rouage d'un engrenage plus important : trouvez un rôle dans lequel vous pouvez agir comme un simple rouage d'une machine, grâce auquel l'ensemble peut travailler sans accroc. Vous pouvez être membre d'un comité pour une école, distribuer des prospectus ou travailler pendant quelques heures comme bénévole dans une boutique de charité.

591

Gardez les coutumes vivantes

Célébrez les traditions locales et les jours de fête. Emmenez vos amis à un cours de danse traditionnelle, apprenez des chansons dans le patois ou le dialecte local, assistez aux festivals de rue, et achetez des spécialités locales. Nietzsche a écrit que sans mythes, nous perdons la force naturelle saine et créative qui nous unit.

592

Célébrez la nuit Robert Burns

Le 25 janvier, partout dans le monde, les Écossais célèbrent leur poète Robert Burns (1759-1796), qui s'était donné pour

Éparpillez des graines de coquelicots pour apporter une touche de couleur à un terrain vague.

but de faire « tout ce qui apaise les malheurs ou augmente le bonheur des autres ». Lors d'un souper Burns, la carte du jour se doit de contenir du haggis (panse de brebis farcie) et du whisky écossais et il convient de lire ses poèmes et les discours célébrant sa mémoire immortelle. Un joueur de cornemuse est également le bienvenu. Pourquoi ne pas faire comme les Écossais ? Ou mieux, vous organiser un court séjour en Ecosse pour y participer ? Pour tout savoir sur ce cérémonial, consultez entre autres www.euro-info-tourisme.com/ecosse/le. ceremonial.du.haggis.html.

593
Joie collective
Célébrer à l'extérieur avec des inconnus, au moyen de processions, de costumes, de tambours, de chansons et de danses, et atteindre le paroxysme du bonheur, est quelque chose qui se pratique depuis environ 10 000 ans. Les psychologues disent que cela a de profonds bienfaits sur notre bien-être et sur la communauté (peut-être en régulant les réactions de stress individuelles et de groupe et en apportant un débouché créatif). Abandonnez-vous avec les autres dans de la musique, du yoga ou des festivals d'art en extérieur.

594
Réfléchissez-y
Le poète allemand Goethe (1749-1842) a décrit le carnaval comme un « festival qui n'est pas vraiment donné au peuple, mais que le peuple se donne ». À méditer.

595
Bougez à l'unisson
Si la communication verbale n'est pas

Offrez gracieusement vos services pour donner quelque chose en retour à votre communauté.

votre façon préférée d'envisager la mixité sociale, essayez de communiquer avec votre corps. Bouger de façon synchronisée dans une salle pleine de monde sans avoir à parler, apporte une joie collective thérapeutique. Essayez la danse country en rang, le step fitness ou le taï-chi.

596
Joue contre joue
Soyez courageuse et tentez une forme de danse dans laquelle vous vous trouvez face à face avec un partenaire et vous tenez la main : salle de bal, salsa, tango.

597
Faites une bonne action
Les mouvements d'éclaireurs ou de scouts apportent la cohésion sociale car ils incitent leurs membres à faire de bonnes actions. Voyez les choses de cette façon. Vous pouvez même vous porter volontaire comme cheftaine chez les scouts ou les éclaireuses.

598
Un acte de bonté gratuit
Propagez la bonne volonté en faisant de bonnes actions par fantaisie : payez

le café à votre voisin de table, abandonnez votre livre dans un bus, donnez vos tickets de loterie, offrez des fleurs à un inconnu…

599
Souriez à un inconnu
Augmentez l'optimisme. Quand on sourit à un inconnu, il y a toutes les chances pour que lui-même sourie à quelqu'un. Faites-le sur le chemin du travail ; méditez sur les implications pendant la journée.

600
Bénévolat
Des études indiquent que les bénévoles vivent des vies plus longues et plus heureuses. Si vous ne travaillez pas, offrez vos services, cela vous aidera à maintenir des relations et la motivation. Il est inutile toutefois d'être en contact direct avec le public. Vendre des tickets de tombola ou préparer des tasses de thé compte.

601
Proposez des massages
Dans une étude sur des bénévoles, ceux qui massaient un bébé pendant un mois, se sentaient moins anxieux et moins déprimés et amélioraient leur estime de soi et leur vie sociale. Leur rythme cardiaque baissait aussi. Curieusement, le fait de pratiquer un massage améliore davantage le bien-être que d'en recevoir un.

602
Acceptez de l'aide
Faire partie d'une communauté signifie accepter l'aide des autres. Acceptez qu'on vous conduise au travail en

voiture, les offres de baby-sitting, qu'on surveille votre voiture si vous vous éloignez, puis rendez la pareille. Les obligations nous rapprochent.

603

Abandonnez les humains

Des recherches indiquent que les animaux de compagnie réduisent le stress plus efficacement que les humains ! Selon une étude, des patients hospitalisés à long terme autorisés à voir leur animal de temps en temps, se sentent moins seuls que ceux qui ne reçoivent que des visites de leurs congénères. Selon une autre étude, les individus à qui l'on demande de faire une tâche stressante s'en acquittent mieux quand leur animal de compagnie est à leurs côtés que quand c'est un ami ou leur épouse. Pourquoi ? Peut-être parce que lorsqu'on se confie à eux, qu'on les câline et qu'on apprécie leur

amour, ils ne nous jugent pas et ne nous répondent pas.

604

Bonté

Cette méditation bouddhique aide à propager le *mettâ*, la bonté.

Debout, bien droite, mains sur vos genoux, paumes vers le haut, yeux fermés. Observez calmement votre souffle qui entre et qui sort.

Évoquez l'amour en pensant à une époque pendant laquelle vous vous sentiez véritablement heureuse. Laissez cette sensation vous envahir. Dites « Puis-je me sentir satisfaite ». Pensez à votre meilleure amie ou un membre aimé de la famille. Évoquez ce sentiment à nouveau et envoyez-le lui.

Pensez à quelqu'un avec qui vous êtes moins proche. Envoyez-lui cette compassion. Pensez à quelqu'un que vous n'aimez pas du tout. Essayez à nouveau

de lui envoyer la même compassion. Imaginez que vous envoyez ce sentiment à tous les êtres doués de sensations, en disant « puisse chacun être satisfait. »

605

Remèdes pour les « sauvages »

Parfois, le fait de fréquenter des gens ressemble à du harcèlement, et nous nous languissons d'être enfin seul pour ne plus avoir à faire face aux émotions et aux besoins des autres. Ces essences de fleurs du bush australien aident à vous sentir sûre de vous en société :

● *Tall Mulla Mulla* pour les solitaires qui préfèrent éviter le conflit ou même les discussions animées et sont capables d'être d'accord sur tout, rien que pour avoir la paix.

● *Tall Yellow Top*, pour ceux qui ont l'impression que les autres ne valent pas vraiment la peine qu'on leur prête attention, puis qui se sentent isolés.

Perdez vos inhibitions et dansez joue contre joue.

Pour trouver un partenaire

Selon la plupart des recherches, le fait d'être marié augmente les chances de vivre une vie longue et heureuse. D'ailleurs selon une étude, ceci diminurait d'un tiers le risque de mortalité (en réduisant la pression sanguine et le risque de maladie cardiovasculaire). Selon une autre étude, un mariage heureux dynamise tellement le taux d'anticorps, qu'il y a moins de chances que les partenaires succombent à une grippe. Voici des moyens de réduire le stress impliqué dans la recherche de cet insaisissable partenaire pour la vie.

606

Portez un cristal

Le quartz rose est la pierre traditionnellement censée attirer l'amour et la romance. On dit qu'il purifie et ouvre le chakra du cœur et apporte la guérison à ceux qui ont été blessés lors d'une relation. Portez un quartz rose en pendentif sur votre cœur, et prenez son élixir (6 gouttes matin et soir) pour attirer l'amour dans votre vie.

Gardez un quartz rose près de vous pour ouvrir votre cœur à un nouvel amour.

607

Sortez de l'ornière

Si vous avez une vie sociale régulière et épanouie avec un groupe d'amis heureux, vous risquez de ne pas trouver beaucoup d'occasions pour des rendez-vous. Essayez de bousculer un peu votre vie sociale pour y injecter un soupçon de possibilité de romance. Les experts « entremetteurs » disent que pour faire de nouvelles rencontres il faut sortir de son cercle social habituel.

608

Où aller ?

Excepté les bars, il peut être difficile de trouver des endroits fréquentés par des individus de toutes sortes, surtout quand on prend de l'âge. Faites un saut dans des rassemblements sociaux artistiques ou dans des festivals donnés par des communautés et fréquentez des cafés alternatifs qui tiennent des ateliers. Ratissez les magazines locaux afin de découvrir d'autres opportunités pour dénicher quelqu'un dans votre région.

609

Rendez-vous en ligne

Une fois que vous vous sentirez prête pour une relation, démarrez le processus en ligne, ce qui peut sembler plus sûr et moins stressant que de sortir en personne. Passer des semaines à chercher alentour sans avoir à se laisser apercevoir jusqu'à ce qu'on se sente prête permet d'éviter le processus de grignotage des ongles. Il est également rassurant d'être capable de vérifier la personnalité d'un rendez-vous potentiel et les affinités partagées avant une rencontre en tête à tête.

610

Cherchez une entremetteuse

Vos amis ont probablement une idée sur quelqu'un qui pourrait vous convenir – et ils seront ravis de vous empêcher de tomber encore et encore amoureuse de personnes qui ne vous conviennent pas. Demandez-leur de trouver et d'examiner de près des amis potentiels. Faites des recherches sur des sites pour trouver l'âme sœur, demandez à vos amis de vous aider à écrire le profil de votre personnalité. Selon une étude réalisée en 2007, les femmes sont plus susceptibles de préférer cette approche, tandis que les hommes ont davantage tendance à s'en remettre à la chance lors de rencontres sociales.

611

Des lettres d'amour modernes

Correspondez par écrit avec des amoureux potentiels afin de raviver l'art d'échanger des lettres d'amour – cela

Soyez courageuse et assistez à une soirée pour célibataires afin de trouver l'âme sœur.

force à être succinct et à explorer la langue de façon à tisser une idée de votre personnalité.

612

Posez-vous des questions

Nos grands espoirs de trouver l'amour romantique peuvent nous entraîner dans des relations douteuses. Quand il s'agit d'amoureux potentiels, gardez un œil sur des qualités plus vieux jeu comme la compagnie, des valeurs et des intérêts partagés et la compatibilité. Celui qui vous convient le mieux risque toutefois de ne pas être celui dont vous tombez amoureuse.

613

Spécialisation

Cherchez des soirées pour célibataires garanties pour séduire des individus avec un intérêt particulier – celles

tenues dans une galerie, un musée ou chez un marchand de vin par exemple où vous pourrez vous faire plaisir, à défaut de trouver quelqu'un pour partager une passion.

614

« Speed dating »

L'idée peut paraître stérile, artificielle et peu romantique, mais si vous abandonnez vos préjugés et faites fi de toute prudence, ce peut être très amusant. Le secret consiste à entrer le cœur léger et de rire avec toute personne qui se sent similairement bizarre.

615

Un rendez-vous par e-mail

Son anonymat et sa nature désinvolte font de l'e-mail le moyen parfait pour demander à quelqu'un un rendez-vous sans avoir à rougir ni à bégayer.

616

Des rencontres décalées

Si vous avez tendance à voir les choses en rose après un verre ou deux, et que cela fausse votre jugement et votre appréciation, suggérez à un amoureux potentiel un rendez-vous sur votre heure de déjeuner ou avant votre cours de yoga du soir.

617

Écrivez votre profil

Résumer son profil en aussi peu de mots que possible peut s'avérer un bon exercice, même si vous ne passez pas une petite annonce : dressez la liste de 10 choses qui font ce que vous êtes, puis des 10 qualités que vous considérez essentielles chez un partenaire potentiel. Remplir les questionnaires détaillés des sites pour cœurs solitaires vous aidera aussi à réfléchir aux traits de votre personnalité et à vos motifs.

618

Guérir des blessures amoureuses

Ces essences de fleurs du bush australien peuvent aider dans les questions d'amour :

- *Bluebell* pour ouvrir son cœur afin de partager avec les autres.
- *Boab* pour arrêter de répéter les schémas émotionnels négatifs de votre enfance.
- *Flannel Flower* pour surmonter la peur de l'intimité physique et affective avec un partenaire.

Une relation heureuse

Une étude réalisée en 2005 à l'université Cornell, révèle que les individus ayant une relation amoureuse sont plus heureux. Les recherches indiquent qu'après qu'on soit tombé amoureux, le taux de sérotonine, neurotransmetteur calmant, baisse, tandis que le cortisol, l'hormone du stress, augmente. Quand tout est dissipé, on réalise une union durable. Voici comment y parvenir.

Des cadeaux inattendus à n'importe quel moment aident à une romance durable.

619
Parlez aux anciens
Portez-vous volontaire pour aider dans une maison de retraite – les projets artistiques, sur l'histoire de la communauté et la mémoire peuvent être très stimulants. Pendant que vous y êtes, essayez d'en apprendre sur les qualités dont les deux partenaires ont besoin pour arriver à faire durer leur mariage pendant des décennies. Ces personnes sont sages.

620
Rire réciproque
Le rire réduit les hormones de stress, stimule le bien-être et désamorce le conflit à condition que les plaisanteries ne soient pas humiliantes ou embarrassantes.

Soyez spontanée : sur un coup de tête achetez des fleurs à votre partenaire.

621
Incluez votre partenaire
Une vie passée à travailler peut emprisonner un partenaire et donner une vue faussée des priorités. Quel que soit votre travail, n'oubliez pas votre relation. Prenez le temps d'être ensemble – et soyez à l'heure. Si des obligations professionnelles pénibles durent pendant plus d'un mois, asseyez-vous et pensez aux moyens de changer cet état de choses à l'avenir.

622
Soyez une bonne amie
Comme n'importe quelle relation, une relation amoureuse ne prospère que si l'on est amis. Retirez les œillères qui vous focalisent sur vos inquiétudes et élargissez votre point de vue. Entraînez-vous à écouter, demandez à votre partenaire comment il se sent, puis reformulez ses phrases avec vos propres mots pour lui montrer que vous l'avez compris. Ne l'interrompez pas, ne terminez pas ses phrases s'il parle lentement. Si vous mourez d'envie de l'interrompre, écrivez votre pensée. Officialiser les choses peut être utile : convenez d'un moment où l'un d'entre vous parlera pendant deux minutes, puis laissera la parole à l'autre.

623
Préparez-vous au compromis
Les relations consistent à ne pas en faire systématiquement qu'à sa tête. Détendez-vous et faites avec.

624
Ne restez pas sur une contrariété
Essayez de vous rabibocher après des mots durs avant d'aller dormir. Une nuit agitée et des regards méchants le lendemain ternissent également une nouvelle journée.

625
Magie spontanée
Une partie de l'excitation qui précipite les hormones lors d'une nouvelle relation provient du fait qu'on n'est pas en mesure de prédire le comportement de l'autre. Essayez aussi de garder votre spontanéité et votre comportement farfelu dans une relation qui dure plus longtemps. Sur un coup de tête, allez à la plage pendant une tempête, réservez une nuit surprise dans un hôtel ou rapportez des fleurs à la maison, sans raisons.

Servez le petit-déjeuner au lit à tour de rôle.

626

Apportez des cadeaux

Cherchez des petits riens qui facilitent la vie de votre partenaire et lui font penser à vous – des post-it éclatants, une nouvelle tasse à café ou un livre audio pour la voiture.

627

Cuisinez l'un pour l'autre

Une fois par semaine, cuisinez à tour de rôle un repas spécial. Faites un dîner aux chandelles à deux, sans télé, mais avec musique, une fois que les enfants seront couchés. Mettez-vous sur votre trente-et-un !

628

Potions intimes

Essayez ces essences de fleurs du bush australien pour soutenir vos relations :
- *Bush Gardenia* pour raviver la passion.
- *Wedding Bush* pour les obligations.

629

Soyez romantique

Champagne, bougies, cieux étoilés, fleurs et chocolats : que des clichés, mais qui marchent !

630

Petit-déjeuner au lit

Revenez régulièrement au lit avec du café, des croissants et les journaux.

631

Sortez avec votre partenaire

Si vous avez des enfants, réservez une baby-sitter une fois par semaine. Allez dans un bistro romantique, une boîte de nuit dingue, ou au théâtre en plein air pour partager du temps en couple. Parlez brièvement du travail et des enfants, puis bannissez ces sujets. D'ailleurs de quoi parliez-vous avant d'avoir des enfants ?

632

Bisous et câlins

Rendez les ados jaloux en vous faisant des baisers et des câlins. Cela relâche les opiacés naturels et est profondément relaxant. Le *Touch Research Institute* de Miami a ainsi découvert que les individus qui sont effleurés sont moins agressifs, souffrent moins d'anxiété, de dépression et d'insomnie, ont une meilleure immunité et font mieux face au stress. Avant de vous assoupir, caressez-vous, ou massez-vous réciproquement les pieds ou les mains pendant que vous regardez la télé. Laissez les caresses effacer les soucis et vous rappeler ce qui est important.

633

Regardez des films romantiques

Une étude indique que regarder des films romantiques renforce les liens en augmentant le taux de progestérone, l'hormone de la relaxation.

634

Faites une pause

Assouvissez vos passions séparément : continuer à faire des activités que vous aimez vous permet de rester satisfaite et peut raviver ce que vous aimiez dans votre autre moitié indépendante. Ayez vos propres occupations : réservez des excursions avec des amies pour marcher, faire de l'escalade ou aller au théâtre, tandis que votre partenaire se consacre à ses propres intérêts.

635

Consultez un conseiller

Si votre comportement fait systématiquement et lamentablement perdre pied à vos relations, essayez de trouver un thérapeute comportementaliste ou aller voir seule ou avec votre partenaire un conseiller conjugal pour étudier vos problèmes sous tous leurs aspects et poser les bases d'un avenir positif.

636

Yoga avec partenaire

Ceci est une façon de vous rapprocher tout en soulageant des parties du corps qui souffrent du stress et en profitant du soutien et de la chaleur du dos de l'autre. Après avoir fait les deux étapes, permutez.

1 Pour les hanches raides, asseyez-vous dos à dos. L'un d'entre vous devra peut-être s'asseoir sur un coussin. Rapprochez les plantes de vos pieds et tirez vos chevilles vers vous. Fermez les yeux et essayez de synchroniser votre respiration.

2 Quand le haut du corps est tendu, votre partenaire prend la posture de l'Enfant : agenouillé, genoux légèrement écartés, il s'étend vers l'avant, la tête sur le sol, bras près du corps. Étirez vos jambes, puis allongez-vous sur sa colonne vertébrale, les bras pliés au-dessus de votre tête. Détendez-vous puis inversez les rôles.

Une sexualité relaxante

Des relations sexuelles pleines d'amour affectent les hormones en effaçant la mauvaise humeur, les maux de tête dus au stress et l'insomnie et elles relaxent les muscles et les esprits inquiets. Elles stimulent aussi les liens qui cimentent une relation heureuse. Des études montrent que de longues heures de travail, l'anxiété et la négativité diminuent le désir, surtout chez les femmes, ce qui fait des problèmes sexuels l'un des motifs principaux de grief chez les couples malheureux. Quand la libido diminue, l'assurance de donner et de recevoir du plaisir baisse également. Essayez les conseils suivants pour raviver une intimité qui vient à bout du stress.

Déstressez-vous en vous amusant au lit.

637
Restez pure
Lorsque vous êtes stressée, ne prenez pas une cigarette ou une bière. Fumer et boire plus de deux verres d'alcool détériore la qualité de l'érection masculine et de la réactivité sexuelle féminine.

638
Éteignez la télé
Des chercheurs italiens ont découvert que les couples – surtout ceux qui sont âgés de plus de 50 ans – qui ont une télévision dans leur chambre font deux fois moins l'amour que les autres.

639
Combattez la fatigue
Si vous vous écroulez de fatigue dans le lit à la fin de la journée, il serait profitable que vous gardiez du temps pour l'intimité à des heures inhabituelles, lorsque vous avez davantage d'énergie : peut-être après le petit-déjeuner, ou pendant la baisse de régime de l'après-midi – n'est-ce pas pour cela que les cultures sensées ont inventé la sieste ? Si vous avez tendance à vous endormir après avoir bu un verre de vin le soir, essayez de faire l'amour d'abord, et de boire ensuite !

640
Travaillez moins, jouez plus
Une enquête réalisée à grande échelle par l'université de Göttingen, indique que moins nous avons de rapports sexuels, plus nous nous noyons dans le travail pour nous changer les idées et oublier nos frustrations. Pour empirer les choses, accepter des responsabilités supplémentaires réduit le temps qu'il nous reste pour la sexualité. Selon cette étude, faire l'amour au moins deux fois par semaine semblait être l'antidote pour les « workaholics » stressés.

641
Partout sauf au lit
Pour réintroduire l'excitation dans une relation qui dure depuis longtemps, faites-le n'importe où, sauf au lit : dans la voiture, sur la table de la cuisine ou le plan de travail, devant le feu de cheminée ou contre l'abri de jardin. Osez…

642
En cuisine
Les buffets de cuisine sont des endroits exaltants qui regorgent de jouets pour épicer votre vie amoureuse. Passez-lui un pinceau de cuisine sur la peau, essayez la touche légère du fouet ou d'une cuiller en bois, portez un tablier de soubrette sur votre lingerie. Voyez ce que le garde-manger a à vous offrir – farine de blé comme alternative à l'huile de massage. Si vous avez un bar à petit-déjeuner ou un passe-plat, explorez son potentiel pour des performances érotiques – et n'oubliez pas la table roulante !

643
Envoyez un message sexy
Rappelez votre passion à votre partenaire lorsque vous n'êtes pas là. Assurez-vous toutefois que c'est le bon numéro !

Construisez un sentiment d'intimité avec l'effleurement et le massage.

644

Traitez-le comme une méditation

Si vous vous réservez du temps pour la méditation, consacrez-le parfois à vous explorer l'un l'autre. Le sexe est une activité méditative en soi, car se mettre à l'écoute de ses sens dans le présent efface les soucis courants, les inquiétudes passées et l'anxiété de l'avenir, et vous ancre complètement dans le temps de votre corps.

645

Méditation et respiration

Allongez-vous sur le côté en position de la cuillère, votre dos appuyé contre la poitrine de votre partenaire. Ne bougez pas ; contentez-vous de prendre conscience de vos deux respirations et essayez de les coordonner, en suivant chacun votre tour l'inspiration et l'expiration de l'autre : lorsque vous expirez, votre partenaire inspire, et lorsqu'il expire, vous inspirez.

646

Donnez-vous du chocolat

Le chocolat contient du phényléthylamine, substance chimique qui améliore l'humeur et censée déclencher la sensation de tomber amoureux – et la molécule du bonheur, l'anandamide, qui pourrait avoir un lien avec l'addiction. Quel meilleur moyen de vous assurer que votre chéri reste attentif ?

647

Un bain chocolat/vanille

Une boîte de truffes est l'accompagnement parfait à ce bain, qui contient de la vanille et du jasmin, réducteurs d'anxiété, pour stimuler la positivité et la confiance en soi. On pense aussi que ce dernier éveille la compassion ainsi que la passion.

2 gousses de vanille
12 cuill. à soupe de lait en poudre
2 cuill. à soupe de cacao en poudre
6 gouttes d'huile essentielle de jasmin
(à omettre pendant la grossesse)

Jetez les gousses de vanille dans le bain qui se remplit, puis mélangez le lait et le cacao dans un bol et ajoutez peu à peu suffisamment d'eau froide en remuant constamment pour faire une pâte fluide. Versez la mixture dans le bain, en remuant doucement avec vos doigts. Après le bain, récupérez les gousses de vanille et faites-les sécher pour vous en resservir.

648

Mélange pour massage sensuel

Prenez du temps pour un massage lent avec ces huiles aphrodisiaques, et voyez où cela vous mène…

4 cuill. à soupe d'huile de pépins de raisin
3 gouttes de chacune des huiles essentielles suivantes : encens, jasmin (à omettre pendant la grossesse) et patchouli.

Versez l'huile de pépins de raisin dans un flacon en verre opaque, puis ajoutez-y les huiles essentielles. Vissez le couvercle, et secouez énergiquement avant l'emploi.

649

Cuisinez aux épices

De nombreuses épices sont censées avoir des propriétés aphrodisiaques et ont depuis longtemps – dans les pharmacopées indienne et européenne – la réputation d'éveiller le désir. Vous souhaiterez donc peut-être incorporer ces épices dans vos repas romantiques :
- Cardamome, célèbre tonique pour l'amour et la romance.
- Clous de girofle pour stimuler, tout en dissipant la tension nerveuse.
- Poivre noir pour la virilité, car il stimule le flux sanguin.
- Cannelle pour ses pouvoirs calmants et stimulants en même temps.

- Coriandre pour dissiper la tension nerveuse et éveiller le désir.
- Noix de muscade pour stimuler la libido.

650

Renouvelez vos sous-vêtements

Des slips et des petites culottes sexy pour hommes et femmes sont excitants. Portez de la pure soie contre votre peau toute la journée pour être plus tard dans l'état d'esprit approprié pour des rencontres.

651

Du burlesque

Allez voir un spectacle burlesque coquin pour y glaner quelques idées pour pimenter votre vie amoureuse. Vous pouvez essayer le strip-tease à l'envers (commencez nue) ou perfectionner une danse des éventails ou même une danse avec des glands qui tournent au bout des mamelons (contentez-vous de sauter).

652

Vaporisateur sexy d'intérieur

Dans un flacon vaporisateur pour plantes, versez 5 gouttes d'huile essentielle par 10 ml d'eau de source et utilisez pour vaporiser dans la chambre quand elle n'a pas l'air très accueillante :
- Pour donner de l'énergie : orange, bergamote.
- Pour détendre : lemongrass, lavande, vanille.
- Comme aphrodisiaque : jasmin, patchouli.

653

Chantez en duo

Selon l'université Christ Church de Canterbury, le chant en chorale augmente le taux « d'hormones de l'amour », l'oxytocine, dans le sang. Faites un duo pour vous mettre dans l'humeur propice pour l'intimité, ou écoutez des duos d'amour d'opéra.

Cuisinez avec des épices et injectez un peu de punch à votre vie amoureuse.

654

Huile aphrodisiaque pour le bain

Elle enrobe la peau d'un « poli » sexy et apporte les pouvoir aphrodisiaques des huiles : le jasmin pour exciter les hommes (à omettre pendant la grossesse) et le bois de santal pour apaiser l'anxiété féminine.

1 cuill. à café d'huile d'amande douce
3 gouttes des 3 huiles essentielles :
   jasmin, bois de santal et patchouli
Pétales de roses, séchés ou frais

Mettez les huiles mélangées dans un bain chaud avec les pétales de roses (retirez-les avant de vider le bain). Détendez-vous, en rejouant des rencontres érotiques dans votre tête.

655

Anxiété de la performance

Le remède homéopathique *Lycopodium* 30 peut aider les hommes à faible libido à se détendre et à s'amuser.

656

Pour donner envie aux femmes

Si vous évitez les rapports sexuels par peur de souffrir affectivement, le remède homéopathique *Natrum muriaticum* 30 peut vous aider à prendre les choses un peu moins sérieusement. Si vous aimez l'idée du sexe, mais en avez assez que vos enfants en bas âge vous collent aux baskets toute la journée et que vous grognez quand votre partenaire s'approche de vous, prenez le remède *Sepia* 30 lorsque les enfants seront au lit.

657

Après un traumatisme affectif

Les femmes qui évitent le sexe parce qu'elles ont été abusées par le passé peuvent essayer ce mélange d'essences de fleurs du bush australien :
● *Fringed Violet* pour les séquelles d'un traumatisme.
● *Wisteria* pour apporter un sentiment de saine féminité.
● *Flannel Flower* pour restaurer un sens du plaisir dans le toucher et l'intimité.

Une grossesse sans stress

Il n'est pas seulement important de se détendre pendant la grossesse pour son bien-être physique et mental, c'est aussi un besoin positif pour la santé, car le stress a un lien avec les naissances prématurées, un faible poids de naissance et des problèmes de comportement du petit enfant. Se relaxer est toutefois plus facile à dire qu'à faire, quand on subit la désapprobation à chaque fois qu'on prend un steak de thon ou une tasse de café. Voici des conseils pour vous aider.

L'arôme apaisant du romarin soulage quand on est à bout de nerfs.

658
Faites une pause
Si vous vous sentez fatiguée, nauséeuse ou avez une faim de loup, considérez que c'est un signe de stress. Faites une sieste, prenez un en-cas ou marchez. Si vous êtes beaucoup assise au travail, étirez vos bras et vos jambes toutes les heures pour éviter les douleurs de dos et de cou, les chevilles enflées et le syndrome du canal carpien.

659
Informez-vous
Dissipez vos inquiétudes en vous inscrivant à des cours de naissance active ou sur l'art de devenir parent et en parlant à votre médecin ou votre sage-femme. Y a-t-il une assistance téléphonique ou un service de protection maternelle et infantile (PMI) dans votre quartier ? Visitez la maternité où vous comptez accoucher avec la personne qui vous accompagnera.

660
Sieste l'après-midi
Pendant les premier et troisième trimestres, beaucoup de femmes ont besoin de se reposer après le déjeuner et après le travail. Ne vous culpabilisez pas : vous faites ce qui est le mieux pour votre bébé.

661
Arrêtez de travailler
Beaucoup d'entre nous travaillent davantage pendant leur grossesse, se dépêchant pour arriver à terminer des projets avant leur congé maternité. Au bout de 32 semaines, essayez d'arrêter de travailler (vos organes, votre colonne vertébrale et vos articulations sont stressés). Si vous travaillez au-delà, les contractions risquent de se déclencher tôt. Passez du temps avec votre partenaire et vos enfants, et cherchez des réseaux de soutien social.

662
Laissez les autres s'occuper de vous
Dans certains pays, les femmes enceintes sont dorlotées par leur famille et leurs amis. Laissez faire les autres, débarrassez-vous de la bulle d'individualité dans laquelle vous vous cocooniez avant votre grossesse.

663
Romarin remontant
Placez 2 gouttes d'huile essentielle de romarin sur un mouchoir. Lorsque tout vous accable, reniflez-le : cette huile aide à calmer les émotions et rééquilibre le système nerveux.

664
Utilisez des essences de fleurs
Les essences de fleurs sont parfaites, parce qu'elles sont sans danger pour le bébé et qu'elles restaurent l'équilibre de la mère.

665
Faites de l'exercice
Faire de l'exercice déclenche la sécrétion d'endorphines – les hormones du bien-être, et pendant la grossesse cela rend plus optimiste, plus énergique et moins sujette à l'insomnie et au stress. Cela aide aussi le système cardiovasculaire, ce qui permet de faire face à un volume sanguin supérieur et au gain de poids, et qui soulage des maux de dos et des crampes dans les jambes. Les femmes qui s'entraînent pendant la grossesse semblent nécessiter moins d'interventions et d'analgésiques pendant les contractions et retrouver leurs formes plus rapidement après l'accouchement. Vérifiez d'abord auprès de votre médecin, puis essayez 30 minutes d'exercice modéré par jour.

Enlevez le poids de vos pieds en flottant sans effort.

666

Allez nager

D'un grand soutien, relaxante et stimulante, la natation est l'exercice parfait pour la grossesse car elle permet le mouvement sans effort. Visez à faire 20 minutes de natation 3 à 6 fois par semaine. Si vous ne savez pas nager, essayez de participer à une classe de natation prénatale ou à une séance de fitness aquatique (prévenez l'instructeur que vous êtes enceinte). Une étude réalisée aux États-Unis indique que les femmes qui s'entraînent dans l'eau ont un rythme cardiaque et une tension artérielle moins élevés que celles qui s'entraînent au sol et le rythme cardiaque de leurs bébés est également plus lent.

667

Modérez vos brassées

Pendant la grossesse, il est plus difficile de nager la brasse avec la tête levée, car cela cambre le bas du dos et le cou. Faites de longues brassées avec la tête dans l'eau (portez des lunettes de natation) et la colonne vertébrale tendue. Fléchissez les genoux et gardez-les écartés. Respirez un mouvement sur deux. À la fin de la grossesse, lorsque, en dos crawlé, le changement de bras peut vous déséquilibrer, essayez la brasse avec les jambes ou faites des cercles des deux bras.

668

Flottez

Le corps d'une femme enceinte flotte très bien : allongez-vous la tête en arrière et laissez-vous aller. (Utilisez des flotteurs de soutien ou une frite de natation si nécessaire). Formez une étoile, joignez les plantes de vos pieds ou étirez vos bras et vos jambes, les paumes se touchant derrière la tête. Inspirez lentement pour emplir vos poumons, puis expirez lentement. Faire confiance à l'eau et à votre respiration (vitale pendant les contractions) vous aidera à lâcher prise.

669

Faites du yoga

Aucune forme d'exercice n'est plus adaptée à la grossesse que le yoga qui apporte des bienfaits physiques évidents : il ouvre le bassin, améliore la posture et l'équilibre, apprend à respirer profondément et renforce les muscles profonds qui soutiennent la colonne vertébrale et les jambes pour porter assistance pendant les contractions. Par-dessus tout, il aide à se concentrer sur soi et à se connecter avec son bébé, ce qui est rassurant au milieu de tous les changements. Questionnez votre sage-femme sur les classes prénatales de yoga.

670

Baddha konasana près d'un mur

Asseyez-vous sur un coussin, avec l'arrière du bassin, les épaules et la tête contre un mur. Joignez les plantes de vos pieds et détendez vos genoux. Si les muscles de l'aine sont tendus, ou si vous avez une lésion de la symphyse pubienne, soutenez vos genoux avec des coussins. Fermez les yeux et respirez.

671

Soutien en ligne

Beaucoup de femmes partagent vos craintes. Consultez des sites parlant de la grossesse sur le web pour trouver du soutien et des rires qui effacent le stress. Il existe de nombreux sites sur Internet pour répondre à vos questions : www.devenirmaman.fr, www.magrossesse.com ou www.magicmaman.com par exemple, sur lesquels vous trouverez également des forums.

672

Faites-vous de nouvelles amies

La grossesse est le moment idéal pour cultiver de nouvelles amitiés susceptibles de vous soutenir pendant les mois « bébé » déroutants. Les cours de préparation à la naissance, le yoga pour femmes enceintes ou les cours de natation, sont de bons endroits pour lier connaissance, tout comme les cliniques anténatales.

673

Autorisez-vous les plaisirs interdits

Impossible de bien se comporter tout le temps. Beaucoup de sages-femmes recommandent un verre de vin ou un gâteau occasionnel pour se remonter le moral. Ne culpabilisez toutefois pas ensuite.

674

Plaisir de la liberté vestimentaire

Pour la première fois depuis l'adolescence, sentez la liberté qu'on éprouve quand on échappe à la tyrannie de la ceinture et aux tendances de la mode. Vous êtes enceinte, censée être grosse, et c'est beau. Exhibez votre nouveau décolleté, appréciez la féminité de vos fesses et achetez un caftan (mais uniquement si c'est à la mode cette saison.)

675

N'écoutez plus les autres

Si vous avez l'impression d'être devenue propriété publique – si on vous arrête dans la rue pour vous sermonner, si on vous palpe le ventre ou si on vous raconte des horreurs sur l'accouchement – essayez de ne pas trop vous stresser. Il est parfois utile de se comporter comme une imbécile : souriez et changez de sujet – ou éloignez-vous comme si vous n'aviez rien entendu. Rapprochez-vous davantage des gens qui semblent vous respecter.

676

Déclaration calmante

Adaptez cette citation de sainte Thérèse d'Avila (1515-1582) pour vous aider à faire face à l'anxiété ; en période de stress, répétez-la à voix basse comme un mantra « Que rien ne te trouble, que rien ne t'épouvante ; tout passe. »

677

Soulager vos pieds douloureux

Pour éviter des chevilles enflées, surélevez les pieds quand vous vous asseyez. Protégez votre dos avec des coussins pour éviter le stress à cet endroit.

678

Étirements relaxants assise

Ces étirements renforcent et détendent le dos. Asseyez-vous sur une base solide pour vous ancrer et assurez-vous que le bas de votre dos n'est pas comprimé, afin que l'étirement affecte la totalité de la colonne vertébrale.

1 Mettez les mains derrière la tête. Inspirez et étirez-vous vers la gauche, le dos bien droit, les coudes vers l'arrière. Répétez de l'autre côté.

2 Inspirez, assise droite et étendez vos bras sur les côtés. Expirez et tournez les mains vers le haut dans une posture de réception. Tenez quelques instants.

3 Assise devant le siège ramenez les plantes de vos pieds côte à côte. Appuyez-vous en arrière sur le siège, en plaçant, si nécessaire, des coussins sous votre dos pour vous soutenir.

679

Méditation « cocooning »

Asseyez-vous les mains sur votre ventre, yeux fermés. Visualisez le liquide protecteur qui entoure votre bébé et sentez-vous également protégée dans un revêtement protecteur. Pensez au cordon ombilical qui palpite avec l'énergie et vos propres lignes de vie : la sage-femme, le partenaire et les amis.

680

Une retraite insulaire

Imaginez un endroit bien à vous : peut-être un jardin secret ou une plage où vous êtes soutenue par du sable chaud. Focalisez-vous sur ce que vous pouvez entendre (le chant des oiseaux, la mer), sentir (les lotions solaires, les fleurs) et palper (le sable, de l'herbe tendre, une brise douce.)

681

Un bon coup de pied

À certains moments de la journée quand votre bébé est actif, prenez le temps d'être avec lui. Fermez les yeux, mettez les paumes sur votre ventre et profitez du mouvement en le laissant vous distraire de vos soucis. Chantez-lui une berceuse : votre bébé peut l'entendre à partir de la vingtième semaine et il se calmera quand vous la lui chanterez après sa naissance.

682

Remèdes pour apaiser les inquiétudes

Essayez ces essences des fleurs de Bach :
● *Star of Bethlehem* pour surmonter le choc de la conception.
● *Pine* pour le sentiment de culpabilité qui frappe beaucoup d'entre nous, n'étant plus sûres de vouloir un bébé, qu'elles l'aient désiré ou non.
● *Elm* pour les hommes et les femmes accablés à la pensée de devenir parents.
● *Cerato* pour faire confiance à votre instinct lorsque vous vous sentez dépendante des autres.

683

Désir de faire son nid

Lorsque le désir de faire tout parfaitement se déclenche, évacuez le stress de votre corps avec des matériaux écologiques, et trouvez quelqu'un pour faire les tâches susceptibles de relâcher des substances chimiques toxiques : décaper de la peinture, poncer des sols et abattre des cloisons. N'achetez pas trop de choses. Tout ce dont un bébé a besoin est un berceau pour dormir, une literie et des vêtements doux et des parents détendus.

Utilisez des coussins de soutien pour trouver une position confortable pour dormir et vous reposer.

684

Des coussins de grossesse

Si l'inconfort vous empêche de dormir, essayez des coussins. Allongez-vous sur le côté gauche pour stimuler le flux de sang et de nutriments vers votre bébé, puis repliez la jambe du dessus en plaçant un coussin ou deux sous le genou et la cuisse afin de soutenir le genou et l'articulation de la hanche. Cette position stimule aussi la fonction rénale. Glissez également un autre coussin entre vos jambes pour soutenir le bas de votre dos. Cherchez des coussins de grossesse spécialement conçus pour soutenir votre gros ventre.

685

L'indispensable pour un sommeil profond

La température corporelle s'élève pendant la grossesse, ce qui est susceptible de perturber l'indispensable sommeil. Utilisez des draps en coton et cherchez des oreillers en laine qui absorbent l'humidité de la tête (la partie qui sue le plus quand on dort) plus efficacement que les autres tissus. Un matelas en pure laine permet de réguler la température corporelle car ses fibres naturellement enroulées répartissent régulièrement la chaleur tout en absorbant bien l'humidité.

686

Une attente qui n'en finit pas

On a encore davantage besoin de petits plaisirs pendant les dernières semaines. Une fois que vous aurez préparé une valise, la chambre de bébé, pris congé de vos collègues et récuré la maison, vos journées risquent de vous sembler longues. Savourez ces instants et reprenez contact avec des amis, dévorez des ouvrages, bavardez au téléphone, regardez des films, partagez des repas romantiques à deux, faites des gâteaux et du jardinage. Tout cela deviendra limité une fois que le bébé sera arrivé.

687

Infusion de feuilles de framboisier

Durant les huit dernières semaines (pas avant), commencez à boire de l'infusion de feuilles de framboisier pour préparer votre utérus aux contractions. Une étude réalisée en Australie indique que celles qui en prennent ont des délivrances plus courtes, et moins de risques d'accoucher à l'aide de forceps. Commencez par en boire une tasse par jour, puis augmentez graduellement la dose jusqu'à 4 tasses.

688

Massez-vous le périnée

Dans les six dernières semaines de grossesse, massez la peau entre votre vagin et votre anus pendant 5 minutes chaque jour pour en augmenter l'élasticité et pour vous aider à faire face au stress de l'étirement intense. Si vous êtes détendue lorsque la tête du bébé apparaît, vous aurez moins de risques de déchirure. Massez cette région après un bain avec de l'huile d'olive, puis insérez votre pouce et votre index 5 cm dans votre vagin et pressez contre le rectum et le côté jusqu'à ce que vous ressentiez des picotements, comme quand vous étirez la bouche. Tenez pendant 1 à 2 minutes jusqu'à ce que la brûlure disparaisse.

689

Un jour pour se dorloter

Passez une journée dans un spa qui propose des forfaits pour les futures mamans. Vous aurez peut-être un soin facial, un massage du dos sur un coussin d'eau chaude ou sur une table spécialement adaptée, un soin de pédicurie (paradisiaque lorsqu'on ne peut plus voir ni atteindre ses pieds), ainsi qu'un bon déjeuner. Prenez plaisir à l'attention calme qu'on vous porte.

690

Vêtements doux pour bébé

La peau des nouveau-nés ne s'épaissit pas avant le cinquième jour et elle est vulnérable aux toxines des vêtements neufs. Avant la naissance, lavez les vêtements de bébé avec une lessive bio et faites-les sécher au soleil.

Avant la naissance, lavez les vêtements tout neufs de bébé afin de les débarrasser des toxines potentiellement toxiques.

Pour faciliter l'accouchement

Être détendue peut rendre les contractions plus courtes et moins douloureuses et le bébé est ainsi moins susceptible de souffrir. L'adrénaline réduit l'oxytocine (qui déclenche les contractions) ainsi que les endorphines (qui soulagent la douleur) ce qui peut perturber le travail. On dit souvent que les contractions s'arrêtent ou empirent quand on entre à la maternité, quand les lumières vives, les inconnus, la perte de contrôle et la bureaucratie déclenchent la réaction de stress. Ces conseils peuvent vous aider à vous détendre.

Soyez prête avec une trousse d'homéopathie.

691

Bien épaulée

De nombreuses études indiquent que si l'on se sent entre de bonnes mains, on a plus de chances d'avoir une expérience positive et que le bébé risquera moins de souffrir de complications. Rencontrez votre sage-femme (les femmes qui le font semblent avoir un accouchement plus facile), et dites à votre partenaire combien vous aimeriez être soutenue.

692

Une accompagnante détendue

Pendant l'accouchement, il n'est pas toujours relaxant d'avoir près de soi uniquement un papa paniqué. Selon de nombreuses études, une amie est la clé pour un accouchement plus rapide et pour réduire la prise d'analgésiques. Il est en effet rassurant d'avoir près de soi une amie calme, ayant déjà accouché, et qui n'aura pas peur de parler au personnel médical de votre part. On peut aussi se chercher une doula, accompagnante professionnelle à la naissance.

693

Rédigez un plan de naissance

Rédigez votre plan de naissance avant le début des contractions, et parlez-en à l'avance à votre sage-femme. Notez-y l'endroit où vous souhaitez accoucher, qui sera présent, votre degré souhaité de mobilité, les postures de travail et d'accouchement que vous souhaiteriez essayer, votre position en ce qui concerne les analgésiques, et la surveillance du rythme cardiaque du nouveau-né, ainsi que le mode d'alimentation choisi pour après la naissance. Ce que vous préféreriez éviter : peut-être une épisiotomie ou certains médicaments ? Bien que ce plan soit modifiable et sans garantie, ce plan vous apportera une impression réconfortante de contrôle quand vous ne serez plus en mesure de parler.

694

Approche homéopathique

Les remèdes homéopathiques résolvent beaucoup de problèmes liés à l'accouchement, comme une dilatation lente du col de l'utérus, la nausée, les douleurs lombaires et la mauvaise présentation du bébé. La plupart des pharmacies homéopathiques vendent des trousses de remèdes pour l'accouchement, mais il est préférable de consulter un homéopathe professionnel qui préparera la trousse adaptée à votre cas particulier, et vous indiquera, ainsi qu'à votre partenaire, comment l'employer pendant le travail.

695

Accouchez à la maison

Les accouchements à la maison peuvent s'avérer moins stressants, car on peut manger, boire ou faire pipi quand on le souhaite, utiliser les pièces qu'on veut, et arranger l'éclairage, le chauffage et la musique pour un maximum de confort. On est mobile, car on n'est pas branchée à un écran de surveillance, et on a davantage de contrôle sur la vitesse de son accouchement (sans précipitation pour convenir au train-train de la maternité), et tout cela rend les interventions moins probables. Le plus relaxant serait vraisemblablement que deux sages-femmes s'occupent de vous (à la maternité, la plupart des femmes s'en partagent une et subissent des changements de personnel au moment des changements d'équipes). Des recherches indiquent que l'accouchement à la maison est au moins aussi sûr que celui en maternité et qu'il entraîne généralement moins d'interventions et une récupération physique et mentale plus rapide.

696

Maîtrisez votre environnement

Entourez-vous d'objets relaxants : bougies, une couverture douce, vos coussins favoris, un ballon de naissance, des photos de vos autres enfants et le premier jouet du bébé. Demandez un éclairage tamisé et mettez de la musique qui vous fait planer, que ce soit du folklore bulgare, de la soul, du jazz ou des morceaux modernes minimalistes.

697

Demandez à être informée

Inscrivez dans votre plan de naissance que vous voulez être informée tout du long et qu'on vous dise que vous vous en sortez bien. Si les questions médicales vous tracassent, votre corps sera tendu et il perturbera la sécrétion des hormones qui induisent le travail.

698

Restez debout

Restez debout, car la pesanteur rend les contractions plus efficaces et elle aide le bébé à descendre dans le canal utérin. La position accroupie augmente la taille de ce dernier, ce qui peut rendre le deuxième stade du travail moins stressant. Pourquoi mettre votre corps et votre bébé à l'épreuve en restant allongée ?

699

Bougez

Les femmes qui se remuent dans la salle de travail ont tendance à avoir moins de contractions et à prendre moins d'antalgiques que celles qui restent allongées sur leur lit. Déplacez-vous, marchez à quatre pattes, faites des rotations des hanches comme une danseuse du ventre, placez vos bras contre un mur et montez et descendez vos pieds – positions que votre corps vous dit de prendre pour soutenir un travail efficace.

700

Allez dans le bain

Au début du travail, l'eau chaude soulage la douleur. Une baignoire d'accouchement a de l'espace pour s'y déplacer et des côtés fermes pour s'y appuyer et s'y reposer. Des recherches indiquent une relation entre baignoires d'accouchement et un nombre réduit de péridurales et de péthidine, suggérant ainsi qu'elles aident à maîtriser la douleur et à réduire les risques de déchirure ou d'épisiotomie. Si vous souhaitez en utiliser une à la maternité, renseignez-vous auparavant pour savoir si elles sont disponibles et combien de femmes ont pu en bénéficier ces derniers mois. Louez-en une pour l'accouchement à la maison.

701

Visualisation

Imaginez que vous êtes une surfeuse chevauchant les contractions en haut de la vague et arrivant sur la plage. Ou bien concentrez-vous sur une fleur de lotus ou une rose. Voyez-la comme un bouton fermé dont les pétales s'ouvrent doucement et deviennent encore plus beaux avec chaque contraction.

702

Savourez les interruptions

Entre les contractions, il n'y a pas de douleur. Dites-le comme un mantra. Lors d'une pause, buvez quelques gorgées d'eau et détendez vos épaules,

Concentrez-vous sur une rose : ses pétales qui s'ouvrent sont une métaphore sur la progression régulière de votre travail.

Une respiration détendue et régulière peut aider à dissiper la tension qui est en vous ainsi que celle de votre bébé.

maximise l'oxygène disponible pour vous et votre bébé à l'inspiration et dissipe la tension à l'expiration, surtout autour des épaules et de la poitrine, ce qui est un antidote à la réaction de stress. Essayez l'exercice *so-ham* : dites *so* silencieusement quand vous inspirez, et soupirez en murmurant *ham*, les lèvres entrouvertes. *So* se réfère à vous, et *ham* à tout ce qui existe, y compris ceux qui vous aident ainsi que votre bébé.

706

Soutien du souffle

Apprenez à votre accompagnant(e) la technique du *so-ham* ; si vous paniquez et si vous respirez superficiellement, il/elle pourra vous rappeler l'expiration analgésique. Si vous êtes au-delà des mots, votre partenaire devra vous souffler sur le visage pour vous faire revenir à l'expiration calmante.

707

Gorge détendue

Le soupir détend la gorge, ce qui aide à relâcher le plancher pelvien. Essayez de sonoriser vos expirations. Cela les prolonge et calme le corps, rendant la douleur plus supportable. Faites en sorte que chaque inspiration soit calme et naturelle.

708

Des en-cas

Mangez un peu pour faire face à un long travail. Une étude réalisée au Canada indique que les résultats des femmes qui peuvent manger à la demande ne sont pas pires. Au début du travail, essayez un en-cas à base de féculents, comme un sandwich au pain complet, une banane ou des biscuits à l'avoine, mais ne mangez toutefois pas trop.

votre poitrine, vos orteils et vos mâchoires. Voulez-vous changer la musique ou la lumière ? Plaisantez avec les sages-femmes et reposez-vous pour faire le plein d'énergie pour participer à l'action et surmonter les contractions.

703

Pas d'horloge

Enlevez les pendules et les montres de la pièce. Il n'est en effet pas relaxant de savoir que votre travail n'en finit pas.

704

Accouchement sous hypnose

Renseignez-vous sur cette thérapie pendant laquelle vous et votre accompagnant(e) provoquez un état de profonde relaxation au moyen de l'auto-hypnose, de techniques de respiration et de manières d'accueillir les contractions. Selon des études réalisées en Grande-Bretagne, en Chine et aux États-Unis, l'auto-hypnose est en corrélation avec un travail plus court, moins d'antalgiques, moins de complications et une maman plus calme. Dans les cours d'HypnoNaissance®, on vous enseigne à rompre tous les liens entre accouchement, peur et douleur, ainsi que les façons de garder la salle de travail calme. On dit aussi que cette méthode a un effet péridural naturel.

705

Le pouvoir de la respiration

Une respiration profonde et rythmique

709

Massage de soutien

Le massage peut être un soutien non verbal, stimulant la sécrétion d'endorphines. Une étude indique que cela aide les femmes à mieux gérer la douleur, à réduire la durée du travail, à se détendre et à diminuer le risque de souffrir de dépression postnatale. Apprenez-en des techniques pendant vos cours de préparation à la naissance.

710

Bas les pattes

Si pendant l'accouchement vous ne supportez plus qu'on vous touche, demandez qu'on arrête. Un effleurement trop hésitant ou trop rapide au mauvais endroit peut vous contracter.

711

Massage des épaules

Demandez à votre partenaire de poser ses avant-bras sur vos épaules, puis de faire tourner le bout de ses pouces sur la ceinture osseuse de votre épaule et autour de vos omoplates. Il peut faire glisser, avec de longues caresses alternées des paumes et en descendant de chaque côté de votre colonne vertébrale, une main alors toujours posée sur votre corps.

712

Massage lombaire

Il y a des points qui soulagent la douleur sur le bord osseux du sacrum. Demandez à votre partenaire d'y appliquer de la pression avec le talon de sa main ou ses pouces, en commençant au centre des os du coccyx et en allant vers l'extérieur.

713

Massage des jambes

Debout, les avant-bras sur un mur, un pied en arrière. Appuyez contre le mur et demandez à votre partenaire de vous caresser les mollets.

714

Portez des chaussettes de laine

Pendant l'accouchement, les pieds peuvent être glacés, ce qui provoque de la tension partout ailleurs. Portez des chaussettes en pure laine vierge ou des chaussons en feutre.

715

Remède Rescue

Mettez quelques gouttes du remède *Rescue* des fleurs de Bach dans un verre d'eau avec une paille coudée afin qu'il soit accessible, quelle que soit votre position. Buvez entre les contractions, et si vous vous sentez abattue, en état de choc, effrayée ou à bout de forces, afin de ramener le calme et la certitude que vous pouvez faire face.

716

Vaporisation faciale

Ayez un atomiseur d'eau ou un pack froid au réfrigérateur, et demandez qu'on vous vaporise le visage lorsque la salle de travail devient trop chaude ou que vous êtes épuisée par l'effort que vous faites pour pousser.

717

Baume pour les lèvres

Respirer par la bouche pendant des heures peut gercer les lèvres et les rendre douloureuses. Utilisez un baume composé d'un mélange de cires naturelles (beurre de karité, jojoba, cire d'abeilles) pour éviter les substances pétrochimiques qui stressent le corps.

Un rapide en-cas sain vous revigorera pour pouvoir endurer les longues heures du travail.

Détendue avec son nouveau-né

Être seule avec un nouveau-né peut s'avérer tout aussi terrifiant que joyeux, surtout si, à la trentaine, c'est votre première expérience et si vous n'avez pas de proches pour vous aider. Des pleurs dûs aux coliques, des nuits sans sommeil, des mamelons douloureux, et des points de suture ne sont pas particulièrement appropriés pour la relaxation, mais voici quelques façons de s'installer dans cette nouvelle vie étrange et merveilleuse.

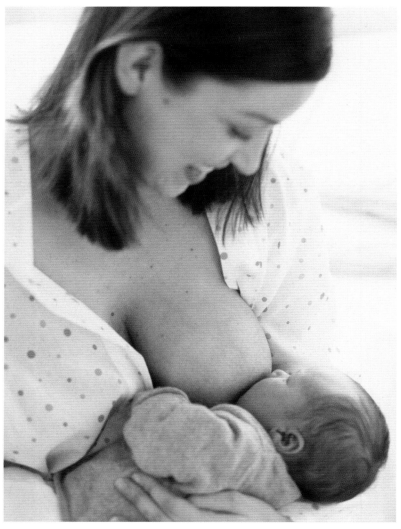

718

Restez au lit

Lorsque vous rentrez chez vous avec votre bébé, exigez des draps propres, du linge de nuit propre, empilez les oreillers et installez-vous tous deux dans votre lit. Recevez-y les visiteurs – en effet si vous restez debout, vous allez vous mettre à faire du thé, à préparer des gâteaux, à ouvrir des bouteilles de champagne, à arranger des fleurs, et parfois même à faire le chauffeur ! Tant qu'on ne voit pas ce qui se passe, on est moins encline à s'inquiéter de la pagaille et du désordre.

719

Du temps et de l'espace

Par-dessus tout, vous avez besoin d'espace pour vous allonger et regarder votre bébé, pour vous mettre au diapason et profiter du contact visuel intense que donnent les nouveau-nés. Évitez le stress afin de profiter d'une période de « babymoon », laquelle vous semblera incroyablement lointaine dans quelques semaines.

720

Une retraite de 40 jours

Dans de nombreuses cultures on observe une période de 40 jours pendant laquelle la famille et les amis prennent soin de la parturiente. On la masse, on la nourrit sainement pour la remettre sur pied et aider à la production de lait, et on lui enlève son bébé pour qu'elle puisse se reposer. La vie moderne exige que nous soyons de retour au supermarché dès les jours suivants. Laissez les autres faire la cuisine pendant une semaine au moins.

S'installer confortablement avant de donner le sein aide votre bébé à une succion efficace.

721
Refusez les visites
De nombreux visiteurs passent le troisième jour, lorsque le lait monte, que le bébé reste éveillé, que votre euphorie s'érode par manque de sommeil et que les hormones s'affolent. Demandez à quelqu'un de les chasser !

722
Demandez des cadeaux
Tout le monde apporte des cadeaux au bébé. Demandez à votre partenaire ou à votre mère de suggérer aux visiteurs de vous apporter quelque chose – une crème efficace pour les yeux, une crème hydratante onéreuse, de nouveaux vêtements, un bijou ou un massage spécialisé dans les soins de maternité.

723
Déstressez votre périnée
L'hamamélis ou l'arnica calment les enflures et les douleurs autour du périnée ; mettez quelques gouttes de teinture de soucis (*Calendula officinalis*) dans un bain ou sur vos serviettes hygiéniques pour ses propriétés cicatrisantes et antiseptiques.

724
Homéopathie postnatale
Ayez des remèdes déstressants :
- *Arnica* 30 et *Hypericum* 30 à prendre alternativement toutes les heures après une césarienne.
- *Aconite* 30 pour le choc suivant un accouchement difficile et pour que vous reveniez à la réalité si vous sentez un peu exclue.
- *Chamomilla* 30 soulage les tranchées utérines.

Cherchez des remèdes naturels : une feuille de chou réfrigérée peut apaiser des seins enflammés.

- *Phytolacca* 30 pour les seins douloureux ou engorgés avant que le bébé ait appris à se nourrir efficacement.

725
Un allaitement confortable
Installez-vous confortablement pour assurer un bon flux de lait, une succion correcte et un bébé heureux. Asseyez-vous, les deux pieds sur le sol, les jambes soutenues. Soutenez le bas de votre dos avec des coussins ou une couverture, ainsi que vos bras, à angle droit. Tenez-vous chaud avec une couverture et ayez une boisson à portée de main et de la distraction pour les longues tétées. Ne vous inquiétez pas, bientôt vous allaiterez sans plus y penser, comme vous préparez le dîner, faites les boutiques, ou participez à une manifestation.

726
Un allaitement détendu
Si vous et votre bébé êtes stressés, essayez cette technique de méditation qui vous aide à ne pas prêter attention aux distractions.
Imaginez que vous tirez votre souffle de la terre, en remontant par votre colonne vertébrale. Lorsque vous expirez, voyez une fontaine de lumière blanche qui coule hors de votre tête et qui vous protège, ainsi que votre bébé, dans une bulle.
Après quelques respirations, essayez la respiration bourdonnante (voir n° 26). Votre bébé associera alors votre respiration calme avec des tétées détendues.

727
Soulagement vert
Placez des feuilles fraîches de chou frisé de Milan autour de chaque sein dans votre soutien-gorge pour apaiser des seins chauds et enflammés. Commencez par battre un peu les feuilles pour les attendrir et exprimer leur jus rafraîchissant.

728
Bébés suceurs
L'allaitement au sein est bénéfique à tous les deux, mais soyez consciente que les bébés nourris au sein passent moins de temps à dormir calmement que ceux qui sont nourris au lait du commerce. Ce n'est pas votre faute !

729
Infusion pour plus de lait
Prenez de l'infusion d'orties pour augmenter votre production de lait, ou le remède homéopathique *Urtica urens* 30, deux fois par jour pendant une semaine.

730
Bain laiteux
Pour augmenter le flux de lait, baignez-vous avec 10 gouttes d'huile essentielle de géranium (n'y mettez pas le bébé) ou 6 gouttes d'huile essentielle de fenouil (à éviter si vous avez des allergies).

731

Coussinets d'allaitement bio

Optez pour le chanvre qui ne gratte pas et est ultra-absorbant, la laine mérinos danoise non traitée (la lanoline naturelle est antibactérienne), ou la soie non traitée et les laines mélangées.

732

Assistance

Si la tétée est stressante pour vous et votre bébé, demandez conseil. S'il y a une conseillère à la maternité, insistez pour qu'elle se déplace ou contactez un conseiller de La Leche League (www.lllfrance.org/) pour qu'on vous aide.

733

S'en sortir pendant la nuit

Si votre bébé reste éveillé toute la nuit, mettez-le au lit. Utilisez une veilleuse pour vous aider pendant que vous le mettez au sein, et ayez une boisson et un vêtement chaud à portée de main. Ne le changez qu'en cas d'absolue nécessité, et ayez du change à portée de main.

734

Emmaillotement

Les nouveau-nés trouvent réconfortant que leurs jambes et leurs bras aux mouvements saccadés soient protégés. Allongez votre bébé sur un drap de lit d'enfant en coton, la partie longue à l'horizontale. Entourez un bout, puis l'autre autour de son corps.

Pour certains bébés, être emmaillotés délicatement, mais en toute sûreté, est très calmant.

735

Réchauffez le berceau

Lorsque vous sortez le bébé de son berceau pour sa tétée nocturne, mettez une bouillotte tiède, mais pas chaude, à sa place pour la garder chaude lorsque vous l'y remettrez. (N'oubliez pas de l'enlever.)

736

Apprenez à allaiter allongée

Les mères qui ont leur second enfant ne jurent que par cette technique qui permet de s'assoupir pendant les allaitements nocturnes. Allongez-vous sur le côté et approchez votre bébé de votre sein inférieur. Vérifiez que les couvertures sont éloignées de son visage (vous aurez éventuellement besoin d'un châle pour couvrir vos épaules). Par mesure de sécurité, remettez le bébé dans son berceau dès que vous aurez fini de l'allaiter.

737

Allaitez dans votre bain

En dernier ressort, prenez un bain tiède avec un bébé qui souffre. Comme l'eau vous calmera tous deux, allaitez-le. Assurez-vous que sa tête est bien soutenue hors de l'eau, et ne le laissez pas tomber !

738

Peaux de mouton naturelles

Une étude réalisée par l'université de Cambridge indique que les bébés que l'on pose sur une peau de mouton pleurent moins, se calment plus rapidement après l'allaitement, et restent tranquilles plus longtemps. En Europe, de nombreuses mères les utilisent aussi pour que leur bébé soient heureux la nuit, mais les sages-femmes s'inquiètent de la surchauffe. Choisissez des peaux non traitées, écrues, spéciales pour les bébés (ou des peaux tannées biologiquement avec du tanin de mimosa). Faciles à transporter, elles rendent n'importe quel endroit confortable et familier.

739
Achetez une nouvelle tenue
Dégoûtée des vêtements de grossesse, mais pas encore en mesure de rentrer dans un jean moulant ? Achetez une tenue en ligne, à petit prix (car vous ne la porterez peut-être pas très longtemps).

740
Adopter le changement
Devenir mère change la vie. Si vous n'y prenez pas goût immédiatement, essayez les essences de fleurs du bush australien *Bottlebush* pour vous aider à vous adapter à ce changement qui défie votre identité.

741
Des mots sages
Le Bouddha nous aurait exhortés à ne pas nous accrocher à ce qui change. Établissez le lien avec votre nouvelle vie et ce que vous allez inévitablement perdre : être juste un couple, vos amis sans enfants, votre manque de responsabilités et être seule. Pardonnez-vous de vouloir les choses comme elles étaient jadis.

742
La perfection n'existe pas !
La maternité est un métier sous-évalué (et non payé) à plein-temps, qu'aucune mère ne pense faire bien. Ce n'est pourtant pas le moment de devenir perfectionniste. Pour survivre à chaque journée, autorisez-vous à faire des choses de travers et apprenez à demander de l'aide lorsque vous en avez besoin.

743
Des caresses apaisantes
Caresser et toucher est une façon très douce d'arriver à connaître votre nouveau-né. Cela vous donne la confiance nécessaire pour manipuler ses membres fragiles et c'est une façon pratique de lui montrer votre amour si vous vous sentez sous le choc après la naissance.

1 Votre main délicatement posée sur la tête de votre bébé, utilisez le bout de votre pouce pour lui faire des caresses légères et apaisantes, de son front à ses tempes. Parlez-lui pendant que vous le faites, et regardez-le dans les yeux s'il est éveillé.

2 Avec le bout de vos doigts, en faisant une caresse circulaire, massez-lui délicatement les cuisses en descendant jusqu'à ses genoux, puis continuez jusqu'à ses chevilles. Répétez ces caresses circulaires relaxantes sur l'autre jambe.

Profiter de la première année

Des études réalisées en Scandinavie montrent que le schéma de sommeil d'un enfant reflète votre propre degré de stress. Le manque de sommeil augmente également le stress chez les bébés, lesquels, quand ils grandissent, peuvent souffrir du syndrome de l'enfant hyperactif. Nous avons le pouvoir d'enseigner à nos enfants à se détendre et à mieux dormir. Voici quelques conseils pour un sommeil profond et des jeux détendus.

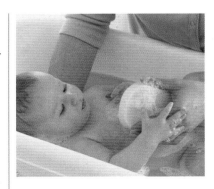

Le bain du soir peut devenir pour bébé un rituel rassurant avant d'aller au lit.

744

Respecter l'heure du coucher

Enseigner à un enfant comment s'endormir n'est pas facile, mais c'est l'une des capacités les plus libératrices et relaxantes que vous pouvez lui transmettre en tant que parent. Pour cela, il suffit d'une routine régulière pour aller au lit. Soyez téméraire et commencez dès ce soir.

745

Décider de l'heure

Si vous attendez que votre bébé ait sommeil pour le mettre au lit, vous risquez fort de veiller toute la nuit. Certains bébés semblent en effet toujours alertes, avec les yeux grands ouverts, mais un bébé sur les nerfs peut signaler qu'il est fatigué. En outre, un enfant énervé a plus de mal à se calmer et il se réveille plus souvent la nuit. Commencez par décider d'une heure fixe pour le coucher, suffisamment tôt pour que votre enfant puisse récupérer d'une journée bien remplie par des explorations et un apprentissage heureux, et aussi pour vous donner du temps pour vous détendre. Aussi difficile que cela puisse paraître, tenez-vous en à cet horaire. Votre enfant finira par tomber de sommeil au signal.

746

Un rituel apaisant

Les bébés se détendent lorsqu'ils savent ce qui va arriver ensuite et cela les aide à s'endormir. Le rituel peut inclure le repas, le jeu, le bain, du lait, les pyjamas et le brossage des dents, une histoire, des cajoleries et une chanson. Mettez-le au lit, souhaitez-lui bonne nuit avec un bisou et quittez-le alors qu'il est à moitié endormi, mais pas complètement. S'il commence à s'agiter, revenez le réconforter, puis repartez en augmentant le temps que vous passez à l'extérieur à chaque fois qu'il s'agite (cela lui permet de découvrir comment se calmer, plutôt que de compter sur vous). L'astuce est la répétition ; une routine pour se coucher ne devient rassurante que si on la répète chaque soir à la même heure. Si cela signifie perturber votre vie d'adulte pendant quelque temps, il faut faire avec.

747

Des sons apaisants

Être apaisé par une musique familière pour dormir est si efficace qu'on l'utilise dans les hôpitaux et les centres de soins pour bébés dans toute l'Amérique du Nord. Des recherches menées sur des prématurés indiquent en effet que la musique à l'heure du coucher ne se contente pas de calmer le bébé et de réduire la douleur, mais cela stimule également le taux d'oxygène, le gain de poids, la capacité de succion et la circonférence de la tête.

748

Musique pour bébé, testée et approuvée

Lorsque vous couchez votre bébé dans son berceau, mettez un CD de musique classique calmante choisie spécialement pour séduire les enfants en bas âge ou sélectionnez des sons naturels. Assurez-vous que les morceaux durent au moins 15 minutes. Voici quelques morceaux recommandés :
- *Six Marimbas*, Steve Reich : 16 minutes de son évoluant graduellement.
- *Descending Moonshine Dervishes*, Terry Riley : ondes oscillantes de sons.
- *Soothing Sounds for Baby*, Raymond Scott : expérimentation sonique qui semble bizarre pour les adultes, mais que les bébés adorent.

749
Obscurité sédative
Posez des stores d'occultation sur les fenêtres de la chambre d'enfant, car les rayons réveillent les bébés tôt le matin et essayez aussi de les sevrer des veilleuses. L'obscurité complète semble en effet aider les enfants à se réadapter à un cycle de sommeil régulier. Un rapport paru dans *Nature* constate un lien entre le fait d'avoir dormi avec une veilleuse jusqu'à l'âge de deux ans et la myopie.

750
Du temps pour une sieste
Faire une sieste pendant la journée semble aider le sommeil du bébé pendant la nuit – et cela *vous* permet aussi de tenir toute la journée. Si possible montez un hamac dans un endroit ombragé et installez-vous avec votre bébé et profitez du balancement qui vous entraîne tous deux au pays des rêves.

751
Soulager les coliques
Si des spasmes abdominaux empêchent votre bébé de se détendre le soir, essayez la posture de yoga pour soulager les gaz. Allongez-le sur le dos et attrapez-lui doucement les chevilles. Poussez ses genoux vers sa poitrine pendant une ou deux secondes, puis retendez-lui lentement les jambes. Répétez cet exercice plusieurs fois. Si votre bébé aime ça, faites-lui faire du pédalage en alternant les jambes.

752
Le tenir en toute sécurité
Utilisez ces idées le soir pour calmer un enfant en bas âge agité ou ayant des coliques.

Tenez votre bébé horizontalement, la tête vers l'extérieur, son dos contre vos cuisses. Passez un bras autour de son ventre, sa tête reposant sur votre avant-bras. Passez votre autre main entre ses jambes et posez-la délicatement sur son ventre. Marchez pour lui faire admirer le monde.

Retournez votre bébé pour qu'il soit face au sol en lui plaçant une main autour de la poitrine et l'autre sur le ventre. Faites-le balancer doucement d'un côté à l'autre.

753
Camomille pour bébés irritables
Vous pouvez donner 2 à 3 granules homéopathiques *Chamomilla* pour apaiser les douleurs provoquées par les coliques, les maux de ventre et les pleurnicheries.

754
Chaleur apaisante
Remplissez à moitié une bouillotte avec de l'eau tiède, puis enveloppez-la d'une couverture douce et tenez-la délicatement contre l'abdomen de votre bébé pour le soulager des spasmes de la colique.

Un contact étroit et des sons apaisants permettent à votre bébé de se détendre avant d'aller au lit.

755

Baignez-vous ensemble

Si les baignoires pour bébé paraissent plus sûres pour les nouveau-nés, elles peuvent aussi s'avérer étroites et dures pour un bébé et traumatisantes pour le haut de votre dos et vos épaules. N'ayez pas peur et voyez si votre bébé ne préférerait pas prendre son bain avec vous, peau contre peau. Vous ne pourrez pas profiter d'une eau bien chaude, certes, mais vous allez jouer avec lui et le regarder se détendre et écarter ses membres. Assurez-vous que sa tête est bien soutenue et terminez le bain avant qu'il ait l'air fatigué.

756

Le langage du bain

Il est difficile de rester physiquement détendue pendant une période prolongée quand on est confrontée à un bébé plus grand ou à un enfant qui commence à marcher – à moins de prendre le bain ensemble ! Asseyez votre enfant à un bout de la baignoire, et immergez-vous dans l'eau de façon à ce que votre tête soit à la même hauteur que la sienne. Puis jouez à des jeux de sons et chantez, faites des bulles et posez-vous chacun des questions, en attendant que sa réponse vienne sous forme de gazouillis ou d'éclaboussements de la main. Tous ces jeux accélèrent le développement du langage chez le bébé.

757

Jeux de copie

Il est émancipateur pour votre bébé de mener une séance de jeu, et pour vous c'est relaxant d'arrêter, pour une fois, de tout contrôler, et de commencer à la place à observer et à copier. Posez votre bébé et observez-le. Reproduisez ses mouvements et les bruits qu'il fait, en vous mettant au diapason avec le langage du corps. Laissez-le composer le programme.

758

Massage relaxant pour les pieds

Les bébés adorent qu'on leur frotte les jambes et les pieds ; cela les calme et ils apprécient cette communication. Massez-le pendant quelques minutes après lui avoir changé sa couche ou avant d'aller au lit, en employant un peu d'huile de pépins de raisin.

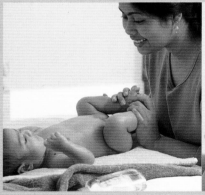

1 **Placez votre bébé** sur le dos et asseyez-vous en face de lui. Prenez-lui les pieds dans vos mains, et caressez-les délicatement avec vos doigts.

2 **Enveloppez sa jambe** avec votre main, puis descendez vers sa cheville. Répétez avec l'autre main, en alternant les caresses pour faire un mouvement fluide.

3 **Reposez son talon** sur votre paume et balayez votre pouce en remontant la plante du pied en décrivant un T. Répétez toutes ces caresses sur l'autre jambe et l'autre pied.

759

Un espace vide

Des chercheurs sur les jeux des jeunes enfants rapportent qu'il est impossible de participer pleinement aux jeux des enfants dans un endroit en désordre car ils sont distraits par les objets. Si vous enlevez tout ce qui se trouve dans une pièce, qu'il ne reste plus que vous et votre bébé, vous aurez la place pour vous occuper ensemble, ce qui est profondément relaxant.

760

Du temps pour papa

Une étude rapportée dans *Early Child Development and Care* indique que les papas qui massent leurs bébés pendant environ 15 minutes par jour avant l'heure du coucher sur une période d'un mois, sont d'avantage à même de se détendre et d'interagir avec leur bébé.

761

Lieux pour se détendre avec bébé

Les lieux où l'on peut se détendre avec son bébé transforment formidablement une journée stressante avec son nouveau-né. Adoptez un café « exprès pour les mamans », avec un coin rempli de jouets et canapés confortables et qui tolèrent les vomissures des enfants en bas âge. Certains musées et galeries acceptent les bébés qui rampent (vérifiez les changements d'expositions) et vous aident à rester en contact avec le vrai monde. Les églises sont des lieux calmes et tolérants pour allaiter. Recueillez-vous dans leur ambiance paisible.

762

Trouvez un cours de massage

Apprenez à calmer votre bébé et à vous faire des amis. Le massage renforce l'interaction entre les bébés et leurs parents, il les rend moins agités et plus sociables, et il peut établir des rituels de sommeil et d'éveil.

763

Un massage pour vous-même

Être seule à la maison avec un bébé peut fragiliser le moral. Trouvez une baby-sitter pendant que vous allez vous faire faire un massage accompagné de musique relaxante. Une étude rapportée dans *Psychiatry* relate que même des séances courtes de massage en musique stimulent une activité cérébrale plus symétrique (l'asymétrie couplée à une activité plus importante dans le lobe frontal droit a un lien direct avec la dépression). D'autres études étayent la puissance du massage pour soulager l'anxiété chez les mères déprimées.

764

Yoga pour bébés

Des études indiquent que le yoga pour bébés entraîne une relation parent/enfant plus interactive qui vous permet tous deux de vous sentir plus calmes. Le yoga semble également aider les bébés à mieux dormir et peut même soulager l'inconfort digestif. Mais, encore plus important, c'est une façon agréable de vous détendre ensemble. Bien qu'il soit possible d'apprendre les enchaînements de postures et mouvements avec un livre, rien ne vaut l'enthousiasme et l'encouragement d'un professeur en chair et en os pendant une séance.

765

Yoga après un voyage

Nous avons tendance à restreindre le corps de nos bébés en leur faisant passer des heures dans le siège d'une voiture. Lorsque vous arrivez à destination, étirez-lui ses membres engourdis avec cet enchaînement de yoga pour bébés.

Détachez votre bébé et allongez-le sur le dos sur une peau de mouton ou autre surface douce. Prenez ses mains dans les vôtres et ouvrez lentement ses bras pour les aligner sur ses épaules, puis croisez-les sur sa poitrine et tenez un instant. Répétez en élargissant graduellement les étirements et en alternant le croisement des bras.

Amenez les plantes des pieds de votre bébé ensemble, puis ramenez-les vers son aine en laissant ses genoux s'abaisser vers l'extérieur. Tenez, étirez-lui les jambes et répétez cinq fois.

Les propriétés calmantes de la camomille peuvent aider à apaiser les coliques de bébé.

Amenez la main droite de votre bébé à son genou gauche, tenez, puis tirez-la en un grand étirement en diagonale. Répétez plusieurs fois, puis changez de côté en prenant sa main gauche pour l'amener sur son genou droit.

766

Sortez

Pour rester détendue avec un bébé, il est indispensable de sortir. Mettez-le dans un porte-bébé et profitez de vos marches pour tisser des liens avec d'autres parents – bon moyen pour explorer le sentiment troublant qu'apporte la maternité. Voyez s'il existe dans le voisinage un groupe parents/bébés pour que vous et votre enfant puissiez voir comment fonctionnent les autres parents et leur bébé.

767

En dedans ou en dehors ?

Selon une étude rapportée dans *Early Child Development and Care*, les jeunes enfants portés vers l'extérieur dans le porte-bébé semblent être plus actifs – et interactifs – que ceux dont le visage est contre vous. Variez votre façon de porter votre bébé pour qu'il reste détendu. Lorsqu'il est d'humeur bougonne, lui placer le visage contre votre poitrine peut l'inciter à dormir, tandis qu'un bébé qui s'ennuie peut arrêter de pleurer s'il est tourné de façon à contempler le vaste monde.

Si porter votre bébé tout contre vous est un réconfort pour lui, la marche devient un plaisir pour vous.

768

Voyez-le grandir

Lorsque la vie s'écroule autour de vous, souvenez-vous que ça ne va pas durer éternellement : visualisez votre enfant à 5 ou à 18 ans, et effacez ainsi les problèmes que ces âges provoquent.

769

La photo de bébé comme thérapie

Rappelez-vous combien cet être est spécial afin de résister à la monotonie et à la frustration des batailles quotidiennes pour le brossage des dents, la toilette et le nourrissage. Sortez les photos de bébé et soyez heureuse.

770

Un nouveau départ

Pour rester relaxée, lâchez prise. Ce n'est plus vous qui décidez quand vous pouvez dormir, vous habiller ou quitter la maison, où vous allez et avec qui. Résister est futile et stressant. Considérez que c'est un nouveau départ lorsque les relations, l'espace vital et le travail demandent une renégociation. Sentir qu'on a perdu tout contrôle peut être libérateur – tout comme ne pas avoir le temps de vous apitoyer sur vous-même.

771

Conseils d'experts

Les manuels sur les bébés sont d'un grand secours, certes, mais si vous trouvez qu'ils sont contradictoires, ou qu'ils font pression pour que vous vous conformiez à une norme qui ne vous convient pas, arrêtez de les lire et fiez-vous plutôt à votre instinct.

Du temps avec les enfants

De nombreux parents pensent que les enfants d'aujourd'hui n'ont pas une enfance aussi détendue que fut la leur. Ils vont en effet plus tôt à l'école, ils passent davantage de tests et ils sont en concurrence avec les autres pour des places à l'école. Leur temps libre est passé à jouer à des jeux électroniques ou à être conduits d'une activité à l'autre à cause de l'inquiétude sur le trafic. Les temps de détente en famille sont également réduits, car les parents rentrent tard. Voici des moyens pour récupérer du temps à partager.

Passer des moments avec son père est inestimable pour le développement d'un garçon.

772

Les choses simples

Une étude réalisée en 2007 au Royaume-Uni pour savoir comment l'enfance a changé en une génération, indique que les parents regrettent que leur progéniture rate des activités qui leur plaisaient. Alors pourquoi ne pas essayer les suivantes :
● Les jeux de société pratiqués en famille.
● Les jeux traditionnels de cour de récréation : saut à la corde, marelle, les gendarmes et les voleurs.
● Des excursions à la journée en bord de mer.
● Jeannettes et Louveteaux.
● Des visites de musées.
● Des fêtes religieuses et de voisinage.
● La liberté de jouer dehors.
● Raconter des histoires et séances de lecture.

773

Une affaire de papas

Une étude de l'Unicef indiquant que les enfants britanniques souffrent de la qualité de vie la plus basse du monde développé, identifie le rôle que les papas jouent dans le bonheur de leurs enfants – surtout de leur fils. Le métier de parent des hommes stimule la prise de risque qui encourage une indépendance détendue. Cela affecte de manière positive le comportement des garçons, leurs résultats scolaires et les protège contre la prise de risques à l'adolescence. Prévoyez des sorties papa/fiston pour qu'ils se détendent de façon audacieuse, en grimpant dans des arbres, en faisant du karting ou de la voile.

774

Faites des trucs ensemble

La Fondation Joseph Rowntree indique qu'au Royaume-Uni 3 millions de parents d'enfants de moins de 14 ans travaillent le week-end. Cela stresse les relations, en privant les enfants de temps avec leurs parents (avec l'impact négatif sur les résultats scolaires et le développement affectif). Quand vous le pouvez, prévoyez des activités qui vous permettent de passer du bon temps ensemble, de préférence dehors – le camping est particulièrement efficace, car il force les membres de la famille à collaborer.

775

Mangez en famille

Les enfants des familles qui mangent chaque jour autour de la table ont généralement de meilleurs résultats scolaires. Prendre les repas à heure fixe génère un sentiment de sécurité chez les enfants anxieux, et cela offre un endroit pour discuter des soucis et des joies, pour apprendre comment regarder les autres, écouter et partager. Faites-le.

776

Réduisez le choix

Donner trop de choix aux enfants, que ce soit pour les céréales, ou pour le programme de leur journée, peut mener à l'anxiété. Si votre enfant est difficile pour la nourriture, étudiez ce qui se passe si vous ne proposez pas de choix à table (mais il faut que vous mangiez ce plat unique vous aussi). Ayez la volonté d'instaurer ceci et de vous y tenir. Être un adulte détendu signifie prendre la responsabilité de ses décisions.

Passer du temps à se détendre ensemble aide à réduire le stress familial.

780

Du temps ensemble

Si vous passez des heures loin de votre enfant, essayez de ne pas faire tenir des activités éducatives formelles dans le temps qui vous reste ensemble : les puzzles stimulateurs cérébraux, les leçons de piano ou l'apprentissage du langage. Ce sont vraisemblablement les choses informelles et plus insignifiantes que vous faites ensemble – le temps de qualité – qui signifient davantage pour votre enfant et qui lui permettent de parler de ses problèmes. Essayez aussi de partager des tâches quotidiennes, comme remplir la machine à laver, faire la vaisselle ou trier le recyclage.

781

Ne faites rien

Instaurez une journée familiale où vous resterez ensemble, sans rien avoir prévu à l'avance et mettez-vous d'accord sur la façon dont vous allez passer le temps.

782

Garde d'enfant, attention

Une étude réalisée par le *National Institute of Child Health and Human Development* indique que certains enfants qui passent de longues heures dans une crèche (plus de 30 heures par semaine) avant leurs 4 ans et demi (et surtout de la naissance à 54 mois) sont plus susceptibles d'être agressifs ou anxieux. Certains experts pensent que de tels comportements négatifs peuvent partiellement résulter de parents qui rentrent tard. Ne pourriez-vous pas opter pour du travail à temps partiel avant que votre enfant n'entre à l'école à temps plein ?

777

Confortablement installés

Regardez un film ensemble. Essayez un film d'animation des studios japonais Ghibli – des films qui remontent le moral, sur des enfants qui explorent des thèmes comme la solitude, ainsi que l'impact des mondes naturels et spirituels. *Mon voisin Totoro* est un bon début.

778

Faites les fous

Prenez du temps pour faire les fous dans votre famille. Récitez des poèmes absurdes, faites des vers, marchez de façon ridicule, jouez à des jeux enfantins et laissez les petits être les rois de la journée. Bouleverser les normes vous décontracte pour jouer avec les limites du comportement conventionnel, ce qui peut aider les enfants à se défouler.

779

Danse des pommes

Une pomme étant composée de 20 à 25 % d'air, elle flotte sur l'eau, se prêtant ainsi à des jeux amusants (mettez beaucoup de journaux sur le sol ou jouez dehors). Remplissez une cuvette d'eau et faites-y flotter des pommes. Mettez des tabliers imperméables, attachez les cheveux longs, puis essayez d'attraper les pommes avec les dents.

783

Câlinez votre enfant

Des effleurements pleins d'amour apaisent l'agressivité. Selon une étude réalisée sur des enfants d'âge préscolaire, ceux issus d'une culture du toucher (France) sont moins agressifs que ceux issus de la culture américaine où l'on ne touche pratiquement pas (les résultats sont les mêmes pour les adultes). Selon une étude du *Early Child Development and Care*, après un massage, les enfants d'âge préscolaire sont plus calmes et sont meilleurs en puzzles que ceux à qui on lit des histoires. Continuez à câliner.

784

Laissez-lui les commandes

Une fois par semaine, passez une heure à faire ce que votre enfant souhaite : faire des gâteaux, jouer au foot ou regarder un film.

785

Zone sans télé

Les enfants qui ont la télé dans leur chambre ont plus de difficultés à s'endormir. Résistez à l'influence de vos pairs et bannissez les écrans des chambres (ordinateurs, Play Station et télé). Offrez-leur plutôt des livres.

786

Toujours des caresses

Ce n'est pas parce que votre enfant grandit qu'il faut arrêter de le masser avant de dormir – même si c'est juste lui caresser la main ou lui frotter les épaules. Des études réalisées sur des enfants d'âge préscolaire massés indiquent qu'il leur est plus facile de s'endormir et que leur sommeil est de meilleure qualité. En conséquence, leur comportement global est meilleur.

787

Yoga amusant pour les gamins

Les enfants adorent le yoga avec une histoire. Imaginez que vous visitez des pays et que vous êtes les plantes et les animaux de ces endroits. Allez vite pour éviter l'ennui.

Chat (ou tigre, lion, puma) : à quatre pattes, inspirez, regardez vers le haut et creusez le dos. Expirez et arquez le dos, en détendant la tête. Répétez en remuant la queue et en avançant.

Serpent (serpent à sonnette, mamba ou cobra). Allongez-vous sur le ventre, mains sous les épaules, coudes en bas. Puis tortillez-vous et sifflez.

Papillon Asseyez-vous droit, genoux fléchis, plantes des pieds rapprochées. Tenez vos pieds et faites battre vos genoux comme des ailes. Faites-le pour aller d'un endroit à un autre, puis posez-vous.

Calmement assis Asseyez-vous calmement, ou allongez-vous, et écoutez les bruits que fait votre corps.

Couvrez-vous d'une couverture si vous avez froid. Cachez une friandise sous la couverture de l'enfant pour lui faire plaisir après la séance.

788

Encouragez la créativité

Utilisez une pièce rarement utilisée comme espace où les enfants pourront salir avec de l'argile, de la peinture, des ciseaux et du papier. Ne faites pas attention au désordre : nettoyez une fois par mois afin de leur laisser mener leurs projets à long terme ou faire des expériences avec divers médiums.

789

Bannissez la perfection

Résistez à l'envie de terminer la création d'un enfant ou de donner une signification à ses gribouillis. Laissez-le placer des yeux là où il veut et gagner l'estime de soi par la confiance qu'on lui accorde pour accomplir une tâche.

Effacez-vous parfois, et laissez votre enfant choisir une activité.

790

Votre arbre généalogique

Faites rechercher leurs racines à vos enfants pour tisser des liens avec l'héritage familial. C'est une bonne excuse pour resserrer des liens familiaux négligés depuis longtemps.

791

Parlez-leur de la famille

Une étude réalisée en 2006 aux États-Unis indique que les préadolescents qui connaissent leur place au sein de la famille grâce aux histoires familiales, ont une plus haute opinion d'eux-mêmes et font mieux face au stress affectif à l'âge adulte. Souvenez-vous de votre enfance, de vos emplois passés, des célébrations, mais aussi des choses qui sont allées de travers. Faites faire aux enfants un livre de la famille avec des récits et des anecdotes drôles.

792

Votre propre pommier

Mangez des pommes (de diverses variétés), et faites germer les pépins en hiver, ce qui est très facile. Faites des compétitions pour voir lesquels poussent le mieux.

Faites tremper les pépins pendant une journée. Remplissez deux petits pots avec du compost sans tourbe et tassez. Insérez les pépins, puis couvrez-les avec 1 cm de compost. Arrosez. Placez les pots dehors pendant huit semaines dans un endroit relativement exposé.

Au début du printemps, rentrez les pots. Mettez-les dans un germoir (ou de grands bocaux en verre couverts avec une soucoupe en verre ou du film transparent). Placez-les dans un endroit chaud et éclairé et arrosez régulièrement. Attendez de 3 à 8 semaines pour la germination.

Des variétés différentes germeront et pousseront à des rythmes différents. Lorsque chaque plant sera suffisamment grand pour être manipulé, sortez-le du pot par les feuilles et transférez-le dans un pot de 7 cm de diamètre rempli de compost. Arrosez. Quand le plant sera à nouveau trop grand rempotez-le dans un pot plus grand (en hiver).

793

Fabriquer une poupée

Voici une activité simple et amusante à faire ensemble, qui convient aux enfants à partir d'environ 3 ans. Les résultats peuvent être étonnants.

- Morceaux de tissu : soie, tulle, maille
- Un paquet de pinces en bois traditionnelles
- Rubans assortis
- Soie à broder métallique
- Colle non toxique
- 2 ou 3 fleurs artificielles
- Crayons feutres

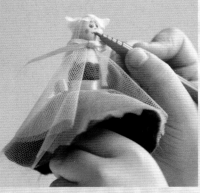

1 Coupez les morceaux de tissu pour faire une forme de robe et de cape. Emballez-les autour du « corps » de la pince et attachez-les à son « cou » avec le ruban.

2 Prenez des morceaux de soie à broder pour faire les cheveux et collez-les sur la tête avec un peu de colle. Laissez sécher en plaçant la poupée droite, puis taillez pour lui donner du style.

3 Défaites les fleurs. Choisissez-en une pour faire le chapeau, et lorsque les cheveux seront secs, collez ce chapeau négligemment sur la tête. Laissez sécher, puis dessinez le visage.

794
Enseignez-leur à se calmer

Les enfants apprennent comment réagir au stress en vous observant. Cela devrait donc vous motiver pour trouver de meilleurs moyens pour faire face à la colère et au stress. Ils se remettent également plus facilement si on leur explique comment les divers membres de la famille résolvent leurs problèmes.

795
Pour l'enfant sérieux

Les enfants qui sont un peu trop sérieux tirent profit de l'essence de fleurs du bush australien *Little Flannel Flower*. Elle aide aussi les enfants en bas âge à se connecter avec le domaine spirituel.

796
Faites des sachets de lavande

Cultivez de la lavande pour ses propriétés antidépressives et pour que les enfants s'endorment si on la place sous l'oreiller. La lavande calme et dissipe la tension musculaire.

De la lavande
Un grand bol
Des chutes de tissu et des ciseaux de couture
Du ruban

Cueillez des tiges de lavande lorsque les fleurs durcissent et palissent, et dépouillez-les de leurs fleurettes que vous mettrez dans un bol.
Découpez des cercles de tissu (l'envers dessus) à l'aide du bol. Mettez la lavande dans les cercles.
Assemblez les bords du cercle et attachez avec un morceau de ruban.

Pour calmer les enfants

Il est plus courant qu'on ne le pense que les enfants montrent leur anxiété : qu'ils refusent de vous lâcher ou qu'ils fassent une crise à l'idée d'être dans l'obscurité ou d'aller à l'école. Des recherches réalisées à l'université de Manchester indiquent que trouver des moyens d'aider son enfant à gérer son anxiété et à devenir plus sûr de lui peut s'avérer plus efficace que compter sur les professionnels de la santé.

797
Musique apaisante

Selon une étude, la musique apaisante peut calmer les appréhensions des jeunes enfants qui doivent subir une opération ; d'ailleurs, ceux qui entendent des berceuses quittent l'hôpital en moyenne trois jours plus tôt que les autres. Elle peut aussi s'avérer efficace lorsqu'on en joue à la maison. Mettez à faible volume le second mouvement lent de la plupart des symphonies de Mozart, ou le concerto Brandenbourgeois de Bach afin de couvrir les périodes de stress comme les devoirs à la maison.

798
Ventre anxieux

Selon l'université de Bristol, beaucoup d'enfants atteints de problèmes persistants de ventre, ont des parents anxieux. Attaquez-vous rapidement à vos propres facteurs de stress.

799
Plantes utiles

Le remède chinois *Xia Ku Cao* calme le « feu du foie », censé provoquer l'hyperactivité et les colères. Ajoutez-en

30 g à 75 cl d'eau, et faites bouillir jusqu'à ce qu'il ne reste que 50 cl. Laissez refroidir et donnez-en chaque jour à votre enfant une demi-tasse diluée avec de l'eau ou du jus de fruits.

800
Conseil homéopathique

Chaque enfant réagit à sa façon aux défis de la vie. Il peut s'avérer utile de l'emmener consulter un homéopathe qui vous aidera à comprendre la façon qu'il a de faire face, et à trouver le remède qui lui convient. Par exemple, un enfant avec une constitution *Calcarea carbonica* est susceptible d'exprimer son anxiété avec l'entêtement et l'indépendance, ayant un fort besoin de terminer les tâches et n'aimant pas le changement. Un enfant *Pulsatilla*, quant à lui, a plus de besoins et a peur qu'on le laisse tout seul.

801
Mouvement apaisant

Le *Journal of Bodywork and Movement Therapies* indique qu'après des séances de taï-chi, les adolescents atteints du syndrome de l'enfant hyperactif sont

L'activité dynamise les sentiments de bonheur et de bien-être.

moins anxieux, rêvassent moins, ont moins d'émotions inappropriées et sont moins hyperactifs.

802

Le chiffre huit

Les kinésiologues recommandent de faire des huit avec le corps pour faire travailler les deux hémisphères du cerveau et restaurer l'équilibre en période de stress. Jouez à l'éléphant, les bras pour la trompe, décrivant des chiffres huit. Si votre enfant adore dessiner, faites-lui composer un motif en liant des huit de côté, ou tracer dehors de grands huit à la craie.

803

Bougez

Tout exercice restaure les substances chimiques du cerveau qui stimulent l'assurance, dont la sécrétion de dopamine, substance qui aide au contrôle

de soi. Si votre enfant déteste les sports de contact, essayez la gymnastique, le trampoline, le yoga ou le vélo.

804

Massez vos enfants

Selon plusieurs études, les enfants qui sont extrêmement actifs semblent avoir des comportements moins anxieux et tenir davantage en place après avoir été massés. Ensuite, ils paraissent plus à même de se concentrer plus longtemps sur des tâches et ont aussi l'air plus heureux.

805

Dites-le fort

Quand votre enfant est positif et courageux, ne tarissez pas d'éloges et d'attention, mais en revanche, faites semblant de ne pas voir quand il ne réussit pas très bien. Donnez-lui un coup de pouce pour qu'il puisse montrer qu'il est bon en sport ou en musique par exemple.

806

Sommeil et alimentation saine

Les enfants anxieux ont vraisemblablement besoin de plus de sommeil : un corps toujours sur le qui-vive brûle de l'énergie et a besoin de se remettre. En outre, de petits repas fréquents de fruits et légumes riches en vitamines et minéraux, ainsi que des grains complets, des fruits à coque et des graines, du poisson et de la viande, de l'eau, du lait et des yaourts lui apportent de l'énergie. Évitez les boissons caféinées et les plats industriels. Demandez conseil à une diététicienne spécialiste des enfants anxieux.

807

Mâchez lentement

Apprenez aux enfants à manger lentement en leur montrant l'exemple, en reposant leurs couverts et en mâchant bien. Cela détend l'appareil digestif.

808

Des huiles de poisson

Un supplément d'huiles de poisson pour enfants peut les calmer. Selon une étude réalisée dans des centres de gardes d'enfants de Durham au Royaume-Uni, cela stimule la formation des liens affectifs, la concentration et le langage, et réduit les comportements turbulents.

809

Essayez la méditation

Selon des études, être conscient de ses pensées est susceptible de réduire l'anxiété et de construire la résistance. La méditation stimule l'activité dans l'hémisphère gauche du cerveau :

L'huile d'onagre est calmante.

la partie active chez les individus positifs, peu anxieux. Cherchez des séances de méditation pour enfants dans des centres de yoga, ou essayez les idées ci-dessous.

810

Des lunettes d'inquiétude

Achetez deux paires de lunettes rigolotes dans une boutique de jouets. Appelez l'une des paires « lunettes d'inquiétude » et demandez à votre enfant de les mettre et de vous parler d'une situation qui l'angoisse, peut-être un examen ou un nouvel instituteur. Demandez-lui ensuite de mettre l'autre paire et de voir comment devient la situation avec les « lunettes sans inquiétude ». Que va-t-il se passer ? Comment les autres vont-ils voir les choses ? Aidez-le à évaluer les risques.

811

Méditation du soir

Après une histoire, allongez-vous avec votre enfant et fermez les yeux. Demandez-lui d'observer sa respiration et de vous dire ce qu'il voit dans sa tête. Demandez-lui si les images changent souvent et d'imaginer que chaque pensée est un ballon, et de lâcher la ficelle et de le regarder s'élever dans le ciel. Puis d'observer le ballon suivant s'élever à son tour.

812

Visualiser un lieu sûr

Demandez à votre enfant de s'asseoir les yeux fermés et d'imaginer qu'il ouvre une porte et qu'il marche dans un jardin rempli de fleurs. Demandez-lui qui est sur le banc dans un coin confortable – quelqu'un qu'il aime et en

Les plaisirs nutritifs d'une bouchée évitent les baisses d'énergie, tout en aidant à calmer l'anxiété.

qui il a confiance. Laissez-le embrasser la personne et s'asseoir à côté d'elle. Que dit cette personne pour le rendre heureux ? Puis demandez-lui de partir en gardant la clé afin de pouvoir revenir. Une autre personne qui l'aime est debout devant la porte, prête à l'embrasser. Demandez-lui qui c'est.

813

Thérapie cranio-sacrale

Un thérapeute observe votre enfant, puis pose la main sur lui pour « l'écouter ». Des patients disent que les jeunes enfants anxieux sont plus

détendus ensuite, se conduisent mieux et font mieux face au stress.

814

Thérapie cognitive

Travailler avec un thérapeute peut aider un enfant à venir à bout de sa façon d'évaluer les situations avec appréhension et à admettre que ses sentiments ne sont pas corroborés par les risques réels que représente tel ou tel événement. Une fois que l'enfant fait une évaluation réaliste du monde, il est désensibilisé par une exposition graduelle au stress.

Une retraite intérieure

Parfois, la meilleure façon de se détendre est de s'échapper et de passer un peu de temps seule. Lorsqu'on peut trouver un endroit tranquille parmi les assauts des responsabilités, des délais précis et des obligations, on peut rassembler des énergies distendues et se plonger dans son puits de ressources intérieures, en se dorlotant afin d'être prête à accepter le monde à nouveau. Se remettre en phase avec soi-même nous prépare à émerger avec davantage de compassion et plus d'énergie.

815
Vérification annuelle
Lorsqu'on se réveille en pensant « C'est tout ce qu'il y a ? » Il est grand temps de réserver du temps « Moi ». Ayez au moins un jour et une nuit loin, seule, pour vous terrer quelque part ailleurs qu'à la maison, dans un endroit où vous n'avez pas à faire des bavardages polis ni quoi que ce soit pour qui que ce soit. Faites de longues marches, prenez des bains, mangez bien, dormez beaucoup

Choisissez une retraite où vous pourrez faire quelque chose qui vous tient à cœur ou apprendre quelque chose de nouveau.

et évitez le shopping, la boisson et le papotage – activités qui vous distraient de vous-même.

816
Penchez-vous sur votre vie
Utilisez une retraite pour réfléchir à la vie, à votre vie de tous les jours. Dressez la liste des événements de l'année qui ont été les plus satisfaisants et les plus stimulants. Comment se reflètent-ils sur vos bonnes et mauvaises passes ? Qui vous a aidée cette année ? Quelle amitié a pris fin et lesquelles valent la peine que vous les chouchoutiez ? Comment pourriez-vous renégocier vos relations pour les améliorer ? Tout du long ne pensez pas à ce que vous voulez, mais à ce dont vous avez besoin et visez à rentrer à la maison en étant consciente de vos chances.

817
Rester silencieuse
Observez ce qui arrive quand vous restez silencieuse : vous êtes davantage concentrée et vous vous sentez plus éveillée, tout en étant consciente de votre voix intérieure qui crie. Faites-en

une habitude – éteignez le téléphone, la télé et la musique, ainsi que votre voix, et observez comment votre voix intérieure finit par se calmer ; vous commencez à avoir l'intuition de ce que les Quakers appellent la « petite voix tranquille ».

818
Silence partagé
Être silencieuse avec les autres est profondément rassurant, cela vous aide à apprécier les diverses qualités du silence qui accompagnent la prière, la méditation et les tâches quotidiennes. Joignez-vous à un groupe de méditation ou à une retraite silencieuse, pourquoi pas dans des ordres ayant fait vœu de silence.

819
Retenez vos sens
Asseyez-vous ou allongez-vous tranquillement et fermez les yeux. Vos mains et vos pieds sont détendus. Ôtez la conscience de vos yeux et sentez-les se calmer et reposer lourdement dans leurs orbites, puis abandonnez votre interaction avec le monde par la bouche. Laissez votre langue reposer sur votre palais, vos lèvres détendues. Que sentez-vous ? Laissez-vous aller, attirez votre conscience vers l'intérieur. Observez les bruits autour de vous, près et loin, à gauche et à droite. Détachez-vous de leur signification afin qu'ils deviennent des schémas de bruits. Puis laissez-les partir aussi et tirez votre sens de l'ouïe vers l'intérieur. Enfin, prenez conscience des sensations sur votre visage et votre peau. Désengagez-vous et tirez cette conscience vers l'intérieur, vers votre cœur. Demeurez à l'intérieur pendant 5 à 10 minutes.

820

Des retraites religieuses

Ce sont des endroits sûrs où l'on peut rester silencieux, si le calme vous apporte douleur, colère ou culpabilité. Des personnes expérimentées peuvent vous apporter leur aider en ce qui concerne la prière et la méditation.

821

Des retraites malignes

Si votre façon à vous d'évacuer votre stress est de pratiquer un art, il y a des

Profitez du sentiment libérateur apporté par un bain dans un environnement fantastique.

refuges pour vous dans le monde entier. En plus de faire du tissu matelassé, d'écrire, ou de jouer de la harpe, vous trouverez des paysages magnifiques, des promenades, des feux de camp, de la bonne chère, et souvent, des thérapies complémentaires, allant du massage aux séances de yoga.

822

Offrez-vous un spa

Un jour au spa peut servir de refuge dans la mesure où les thérapeutes sont sensibles, et l'environnement exaltant.

Cherchez des endroits où l'on peut s'échapper dehors et s'asseoir sur une colline ou surplomber un lac entre les traitements. Ou bien trouvez un spa avec piscine extérieure dans un environnement magnifique, où l'on peut recevoir son traitement en tipi ou en pavillon ouvert aux éléments, d'où l'on peut regarder la mer à l'horizon ou un lac calme.

823

Faites une longue promenade

Un pèlerinage est une retraite en marche, traditionnellement vers un lieu de culte, qui calme le corps par une activité répétée et qui libère l'esprit. Il est rassurant de suivre un sentier tracé depuis des millénaires. Renseignez-vous sur la route de saint Jacques de Compostelle en Espagne ; elle date du XIe siècle.

Des nourritures spirituelles

La religion organisée est tellement en recul que peu d'individus de moins de 50 ans ont gardé le souvenir de ce qu'est l'appartenance à une communauté religieuse avec des croyances et des valeurs partagées. Mais ce qui en reste, c'est malgré tout le sens que nous avons en nous, un élément spirituel qui demande à être exploré si nous voulons mener une vie agréable, détendue et heureuse. Chercher à accomplir ce rôle sacré de votre être peut vous apporter la paix et un sens épanouissant de connexion et de compassion.

824

Retraites pour mère et enfant

Certains ordres religieux féminins proposent des retraites pour les mères et leur bébé. Les sœurs s'occupant du bébé, vous pouvez marcher, dormir, lire ou assister à un service religieux et à des discussions sur les dimensions spirituelles de la maternité. Ce sont des endroits très spéciaux et très attentionnés.

825

Lisez des haïkus

Prenez les œuvres de l'écrivain japonais Matsuo Basho (1644-1694) sur la retraite. Il a composé de nombreux haïkus, ou vers, pendant ses pèlerinages ou quand il était assis calmement dans la hutte *basho* dans laquelle il se retirait. Avec les 17 syllabes d'un haïku, il donne un aperçu visionnaire fugace du moment présent dans la nature, recouvert de la mélancolie des rêves humains, passés et futurs, qui nous tirent de ce lien intense avec l'instant et la nature.

826

Lâcher prise

La foi consiste à lâcher prise, à sentir, plutôt qu'à chercher à rationaliser ou à comprendre avec l'intellect. Laissez les impossibilités terrestres d'une naissance en étant vierge, d'une réalité au-delà du temps et de l'espace, ou du son d'une main qui frappe, vous permettre de contourner des pensées enracinées et des schémas de comportement. On n'est pas censés apercevoir Dieu ni le paradis, les deux sont inconnaissables, et il n'y a pas de réponses, seulement des questions qui nous font regarder comment nous habitons notre monde.

827

Cela ne concerne que vous

Réfléchissez à qui vous êtes intérieurement pour trouver l'étincelle du divin en vous. Le prophète Mohamet a dit que pour connaître Dieu, il faut commencer par se connaître soi-même.

828

Faites votre choix

Celles d'entre nous qui n'ont pas une forte spiritualité peuvent se sentir stressées et isolées par notre recherche de la foi, lorsque nous évaluons les divers systèmes, les sectes, les leaders et les gourous en quête de l'adaptation parfaite. Mais la spiritualité n'est pas une expérience de shopping. Le maître du bouddhisme tibétain Trungpa Rinpoche prévient des dangers du « matérialisme spirituel » : il nous permet de créer un ego « religieux » qui est impatient d'apprendre, mais qui crée une barrière à la foi.

829

Échapper

Réfléchissez à la citation de l'auteur anonyme du XIVe siècle d'une carte pour un chemin spirituel, *Nuage de l'inconnaissance*. « Par l'amour, il peut être pris et retenu, mais par la pensée, jamais ».

Regardez profondément en vous, pour découvrir le pouvoir de la prière.

834

Plongez-vous dans le silence

Le théologien et mystique allemand Maître Eckhart (env. 1260-1328) a écrit : « De toute la création, rien ne ressemble plus à Dieu que le silence ». Méditez là-dessus lorsque vous êtes assise et contemplez calmement dans un lieu de culte ou d'émerveillement.

835

Une première prière

Les individus de nombreuses confessions trouvent que cette prière russe orthodoxe est parfaite pour commencer à prier : « Seigneur Jésus-Christ, fils de Dieu, ayez pitié de moi, pauvre pécheur ». Quand on la répète à voix basse, elle fait écho, comme une ligne fondamentale sur laquelle jouerait la mélodie de la vie qui nous mène au commandement de Dieu

Faites brûler de l'huile essentielle de rose pour rehausser les sentiments de compassion.

830

Allumez de l'encens

Pour créer un état conduisant à la prière, allumez de l'encens ou du bois de santal, ou, pour augmenter la compassion, placez 4 gouttes d'huile essentielle de rose dans un vaporisateur.

831

Essayez une prière

La prière ne consiste pas à demander des choses. Elle signifie tirer de la tête vers le cœur, acte censé nous mener vers l'union avec le divin. L'islam considère la prière comme une échelle par laquelle on monte vers Dieu.

832

Ouvrez la porte

Asseyez-vous dans un lieu de culte ou naturellement beau. Fermez les yeux, les mains sur les cuisses, paumes vers le haut. Voyez votre cœur qui s'ouvre comme une porte et restez ainsi pendant quelques instants avec cette ouverture. Si ce niveau de réceptivité vous fait peur, laissez la porte entrouverte. Fermez-la avant de retourner au monde.

833

Abandonnez

Quand vous êtes dans un état de réceptivité, essayez de réciter la prière non confessionnelle « Accordez-moi un cœur pur. »

de se réjouir à jamais. « Soyez toujours joyeux, priez sans cesse, rendez grâces en toutes choses ». (1. Thessaloniciens 5 :16-18).

836

Du concret

Trouvez un point central concret pour explorer la religion. Observez les jours de jeûne de votre foi, ou de celle qui vous attire. Carême, ramadan, yom kippour… Se tester et s'aligner sur les autres aide à sentir une unité et apporte une sensation d'euphorie laquelle, dans certaines religions, relie à un état plus élevé de conscience. On dit qu'avoir faim adoucit et ouvre le cœur aux moins fortunés (à éviter si vous êtes enceinte ou avez un problème de santé).

Passez du temps dans un lieu saint, éloigné, et faites l'expérience de l'incroyable sérénité et du sens de la foi.

837

Des lieux saints

Visitez des lieux ou des croyants ont vécu. Asseyez-vous et soyez attentive : la foi peut être tangible. Les endroits où des ermites ont vécu sont particulièrement terrifiants, ce sont en effet souvent des sites d'un éloignement inhospitalier et d'une beauté rigide, au bord du monde, d'où l'on regarde l'infini. Visitez des îles saintes comme le Mont Saint Michel, des ermitages comme celui du Père Foucauld dans le Hoggar ou le sommet de montagnes sacrées comme le mont Sinaï en Égypte.

838

Découvrez l'adoration exubérante

Faire des signes de la main, chanter, psalmodier et bouger aide certains à ressentir une connexion divine. Si cela vous attire, enquêtez sur les congrégations antillaises ou chrétiennes d'Afrique, sur la tradition islamique soufie, ou sur la voie hindoue *bhakti* de dévotion à Krisna.

839

Essayez des postures d'extase

Le corps peut adopter des postures pour exprimer l'humilité ou la connexion, ou pour vous aider à atteindre le divin. Agenouillez-vous pour prier ; prosternez-vous si vous en avez la force, ou apprenez les mouvements des prières musulmanes quotidiennes.

840

Mudra anjali (offrande)

Un mudra est une posture qui provoque un état intérieur. Essayez le geste de prière, de bienvenue et d'humilité, cher au christianisme, à l'hindouisme et au

bouddhisme en joignant vos paumes sur la poitrine. Sentez vos doigts contre leur partenaire opposé et les talons de vos mains qui ancrent vos paumes. Pressez les pouces dans votre sternum pour faire le lien avec votre cœur lorsque vos doigts pointent vers le royaume des cieux. (Pour ressentir le centrage que cela apporte, déviez-les du centre pendant un instant). Vous pouvez écarter les doigts comme un signe d'ouverture vers l'amour divin, mettre les paumes en coupe comme un bouton de fleur, dans un symbole de promesse, ou toucher brièvement votre front du bout des doigts pour relier votre tête et votre cœur.

841

Observez votre jour saint

Quel que soit le jour saint de la semaine dans votre religion, observez ses pratiques sacrées. Faites-en une journée de repos, de réflexion et de dévotion à la famille en cuisinant des plats traditionnels, en allumant des bougies, en disant des mots sacrés sur la nourriture et en rendant grâce avant d'aller au lit.

842

Une communauté spirituelle

Le mot *religion* vient du verbe latin signifiant « qui attache ». Toutes les religions nous enseignent à regarder en nous, mais de le faire avec d'autres, et d'utiliser ce qu'on apprend pour améliorer la vie de ceux qui nous entourent. Être religieux nous fait prendre place dans une masse plus grande, ce qui est déstressant. Des études indiquent que des individus qui déclarent avoir la foi se sentent plus heureux et plus satisfaits de la vie et qu'ils sont plus stables que les autres d'un point de vue affectif. Une étude réalisée en 1999 révèle même qu'assister à des services religieux ajoute 7 ans de vie.

843

Offrez vos services

La tradition monastique chrétienne enseigne de ne pas bouger pendant la prière et d'être humble pendant l'office. Cette double approche d'équilibre entre travail intérieur et extérieur ressemble en partie au chemin torsadé en huit de la transformation intérieure qu'est le hatha yoga. Cela aide à développer une équanimité qui nous prépare à faire face aux défis. En même temps que vous explorez votre sentier intérieur faites quelques travaux charitables d'intérêt public.

844

Assistez à un service religieux

C'est très bien d'être religieux, mais vous n'obtiendrez pas de bienfaits déstressants tant que vous ne vous serez pas immergé dans l'adoration au sein d'une congrégation.

5 Se détendre en période de stress

Il est important de dissiper la tension musculaire, de s'éclaircir l'esprit et de se remonter le moral en période d'anxiété. Les causes principales de l'angoisse, à part le travail, ont été esquissées en 1967 par deux psychologues américains. Les cinq premières sont le décès du partenaire, le divorce, la séparation, l'emprisonnement et la perte d'un être cher. De telles angoisses personnelles peuvent réduire de 4 ans l'espérance de vie. Parmi les autres facteurs de stress : les problèmes financiers et de santé. Les recherches actuelles exposent comment des événements « agréables » comme les vacances, les fêtes nationales et les fêtes de famille nous angoissent. Voici des moyens de faire face aux moments difficiles : traiter ses problèmes d'argent ou préparer son corps et son esprit pour une soirée. En outre, voici des conseils sur la façon d'éviter ce soutien favori des individus stressés : la cigarette.

Réduire ses problèmes financiers

Des recherches établissent un lien entre stress financier et dépression, hypertension, insomnie, fatigue, problèmes digestifs et boulimie. Pratiquement la moitié des individus sondés par *Mental Health America* en 2006 souffraient de stress financier, ce qu'une étude réalisée à l'université d'État de l'Ohio considère comme plus susceptible de provoquer une dépression que la perte d'un proche. Voici des moyens d'atténuer les soucis, qui ne comprennent pas la loterie : selon une étude, les gagnants à la loterie et les paraplégiques sont pareillement heureux un an après l'événement qui a bouleversé leur vie.

845

Planifiez vos dépenses

Si vous ne savez pas où passe votre salaire, établissez un budget. Notez votre revenu, puis vos dépenses : le loyer, les factures (gaz, électricité, eau, téléphone, internet, télé, impôts), le remboursement des emprunts, l'alimentation, les transports (dont les coûts de la voiture), l'épargne, les assurances, les vacances et les sorties. Nombreux sont ceux qui semblent penser que la totalité de leurs revenus ne sert qu'à ces dernières ! Sur quels postes pouvez-vous épargner et où devez-vous dépenser plus ? Mettez-le à jour tous les mois pour réduire vos problèmes d'argent.

846

De l'ordre dans vos finances

Voir un paiement par carte bleue refusé parce que vous avez oublié de vérifier vos comptes entraîne des coûts et du stress inutiles, voire la liste noire pour des emprunts futurs. Ouvrez des dossiers pour votre carte de crédit et vos relevés bancaires, les impôts divers et les charges pour l'habitation, puis prévoyez une soirée par mois pour vérifier et classer vos factures et relevés bancaires. Instaurer le prélèvement automatique vous assure de ne jamais plus oublier une échéance.

847

Réaménagez les échéances

Mettez vos soucis de dépenses excessives de côté en regroupant vos emprunts et en échelonnant vos mensualités. Renseignez-vous auprès des organismes financiers.

848

Dites simplement non

Évitez les cartes de crédit des grands magasins, vraisemblablement la forme la plus onéreuse de crédit facile. Découpez-les tout de suite en morceaux et payez plutôt à la place la plupart de vos achats en liquide.

849

Arrêtez de grincer des dents

Selon une étude rapportée dans le *Journal of peridontology*, les individus qui s'inquiètent de leur stress financier, mais qui ne font rien pour l'éviter, semblent plus sujets aux maladies

Rationalisez vos systèmes de classement pour vous débarrasser du stress inutile.

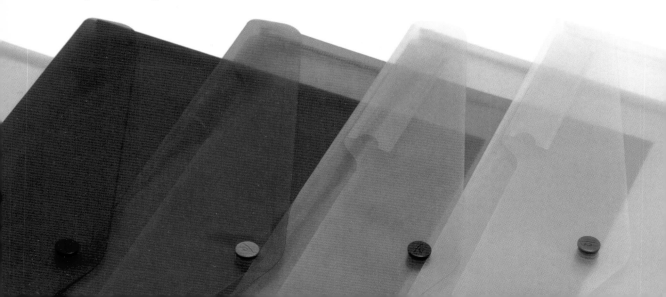

Essayez le feng-shui : faites pousser un *Crassula ovata* dans le coin financier de votre demeure.

dentaires que ceux qui prennent le taureau par les cornes ; et les finances sont le seul facteur de stress à avoir cet effet (le stress conjugal ou professionnel a moins d'impact). Faites quelque chose pour vos comptes, ne serait-ce que pour la santé de vos dents !

850

Uniquement si vous en avez les moyens

Économisez pour quelque chose. Savourer l'anticipation de pouvoir s'offrir un article de luxe est moins stressant que de se demander comment on va bien pouvoir payer les prélèvements qui en découlent.

851

Aide homéopathique

Si votre angoisse augmente quand vous pensez à l'argent et que vous passez des heures devant vos relevés bancaires ou à faire des calculs frénétiques, prenez une dose du remède homéopathique *Arsenicum album* 30 et allez faire quelque chose de plaisant à la place.

852

Un cristal protecteur

Selon le feng-shui, placer une citrine assainissante et protectrice dans le coin financier d'une maison (l'endroit à gauche le plus éloigné de la porte d'entrée) attire la prospérité. Essayez aussi de faire pousser un Crassula à cet endroit.

853

Faites votre testament

Si penser à la mort peut paraître stressant, cela éclaire d'un jour nouveau les minuscules facteurs de stress qui nous assaillent quotidiennement. Il est particulièrement rassurant, si vous avez des enfants sans être mariée, de penser à leur avenir sans vous. Réfléchissez à ces problèmes en vous promenant dans des cimetières. Penser à la mort nous force à apprécier le miracle de la vie et nous libère pour nous permettre de vivre plus pleinement.

854

Faites-le maintenant

Arrêtez de tergiverser. Vos problèmes d'argent ne vont pas disparaître comme ça. Consultez un conseiller financier ou en surendettement, renseignez-vous auprès de votre mairie sur les aides juridiques gratuites auxquelles vous pouvez prétendre.

Savoir faire face quand les temps sont durs

Quelle que soit l'origine de votre stress – crise relationnelle, maladie, chagrin – employer des stratégies fondamentales de relaxation peut aider votre corps et votre esprit à contrer les hormones du stress qui déclenchent la panique et les palpitations et qui épuisent les vitamines et minéraux dont votre système nerveux a besoin pour fonctionner.

855

Évitez l'anxiété

Pendant quelque temps arrêtez de lire le journal ou de regarder les informations à la télé pour que les guerres et les tragédies des autres ne viennent pas s'ajouter à vos propres soucis. Pensez à Benjamin Franklin (1706-1790) qui disait avec sagesse qu'il ne faut pas anticiper les ennuis ni s'inquiéter de ce qui n'arrivera peut-être jamais, mais plutôt rester au soleil.

856

Devenez un observateur

Le bouddhisme exhorte à cultiver une conscience détachée – à devenir quelqu'un qui observe et qui ainsi n'est pas submergé sous des vagues de passion et de jugement qui ébranlent la santé mentale. Observez les situations avec objectivité. Vous pouvez imaginer que vous êtes au balcon d'un théâtre à regarder une pièce qui se joue loin en dessous.

857

Surveillez votre alimentation

Un sondage réalisé en 2006 par *Mental Health America* indique que les femmes sont plus susceptibles de manger pour faire face au stress. Si c'est tout vous, évitez les aliments qui n'apportent pas de nutriments nécessaires au bon fonctionnement de votre système nerveux (pâtisseries, caféine et friandises).

858

Mangez équilibré

Certains aliments sont particulièrement utiles pour soulager les symptômes du stress. En période difficile, mangez des fruits et légumes riches en couleurs, des poissons gras, des grains complets, et des sources de vitamines B (poulet, avocats et bananes en particulier).

859

Des disputes sans stress

Pour arrêter l'élévation de la tension et du rythme cardiaque pendant les disputes, restez calme et maîtrisez la situation en séparant les faits des émotions. Formulez ce que l'autre a fait

Les avocats contiennent des vitamines B déstressantes.

pour vous contrarier, sans exagérer, ni juger : « Tu n'es pas venu à notre rendez-vous ». Puis, froidement, indiquez les conséquences négatives de cet acte « J'avais pris une RTT pour cela, et maintenant je vais être en retard dans mon travail ». Terminez en demandant de l'aide : « Comment pourrions-nous nous remettre en selle ? »

860

Dépersonnalisez les insultes

Quand vous dites à quelqu'un combien il vous a blessé, résistez à l'envie de le blesser et minimisez le potentiel pour l'aggravation du conflit en parlant à la première personne, comme « Je me sens frustrée lorsque vous faites cela, parce que… ». Inversement, si vous faites des louanges, employez la deuxième personne. Cela paraît un peu simpliste, mais ça marche.

861

Incluez-vous

Une étude parue dans *Psychological Science* indique que les individus qui disent plutôt « nous » lors de disputes arrivent à de meilleures solutions pour les deux parties concernées, tandis que ceux qui disent « vous » plus volontiers ont tendance à être plus stressés, plus négatifs et plus critiques.

862

Gagnez

Pendant une dispute, pensez comment les deux parties pourraient se sortir d'une incompréhension ou d'un conflit avec dignité et un résultat positif.

863

Des fleurs libératrices

Prenez l'essence de fleurs du bush australien *Red Suva Frangipani* pour apaiser les émotions vives et douloureuses, lorsqu'une relation se termine ou qu'elle est dans une mauvaise passe.

864

Adoucissez votre regard

En période de conflit remarquez si vos yeux sont plus durs ou s'ils regardent fixement. Adoucissez et agrandissez votre regard. En yoga, on dit que cela relaxe les lobes frontaux du cerveau, calme l'esprit et détend le diaphragme, ce qui facilite la respiration profonde.

865

Dissipez votre tension corporelle

Pour atteindre des zones de stress dont vous n'étiez pas consciente, allongez-vous et contractez la partie inférieure de votre corps. Contractez vos muscles – des orteils à l'abdomen – et retenez votre souffle. Relâchez, puis détendez-vous. Répétez, en contractant la partie supérieure de votre corps, depuis les doigts et la poitrine, jusqu'aux épaules et au visage. Tenez, puis relâchez. Répétez sur toute zone du corps qui vous semble encore tendue.

866

Thérapie par la parole

S'attaquer activement à des problèmes douloureux peut abaisser vos niveaux de stress. Des chercheurs de l'université de

Copenhague ont découvert que des hommes qui parlent de leur infertilité – que ce soit à des professionnels ou à leurs amis – trouvent que les liens avec leur partenaire se resserrent, ce qui les protège contre les effets négatifs du stress. Ceux qui évitent d'en parler font augmenter leur stress de façon irréversible, ce qui, en conséquence, déstabilise leur couple.

867

Aimez votre animal

Des études menées sur des hommes séropositifs ou atteints du SIDA, montrent que ceux qui ont un animal risquent beaucoup moins de présenter des symptômes de dépression ; par ailleurs un groupe de New-Yorkais dynamiques et stressés par le travail et atteints d'hypertension a réduit sa tension et son rythme cardiaque en acquérant un animal.

868

La pensée positive

S'attarder activement sur ses symptômes semble les amplifier, augmenter notre perception de la douleur et de l'inconfort. Essayez plutôt de scanner votre corps pour y trouver des zones non douloureuses : pensez à votre nez, vos orteils, votre peau et vos follicules pileux. Penser de manière positive a pour effet d'attirer davantage de pensées positives. Imaginez ce regroupement positif qui formerait une masse susceptible de vaincre vos sentiments négatifs.

Faire de la place dans sa vie pour un animal de compagnie, c'est donner un coup de pouce significatif à son bien-être.

869
Trouver un groupe de soutien
Des groupes de soutien en ligne peuvent aider ceux qui souffrent de maladies chroniques. Selon une étude réalisée en 2005, 74 % d'un groupe de diabétiques formé sur le net avaient davantage d'espoir sur leur santé après avoir bavardé en ligne.

870
De la musique analgésique
Selon une étude de 2003 réalisée sur des malades atteints d'ostéoarthrite chronique, la musique lente avec moins de 80 battements par minute réduit notre perception de la douleur si on l'écoute pendant au moins 20 minutes. La musique employée dans cette enquête était l'ouverture du *Mariage de Figaro* de Mozart et le premier mouvement de sa *Symphonie n° 4* en G mineur (K550).

871
Prenez les choses du bon côté
Aborder la maladie dans un état d'optimisme est utile, car il est prouvé qu'être positif stimule l'immunité et baisse la pression artérielle.

872
Angoisse dentaire
Si vous avez peur des dentistes, trouvez-en un qui emploie des remèdes homéopathiques pour calmer les nerfs, ainsi que pour les problèmes dentaires (ces professionnels n'utilisent pas de mercure).

873
Prenez une tasse de thé
Le thé est le tonique traditionnel des Britanniques contre les traumatismes.

874
Du yoga pour la force morale
Lorsque vous êtes en proie à des sentiments confus, il est important de rester centrée, mais toutefois pas trop ouverte. Cet enchaînement de yoga pourra vous aider.

1 À genoux, assise sur les talons. Croisez les doigts, paumes vers l'extérieur, puis tirez les bras vers le haut. Respirez en relâchant les fesses.

2 Toujours à genoux, écartez les genoux et, tout en laissant les fesses en bas, avancez les mains devant vous et détendez votre tête sur le sol. Calmez votre esprit.

3 Asseyez-vous droite, reposez vos paumes. Fermez les yeux et concentrez-vous sur votre respiration. Sentez la fermeté et revenez à la posture initiale.

Des recherches réalisées en 2006 par l'University College de Londres, indiquent que le thé aide vraiment à abaisser le taux de cortisol, l'hormone du stress. Infusez-le en théière : il sera meilleur et vous en aurez plus.

875

Homéopathie pour le chagrin

Bien qu'on les trouve sans ordonnance, après un chagrin, cherchez un traitement auprès d'un homéopathe.

● *Aconite* quand on est sous le choc, incrédule, ou qu'on a un sentiment d'irréalité à propos de ce qui est arrivé.

● *Ignatia* pour un chagrin aigu avec beaucoup de pleurs, de soupirs, d'accès émotionnels et la gorge constamment nouée.

● *Natrium muriaticum* si votre chagrin date de quelque temps, mais que vous restez infiniment triste.

876

Aide des plantes

La teinture extraite de l'avoine (*Avena sativa*) est anti-dépressive et c'est un tonique remontant pour les nerfs recommandé à ceux qui doivent faire face à une période prolongée de stress, comme s'occuper d'un membre malade de la famille. Versez 10 à 30 gouttes dans de l'eau et buvez-en 2 à 3 fois par jour.

877

Une activité extrême

Une activité qui vous épuise peut vous aider à faire face au chagrin : escalader une montagne, s'entraîner pour un marathon, faire un aménagement paysager ou construire un mur peut engourdir la douleur et permettre de se concentrer sur quelque chose de concret.

S'immerger dans la créativité peut être un moyen efficace pour canaliser le chagrin.

878

Le pouvoir de l'art

Une accumulation de preuves indique que les projets artistiques cicatrisent, donnent les moyens de s'assumer et apaisent le stress de ceux qui sont confrontés à la maladie et au chagrin : la créativité est une façon de se concentrer sur des pensées et des activités en période de deuil. Il est particulièrement utile de rassembler la famille ou les amis pour faire une œuvre d'art – pourquoi pas une couette en patchwork, à laquelle chacun apporterait un carré.

879

Sentez le *saudade*

La musique brésilienne élève cette émotion difficile à traduire à un grand art. Le *saudade* pourrait s'expliquer comme étant le désir de quelque chose qu'on n'a plus, mais qui pourrait toutefois être restitué. La joie du souvenir est savourée, malgré l'accès de tristesse intense, puis une croissance sentimentale arrive avec l'acceptation du destin, ce qui rend cette émotion mélancolique étrangement remontante. Il est toutefois plus facile de l'entendre que de l'expliquer : écoutez la bossa-nova de Joao Gilberto et Anton Carlos « Tom » Jobim et voyez si cela vous aide à trouver un peu de joie malgré votre chagrin.

880

Méditation tonglen

La méditation bouddhique tibétaine suivante nous incite à nous connecter à la souffrance des autres, et, en éveillant notre compassion, à la transformer en quelque chose de positif. Il est préférable de la pratiquer quand on se sent forte et en bonne santé. On peut utiliser cette technique à une plus grande échelle pour envoyer un soulagement à tous ceux qui souffrent autour du globe.

Pensez à la douleur ou à la souffrance de celui/celle que vous aimez. Lorsque vous inspirez, inspirez-la – vous pouvez la visualiser comme un nuage noir. Absorbez la souffrance et sentez-la dans votre cœur.

Maintenant, transformez ces sensations dans votre cœur ; sentez-les se purifier et s'adoucir, puis se dissoudre en amour et en joie. Lorsque vous expirez, renvoyez ces sensations guérisseuses d'amour vers celui/celle que vous aimez, pour soulager sa détresse. Imaginez-les sous forme de rayons de lumière qui l'apaisent, lui remontent le moral et lui apportent la paix.

Pour éliminer la pression

Bachoter pour préparer un rapport, un examen, ou le permis de conduire – et avoir à vivre avec le nuage noir des adolescents ou des partenaires qui le font – peut s'avérer épuisant, mais aussi euphorisant, car de tels moments éprouvants ont tendance à être intenses, certes, mais éphémères. Voici des moyens de faire face.

Entraînez votre cœur et vos poumons pour dynamiser votre puissance cérébrale.

881

Alternez les activités

Après une période d'études intenses, faites un peu d'exercice qui fait travailler le cœur et les poumons. Faites un jogging, sautez à la corde ou sur un trampoline ou travaillez dans la maison ou le jardin. Visez à travailler 10 à 20 minutes à un niveau qui vous laisse un peu essoufflée. Cela ne fait pas que déstresser, il semble que cela fixe plus efficacement les faits dans le cerveau.

882

Soyez lève-tôt

Travaillez aux moments où vous vous sentez fraîche et dispose – peut-être en commençant tôt et en finissant tôt. Rendez vos défauts positifs lorsque vous vous réveillez en vous disant « J'ai une longue journée devant moi, mais je vais faire des tas de choses. »

883

Faites des pauses

Fragmentez vos études en périodes de 30 minutes, en vous assurant que vous faites véritablement du travail pendant ces périodes. Lorsque votre concentration s'affaiblit, il est temps de faire une pause.

884

Un endroit détendu

Où étudiez-vous le mieux ? dans la bibliothèque, sur votre lit, avec des amis ? Faites-en votre lieu d'études. Si vous tremblez de peur à la vue d'un bureau, évitez-le.

885

Trouvez le courage

Si un événement vous paralyse de peur, pensez quelle pourrait en être la pire conséquence. Quelle est la probabilité que cela arrive ? Que feriez-vous si ça arrivait ? Écrivez des stratégies libératrices pour combattre vos peurs.

886

Mesurez vos réussites

Achetez une éphéméride afin de pouvoir détacher les jours qui mènent au grand événement, et jetez-les dans la corbeille. Certains individus aiment gonfler des ballons rouges qu'ils gardent dans leur espace de travail et les font éclater l'un après l'autre à la fin d'une journée à marquer d'une pierre blanche.

887

Position de lecture

Rééquilibrez les hémisphères de votre cerveau pour vous apporter calme et clarté et entraînez vos jambes agitées à l'inactivité. Allongez-vous sur votre ventre, le menton dans vos mains en coupe. Fléchissez les genoux afin que les plantes de vos pieds pointent vers le haut et faites bouger vos mollets et vos pieds en les entrecroisant comme des ciseaux.

888

Mangez correctement

Lorsque vous effectuez des activités cérébrales mangez des protéines ; si vous voulez vous détendre ensuite, prenez des féculents.

889

Indispensable sommeil

Si vos yeux deviennent vitreux et que vous n'arrêtez pas de lire la même ligne, faites une sieste de 15 minutes (mettez le réveil).

890

Arrêtez de serrer les poings

Vérifiez si vous serrez les poings. Si oui, retournez vos mains et tendez les doigts. Pour plus de plénitude, asseyez-vous avec les mains en *Jnana mudra*, en amenant le bout de vos pouces et de vos index ensemble. Le yoga apprécie ce circuit fermé d'énergie car il recharge les ressources intérieures. L'index vous représente en tant qu'individu, et le pouce est la source de vie. Pensez au point où ils se rencontrent.

891

Technique de respiration du lotus

Cette technique de respiration équilibre les canaux d'énergie du corps.

Asseyez-vous confortablement le dos droit et les yeux fermés. Reposez les mains sur vos genoux, paumes vers le haut et doigts relâchés et ouverts comme des pétales. À l'inspiration, ramenez vos doigts et vos pouces ensemble, comme une fleur qui se referme la nuit.

Expirez, en ouvrant votre main gauche et en imaginant que votre souffle sort de votre côté gauche. Inspirez, et fermez votre main gauche, en attirant votre souffle jusqu'à la partie supérieure gauche de votre corps. Ouvrez la main droite en expirant vers le bas du côté droit. Inspirez par le côté droit, fermant votre main droite. Répétez tant que c'est confortable et en alternant les mains.

892

Respirez des huiles relaxantes

Placez une goutte d'huile essentielle sur votre mouchoir. Selon des études, le

L'huile de lavande est à la fois remontante et relaxante.

romarin réduit l'anxiété et la lavande approfondit la relaxation, en même temps qu'elle réduit la dépression. Prises simultanément, elles stimulent les performances cérébrales, et donc le pouvoir mental de faire face.

893

Défoulez-vous

Il n'est pas efficace de se concentrer pendant de longues périodes, surtout si vous êtes perfectionniste ! Entrecoupez vos journées d'étude avec des moments pour dissiper la tension. L'activité physique soulage particulièrement le stress : prévoyez une soirée pour aller danser.

894

La nuit précédente

La nuit précédant une journée importante, arrêtez de travailler à 17 heures, puis détendez-vous : cuisinez, regardez un programme amusant, prenez un bain, et allez vous coucher à une heure raisonnable.

Arrêter de fumer

La pire façon de faire face au stress est de fumer. On se sent peut-être plus détendue, mais cela stresse le cœur en resserrant les vaisseaux sanguins et en réduisant la ration d'oxygène. De plus, s'en remettre à une béquille addictive augmente l'anxiété et abaisse l'estime de soi. La nicotine étant un stimulant, quand on l'arrête, le corps est plus détendu.

895

Moins d'inquiétudes pour la santé

Si vous arrêtez la cigarette, vous ne serez plus en proie aux inquiétudes quant à ses répercussions sur votre santé. Ce n'est pas plus difficile que ça d'enlever un poids de ses épaules !

896

Recrutez du soutien

Ceux qui bénéficient du soutien de professionnels et de proches trouvent qu'il est plus facile de laisser tomber. Consultez votre médecin ou allez sur www.tabac-info-service.fr/ pour découvrir comment on peut vous aider, depuis les produits de remplacement de la nicotine aux groupes d'auto-assistance du voisinage.

897

Un problème partagé…

Dites à vos amis et à votre famille que vous avez l'intention d'arrêter et demandez-leur leur soutien. Ne pourraient-ils vous sponsoriser pour que vous continuiez (donner de l'argent aux bonnes œuvres pour stimuler le sentiment de bien-être) et vous envoyer des textos pour vous encourager à tout moment de la journée ?

Restez motivée et tenez-vous-en à votre résolution en vous récompensant avec de délicieux petits plaisirs.

898

Journal intime

Avant d'arrêter, tenez votre journal « cigarettes » pendant une semaine. Tracez-y deux colonnes : dans la première dressez la liste des moments et des endroits où vous fumez chaque cigarette, et dans l'autre, notez les déclencheurs (consommation d'alcool lors de réunions, anxiété, habitude). À la fin de la semaine, essayez d'en tirer un schéma. La cigarette est-elle associée à des moments, des situations ou des gens particuliers ? Creusez-vous les méninges pour les éviter.

899

Repensez votre quotidien

Changez les situations qui relient envies irrésistibles et détente. Si vous prenez une cigarette avec votre café, changez pour du thé !

900

Respiration profonde

Certaines études indiquent que c'est la respiration profonde qu'on utilise quand on fume qui est relaxante. Respirez sans inhaler de poisons mortels en comptant jusqu'à 4 pendant l'inspiration. Retenez votre souffle jusqu'à 4, puis expirez en comptant jusqu'à 8. Si c'est dur, réduisez le compte à 2, 2, 4, puis augmentez-le graduellement, mais toujours avec le même rapport (1 : 1 : 2).

901

Alternez les narines

Beaucoup de ceux qui abandonnent trouvent que cette technique de rééquilibrage de la respiration contrecarre les envies irrésistibles (voir n° 891).

902
Caressez-vous les oreilles
Selon une étude réalisée en 1999, se frotter les lobes des oreilles ou les mains réduit les envies irrésistibles, les comportements anxieux qui les déclenchent et, surtout, le nombre de cigarettes fumées. Vous pouvez aussi consulter un acupuncteur susceptible de travailler sur vos oreilles.

903
Aide homéopathique
Les homéopathes traitent les envies irrésistibles, l'irritabilité, la constipation et l'insomnie provoquées par l'arrêt de la nicotine avec *Nux vomica* 30. Prenez-en trois fois par jour ou lorsque vous avez une envie irrésistible. Cela nettoie aussi le corps de la nicotine et autres toxines de la cigarette.

904
Pour arrêter de tousser
Après l'arrêt, il est courant de développer une toux, car les poumons se nettoient. Le tussilage (*Tussilago farfara*) est un excellent remède de soutien pour les poumons et contre la toux. Prenez-en 30 gouttes dans de l'eau, deux fois par jour, jusqu'à ce que la toux ait disparu.

905
Soyez inébranlable
L'essence de fleurs du bush australien *Wedding Bush* peut vous aider à vous en tenir à votre résolution d'arrêter. Elle aide en effet à tenir ses engagements, dont celui de choisir un style de vie plus sain.

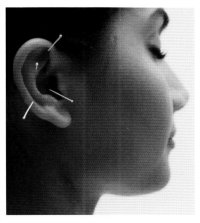

Maîtrisez vos envies irrésistibles avec l'acupuncture.

906
Des petits cadeaux
Des recherches indiquent que les femmes ont davantage de difficultés que les hommes à abandonner. Alors motivez-vous avec des récompenses. Pourquoi pas un petit plaisir quotidien, un de taille moyenne par semaine et un gros, chaque mois. Essayez le chocolat noir, un nouveau livre, le petit-déjeuner au lit, une journée de thalassothérapie ou un abonnement à un magazine.

907
Évaluez vos économies
Calculez combien d'argent vous économiserez en n'achetant plus de cigarettes : évaluez aussi au bout de combien de mois sans fumer vous pourrez vous offrir des vacances relaxantes.

908
Méditation du chakra de la gorge
Les angoisses en rapport avec le chakra de la gorge, le centre d'énergie de la communication, peuvent se manifester par la cigarette et autres habitudes orales nerveuses, comme la boulimie. Méditer sur ce chakra résout les problèmes qui y sont associés. Asseyez-vous droite, les yeux fermés. Observez votre respiration jusqu'à ce que vous vous sentiez calme. Concentrez-vous sur votre gorge. Imaginez une balle d'énergie qui devient de plus en plus brillante avec chaque inspiration. Puis dites le mantra du chakra de la gorge *ham* en silence, tout en méditant pendant 10 minutes.

909
Du chewing-gum
Pour stimuler votre bouche, essayez le chewing-gum, qui peut aussi soulager les problèmes digestifs dûs au stress.

910
Commencez le tricot
Si vos mains sont anxieuses, joignez-vous à un groupe de tricotage. Les débutantes y sont les bienvenues, alors ne vous inquiétez pas si vous ne savez pas tricoter.

911
Retirez-vous
Cherchez des retraites pour ceux qui arrêtent de fumer. Souvent organisées par les églises, elles offrent à la fois un soutien moral et spirituel qui peut être utile.

912
Essayez l'acupuncture
L'acupuncture peut être aussi efficace que les thérapies de remplacement de la nicotine, et en plus, vous vous prélassez sur une table de massage et participez à une thérapie par la parole.

Des vacances reposantes

Pour rester détendu et heureux, des psychologues recommandent de faire une longue pause par an, pendant laquelle on change d'environnement et de routine et l'on s'essaie à de nouvelles activités. Deux semaines sont conseillées ; leurs effets peuvent être aussi positifs que l'entraînement associé à une nourriture saine. Mais beaucoup d'individus souffrent d'un « trouble du manque de vacances », car ils sont incapables de s'arrêter de travailler, surtout les Américains, qui ne prennent que 3 ou 4 jours de congé par an (les Européens prenant en moyenne 6 semaines). Voici des moyens de vous en sortir.

Rêvez de votre prochaine destination et réfléchissez comment faire pour vous y rendre.

913
Prenez tous vos jours

Les individus qui prennent des vacances sont moins susceptibles de se sentir stressés, épuisés ou de souffrir de dépression. Ils réduisent également leurs risques de maladies cardiovasculaires et ont tendance à avoir une vie de couple et de famille plus heureuse ; de plus, lorsqu'ils reprennent le travail, ils sont plus productifs. Si vous ne prenez pas tous vos jours – comme c'est le cas pour de plus en plus d'entre nous – demandez-vous pourquoi. Cela vous aiderait-il de considérer les congés comme un choix de vie sain, comme aller à la gym, plutôt que comme un plaisir qui vous culpabilise ? On ne laisse pas tomber les autres en prenant des congés, et ils survivront à votre absence.

914
Rêve de ciel bleu

Où avez-vous toujours rêvé de vous rendre ? Voir le mont Fuji, l'Antarctique, le Tibet ? Pourquoi n'y êtes-vous pas encore allée ? Commencez à élaborer un projet sur cinq ans.

915
Loin des foules exaspérantes

Si vous trouvez que les embouteillages et les sites bondés sont stressants, et si la pensée de kilomètres en avion vous est pénible, pourquoi ne pas passer vos vacances à la maison ? Asseyez-vous dans le jardin pour lire, sortez manger, visitez des sites, ayez une activité sexuelle débordante et dormez beaucoup – sans le harcèlement du voyage.

916
Soyez réaliste

Pour que vos vacances soient déstressantes, soyez réaliste : pendant les longs trajets les enfants vont se chamailler, un bébé se réveillera plus souvent dans un nouvel environnement, les anciens amis ont poursuivi leur chemin depuis le collège, et les embouteillages sont la norme dans le monde entier.

917
Éteignez ça

Lorsque vous partez, éteignez votre mobile, et arrêtez de tapoter sur votre BlackBerry. Les deux créent une impression d'urgence qui déclenche l'adrénaline, ce qui est mal élevé et inopportun pendant les vacances. Le plus urgent désormais est le repos.

918
Ce qu'il ne faut pas emporter

- Ordinateur portable
- Horaires et livres de comptes
- Soucis professionnels
- Lecture pour s'améliorer
- Chargeur de téléphone

919

Arrêtez d'être négative

Remplacez le diable qui vous harcèle sur votre épaule en ricanant « Comment va marcher ce projet pendant que tu es absente ? » par un ange de calme sur votre autre épaule. Faites une assertion positive : « Tout va bien là-bas à la maison ; j'ai mérité de me reposer ». Si vous n'en trouvez pas, demandez-vous ce que vous conseillerait votre meilleure amie.

920

Éteignez le mode « travail »

Le changement peut s'avérer stressant, alors essayez de rendre votre changement de paysage plus détendu en limitant votre itinéraire. Prendre des vacances ne consiste pas à voir un maximum de sites et de villes en un minimum de temps : ça, c'est votre façon de penser au travail. Osez passer une journée à ne rien faire du tout.

921

Faites ce que vous voulez

Pendant les vacances, faites en sorte que chacun puisse faire au moins toute une journée ce qu'il adore – marcher jusqu'à des ruines, construire des châteaux de sable, manger de bons petits plats, se prélasser dans un bain chaud. Les mères en particulier risquent de mourir d'envie d'avoir une pause sans enfants et sans tâches ménagères. Faites-vous plaisir.

922

Perdons-nous

Passez une journée dans une nouvelle ville sans plan ni guide. Arrêtez-vous dans des cafés qui vous semblent accueillants. Quand vous êtes perdus, demandez votre chemin, avec des gestes, si nécessaire.

923

Adaptez votre journée

Essayez de calquer votre rythme sur celle des habitants du lieu – faites de longs repas et des siestes, mangez tard, et n'essayez pas de faire vos courses ou de visiter des sites, ni d'aller à la banque lorsque tout est fermé. Un manque d'adaptation peut entraîner une frustration.

Donnez un coup de main à vos enfants sur la plage et appréciez ce retour à votre propre enfance.

924

Intégrez-vous

Les vacances à l'étranger sont moins stressantes si l'on connaît suffisamment la langue pour déchiffrer les menus et savoir où l'on va. Apprenez une langue chez vous ou suivez un cours avant de partir. Encore mieux, consacrez vos vacances à apprendre en faisant une pause langage pendant laquelle vous visitez, mangez et faites vos courses tout en étudiant avec ceux dont c'est la langue maternelle – existe-t-il une façon plus détendue d'apprendre ?

925

Récréation

Dans nos vies de tous les jours, nous n'avons pas suffisamment de temps pour jouer, surtout avec les autres. Pendant vos vacances, faites quelque chose qui vous fasse jouer avec de nouvelles personnes – pourquoi pas un atelier de cirque, où l'on vous fait faire une pyramide humaine !

Savourez le camping sans contraintes avec le confort d'une caravane.

926

Des bonnes actions

Vivre pendant quelques jours au cœur d'un endroit d'une grande beauté naturelle et donner quelque chose en retour peut être une expérience profondément gratifiante et conviviale, bien que ce soit parfois éreintant. Cherchez du travail bénévole dans des parcs nationaux où l'on peut tracer des sentiers, réparer des murs anciens ou couper les broussailles. Restaurer la beauté et l'ordre extérieurs peut vous aider à apaiser votre monde intérieur.

927

Trouvez un festival original

Les festivals de musique traditionnelle ont perdu leur côté libérateur à cause d'un sponsoring important. Pour retrouver l'esprit créatif originel qui nous a apporté les festivals gratuits pour la paix et l'auto-expression, cherchez des petites fêtes organisées par et pour des individus à l'esprit original. Ils peuvent célébrer des livres, des clowns, de la musique folk ou tout ce qui est écolo, mais ils garantissent un camping amusant, des ateliers et des costumes bizarres, et des valeurs amicales envers les enfants. Plus l'événement sera secret, plus il sera excitant.

928

Louez un camping-car

Si vous n'avez encore jamais fait de camping, louez un camping-car. Pendant que vos compagnons campeurs se débattront avec leurs piquets et leurs sardines, dans les 30 secondes suivant votre arrivée, vous pourrez soulever le toit pour révéler vos lits, et mettre la bouilloire pour une tasse de thé remontante ou sortir une cannette de bière du frigo. Plus tard, dressez une tente ou un auvent pour y décharger des affaires (les sièges de voiture des enfants, les produits alimentaires et la literie) afin de pouvoir partir pour la journée sans avoir à vous débattre pour ranger vos affaires.

929

Dormez dans un endroit étrange

Renseignez-vous sur les campings innovants et étonnamment somptueux – yourtes nomades, tipis, pavillons moghols et roulottes décorées des Gitans avec leurs chevaux.

930

Des vacances effrayantes

Se relaxer, signifie se secouer un peu de son train-train. Pourquoi alors ne pas tester votre insomnie en habitant dans une maison hantée ? Faites-en le tour, pour avoir la chair de poule avant d'aller au lit…

931

La détente dans un arbre

Se trouver en hauteur est un antidote à la routine plate de la vie, et il n'y a pas de meilleures hauteurs naturelles que les arbres pour passer ses vacances : tout en haut de la canopée, suspendue en toute sécurité par un harnais avec des cordes dans un hamac ou dans une cabane avec une pièce pour se détendre et décompresser. L'après-midi, commencez par grimper aux arbres avec un guide, puis mangez près de l'arbre au crépuscule, avant qu'on vous borde pour la nuit. Allongée là, vous vous mettez au diapason avec le temps des arbres, ce qui a une valeur thérapeutique.

932

Faites des lanternes

Pour des soirées détendues à l'extérieur, on a besoin d'un éclairage d'ambiance. Pendant que vous vous relaxez avec une bière, faites faire aux enfants des lanternes à pendre. Commencez par retirer les étiquettes de bocaux de conserves, puis faites un cercle en fil de fer légèrement plus grand que le col du bocal et placez-le autour de ce col, puis resserrez-le de chaque côté pour bien le fixer. Coupez une autre longueur de fil de fer pour faire une poignée et tortillez-le dans les boucles de chaque côté du col du bocal. Mettez une bougie dedans et suspendez à une branche.

Échappez-vous des foules et retirez-vous en haut d'un arbre.

933

Taillez au canif

Si vous avez des difficultés à déconnecter, trouvez un projet qui vous occupe l'esprit et les mains. Achetez un joli canif (outil indispensable en vacances pour ouvrir les bouteilles et se curer les ongles des orteils) et cherchez un morceau de bois intéressant. Coupez-le pour découvrir l'essence du bois à l'intérieur – possiblement un serpent, un crapaud ou un dauphin. Observez comment, peu à peu, le bois prend vie, au fur et à mesure que vous le sculptez. Gardez la pièce finie pour en faire un totem de paix intérieure.

934

Yoga pour les voyageurs

Dans les avions et les trains passez un peu de temps les jambes croisées, si c'est confortable, ou posées sur le fauteuil (vide) en face de vous. Pendant les longs trajets, essayez un endroit d'auto-exploration : mettez un masque pour les yeux et des boules Quies® et pratiquez le regard intérieur, à l'endroit où votre respiration fait bouger votre corps. Prenez votre temps – vous risquez d'avoir des surprises.

935

Kit homéopathique de voyage

- *Arg-nit* 30 pour la peur de l'avion.
- *Arnica* 30, premiers secours pour toute blessure et fabuleux contre le décalage horaire.
- *Apis* 30 pour les piqûres d'insectes qui démangent et qui enflent.
- *Ars. Alb* 30 pour l'intoxication alimentaire avec vomissements et diarrhée.
- *Belladona* 30 pour l'insolation ou les coups de soleil avec rougeur et palpitations.
- *Nux vomica* 30, le meilleur des remèdes contre la gueule de bois.

Des festivités détendues

Si l'on se sent stressée la plupart du temps, cette tension sera amplifiée aux moments chargés d'émotions, alors qu'on est censée prendre du bon temps. Noël est particulièrement stressant, car il nous jette entre les mains de la famille que nous ne voyons peut-être pas très souvent, et qu'on se doit d'être parfaite – famille parfaite, cadeaux parfaits, enfants qui se tiennent parfaitement bien. Les moments heureux du passé prennent aussi plus de signification, surtout pour les familles séparées, avec de nouvelles règles et habitudes.

936
Des aspirations à la baisse
Réduire ses aspirations peut être la clé pour réduire son stress. Résistez à l'envie d'être parfaite, et faites-vous à l'idée que les querelles familiales n'ont guère de chances de s'arrêter maintenant.

937
Touche de base
Avant que le chaos ne commence, asseyez-vous calmement et demandez-vous quelles sont vos pierres de touche.

Famille, dévotion, ou cuisiner vos plats favoris ? Gardez-les à l'esprit pendant que vous dressez vos emplois du temps et négociez les priorités avec les autres.

938
Faites des projets
Pour éviter d'être submergée, planifiez ce que vous aurez à faire au jour le jour, comme vous le feriez au travail. Déléguez aussi, comme au travail. Confiez l'emballage aux enfants : il y a quelque chose de charmant dans les cadeaux mal emballés et couverts de rubans.

939
Repensez vos cadeaux
La compétition des cadeaux provoque de la tension chez tout le monde. Pourquoi ne pas déclarer une trêve, et faire des dons aux bonnes œuvres à la place ? Cherchez des organismes qui offrent une chèvre ou une vache ou un puits à un village du Tiers-Monde.

940
Arrêtez le désordre
Si votre maison est pleine, suggérez d'offrir un échange de savoir-faire à la place : vous cuisinez et livrez un repas spécial ; ils assemblent vos meubles en kit en retour. Les cadeaux qu'on donne vraiment ont plus de signification qu'une nouvelle boîte de chocolats.

941
Des services, pas des objets
Pour éviter davantage de désordre, offrez des bons pour un soin déstressant pour le corps : une séance de réflexologie, de massage, de yoga, de coiffure ou de Feldenkrais.

Les cadeaux faits maison font de présents charmants.

942

Aimer ça

Quelle que soit la personne pour qui vous achetez, n'investissez de l'argent que si vous aimez un article. Ne prenez pas n'importe quoi sur le rayon.

943

Des produits faits maison

N'allez pas faire les courses ; passez du temps à fabriquer quelque chose qui montre votre amour : huile pimentée, conserves de fruits sauvages, confitures, petits bouquets de fleurs à mettre à la boutonnière, décorations magnifiques pour le sapin de Noël, ou CD de compilation. À faire avec les enfants.

944

Les olives de fête de Kate

Ces olives aux herbes font un cadeau délicieux qui ne durera pas longtemps. Trouvez un bocal fantaisie, plus grand que la quantité d'olives, avec un couvercle en métal qu'on visse.

450 g d'olives vertes égouttées
4 gousses d'ail, pelées et écrasées
    ou, selon les goûts
    du poivre noir fraîchement moulu
une pincée de sucre en poudre
une pincée d'herbes de Provence
2 cuill. à soupe de bon vinaigre
    balsamique
1 cuill. à soupe d'huile d'olive vierge extra

Placez les olives égouttées dans un saladier d'eau et laissez-les tremper quelques heures. Passez-les et mettez-les dans le grand bocal avec les gousses d'ail écrasées. Assaisonnez avec 3 à 4 tours de moulin de poivre noir, saupoudrez le sucre et les herbes de Provence. Versez le vinaigre et l'huile. Vissez le couvercle et secouez. Laissez reposer au moins deux heures avant de goûter.

945

Un corps détendu

L'American Physical Therapy Association (APTA) rapporte que les maux de dos, dans le cou et les épaules sont de plus en plus fréquents à la période de Noël, car notre vie passe d'une sédentarité importante à une activité frénétique et nous portons beaucoup trop de choses de la mauvaise façon. Soulagez votre stress avec certains des conseils pour réduire la tension dans les épaules et le dos (nº 132-162).

946

Surveillez votre porte-monnaie

Le stress financier peut gâter des moments censés être relaxants. Les semaines qui précèdent un grand événement, notez ce que vous devez acheter et voyez combien vous pouvez dépenser. Si les sommes ne correspondent pas, il faudra réduire les dépenses pour éviter le stress d'un emprunt.

947

Travaillez votre spiritualité

Asseyez-vous calmement, fermez les yeux et réfléchissez à ces mots : « … Et paix sur Terre envers les hommes » (Luc 2.14). Comment pourriez-vous apporter davantage de paix dans votre vie et dans celle de vos proches l'année qui vient ? Adressez-vous un message angélique.

Faites cadeau de délicieuses olives.

948

Noël, c'est quoi au juste ?

Essayez un office religieux pour retourner à la source quand vous vous sentez éreintée. Ce dont il s'agit en fin de compte – que vous soyez croyante ou non –, c'est de réfléchir à la manière dont un bébé peut apporter paix et espoir au monde. Incitez vos enfants à voir Noël sous un autre angle que celui de recevoir des cadeaux, en les emmenant à une messe de Noël.

949

Faites quelque chose ensemble

Proposez une partie « préparation du sapin de Noël ». Demandez à la famille ou aux amis alentour de venir passer une après-midi à couper, plier, coller et faire briller suffisamment de décorations pour recouvrir un sapin, dont l'ange ou l'étoile au sommet. Lorsque tout sera sec, décorez-le. Pendant que vous passerez le temps à rire et à évoquer le passé avec ceux que vous aimez, une corvée sera faite.

Évacuez votre stress pendant la période trépidante des fêtes en chantant dans une chorale.

954

Ne culpabilisez pas

Si c'est une mauvaise période à cause d'un chagrin, d'une séparation ou de la solitude, ne vous culpabilisez pas, recommande l'*American Pscychological Association* (APA). Et ne vous sentez pas esseulée : la famille heureuse de carte de Noël est rare. L'APA suggère qu'être charitable envers soi-même, demander un soutien informel à sa communauté ou à ses collègues de travail et envisager le bénévolat sont autant de façons de se sentir liée aux autres.

955

Écrivez une lettre

À cette période de l'année, un chagrin est particulièrement dur. Si cela peut vous aider, écrivez une lettre à cet être cher, en lui expliquant vos sentiments, ce qui peut inclure la culpabilité d'abandonner les vieilles traditions ou de vous amuser.

956

Réfléchissez-y

Pouvez-vous vous demander pourquoi vous êtes esseulée maintenant ? Pourriez-vous dire quelque chose aux individus du passé pour transformer la situation ? Que pourriez-vous faire pour élargir votre réseau ?

950

Chantez avec les autres

Les célébrations religieuses et laïques sont plus étincelantes quand on chante à l'unisson. Organisez un groupe pour chanter de porte en porte, allez à un office de chants de Noël ou fredonnez en vous accompagnant à la guitare lorsque le stress vous casse le moral. Le chant bloque les voies neurales le long desquelles circule la douleur ; il dynamise la mémoire et le taux d'énergie, il vous aide à respirer efficacement et à mieux vous tenir droite. En Allemagne, lorsque des choristes chantèrent le *Requiem* de Mozart, leur taux d'immunoglobuline A et de cortisol – qui stimulent l'immunité – monta en flèche.

951

Décompressez un moment

Il y a peu de risques que la Terre s'arrête de tourner à Noël, alors ne vous sentez pas obligée de voir tout le monde avant le 1er janvier.

952

Factions de guerre

Avoir en ligne de mire les fonctions familiales est une bonne façon de réduire la tension. Organisez des jeux avec deux équipes, comme des jeux de société, des quilles de table, ou – encore mieux – faites quelque chose de réellement physique dehors, comme un jeu de pétanque ou de badminton. Quoi que vous fassiez, ne passez pas votre temps à essayer de résoudre des rivalités de longue date, et ne servez pas non plus trop de boissons alcoolisées !

953

Soyez charitable

Invitez un voisin solitaire à manger avec vous, offrez votre aide dans un refuge pour SDF, souriez aux blagues que vous avez déjà entendues un million de fois depuis votre enfance et évitez les sujets qui fâchent votre nièce anarchiste.

957

Familles décomposées

En période de festivités, essayez de mettre votre colère indignée et vos blessures de côté après une séparation, et de ne pas prendre à cœur les rebuffades, à cette période où les émotions sont intensifiées. Des psychologues de la famille suggèrent de créer de nouveaux rituels lors desquels chaque individu aura un rôle à jouer pour vous aider à sortir de l'ombre de partenaires précédents. Cela peut rapprocher les nouvelles familles, et aide chacun à faire face au stress de vouloir que les choses redeviennent comme elles étaient jadis.

958
Épargnez les enfants

Si votre famille est éparpillée, essayez de ne pas laisser aux enfants le poids de la responsabilité de l'endroit où aller, car ils risquent de ne pas savoir quoi faire pour faire plaisir à tout le monde si on leur demande où ils préfèrent passer un moment exceptionnel. Ils auront moins l'impression d'être des pions si chaque année ils choisissent à tour de rôle l'endroit où ils veulent aller.

959
Réunion de famille

Quel que soit le genre de famille dont vous faites partie, songez à tenir une réunion de famille afin de décider ce que chacun d'entre vous aimerait faire aux moments exceptionnels de l'année, et de discuter pourquoi vous risquez tous d'avoir à faire des compromis. Demandez-vous pourquoi vous continuez à faire des choses qui vous mettent à cran. Une fois que les choix de chacun seront clairs, que vous saurez où vous serez et avec qui, vous pourrez commencer à parler et à attendre le grand jour avec impatience.

960
Du temps pour moi

Si vous tenez tout à bout de bras en surface, mais qu'en dessous vous êtes bouillonnante, donnez-vous du temps pour une bonne crise de larmes, parlez à l'être qui compte mais qui est absent, ou sortez faire une longue promenade avec le chien.

961
Aidez-moi maintenant

N'oubliez pas le remède *Rescue* des essences de fleurs de Bach pour contrecarrer les traumatismes, la panique, l'irritabilité, le syndrome du

Accueillez le Nouvel An en levant votre verre à vos nouveaux amis et situations.

poulet sans tête, la perte de contact avec la réalité et une peur générale de tout perdre. Cela couvre pratiquement toutes les conséquences possibles d'un Noël détendu en famille !

962
Période de transition

Marquez la fin de l'année en levant votre verre aux éléments positifs de l'année passée : les nouveaux individus et endroits qui sont apparus dans votre vie et votre développement à la maison, au travail et personnel. Pensez aussi aux individus et aux activités qui ont disparu. Comment cela vous affecte-t-il, et comment pouvez-vous changer votre vie pour le mieux ?

Des réceptions sans effort

Les fêtes nous lient aux individus qui nous sont chers, et c'est ce lien social qui nous protège si efficacement contre le stress. Mais elles sont parfois tellement stressantes à organiser, qu'on risque d'arrêter d'en faire. Voici quelques conseils déstressants pour avant, pendant et après. On peut aussi faire appel à des « party planners », à des intérimaires et à des femmes de ménage.

Les aliments faciles à préparer vous laissent le temps de vous asseoir et de profiter de la fête.

963
Ne vous faites pas martyre
Une soirée représente trop de travail pour une seule personne, même si vous avez une liste impeccable de choses à faire. Demandez à vos amis de vous aider, en leur allouant des tâches, comme les invitations, les RSVP, le nettoyage, les courses, l'organisation des boissons, des verres, des glaçons, des assiettes, de la décoration, des fleurs, de la musique, de l'éclairage, du parking, puis après, le nettoyage.

964
Restez simple
C'est votre visage que vos invités veulent voir, pas votre dos en sueur lorsque vous courez à droite et à gauche dans la cuisine, pour apporter, transporter et préparer des créations élaborées. Choisissez un plat en marmite qui passe du four à la table : un ragoût ou un curry servis avec du pain ou du riz.

965
Ne cuisinez pas
Si cuisiner vous stresse, demandez à vos invités d'apporter un plat (trouvez quelqu'un pour la coordination), ou achetez des fromages, des viandes froides et des pains, puis faites des salades de légumes et de fruits. Si vous n'osez pas demander aux invités d'apporter de la nourriture, trouvez un thème – sushi, curry, paella, fajitas – et appelez-le « concours ». Cela vous garantit que les hommes vont cuisiner. Vous n'aurez plus qu'à fournir le prix à gagner.

966
Choisissez des spécialités
Servez quelque chose que vous ne pourriez pas faire vous-même, des pâtisseries, des produits fumés ou autres spécialités artisanales. Vous aurez le prestige d'être classée parmi les fins gourmets tout en aidant des artisans locaux.

967
Les brasseries voisines
Demandez à une brasserie ou à un viticulteur du voisinage s'il fournirait votre soirée (et enverrait du personnel pour servir gratuitement). Cela évite beaucoup de tâches qui prennent du temps, comme les courses, la sélection, le transport et le service, et réduit aussi les kilomètres parcourus par vos produits, tout en soutenant l'économie locale. C'est tellement relaxant, et à de nombreux titres.

968
Le sucre, c'est mieux
Une étude réalisée en 2006 en Australie indique que les édulcorants artificiels des versions light des boissons gazeuses font passer l'alcool encore plus vite dans le sang. Selon cette étude, les individus qui burent un trait de vodka avec une boisson pétillante normale restèrent dans les limites pour conduire, tandis que ceux qui burent la même quantité de vodka mais avec une boisson gazeuse light dépassèrent ces limites. Pour éviter les regrets du lendemain, tenez-vous en aux boissons normales.

969
Préparez vos pieds
Pour éviter du stress à vos pieds, si vous n'avez pas l'habitude des talons hauts, essayez ce conseil de yoga qui ressemble à ce que les petites filles font quand elles jouent à la princesse. Mettez-vous sur la pointe des pieds, essayez de vous mettre totalement verticale, de façon à ce que vos chevilles soient directement au-dessus de vos orteils. Tenez la posture si vous le pouvez, puis marchez

autour de la pièce, lentement, et à chaque pas, élevez-vous autant que vous pouvez sur vos orteils. Si vous pouvez vous entraîner avec un livre sur la tête, c'est encore mieux.

970

Soyez resplendissante

Faites en sorte d'avoir suffisamment de temps pour préparer une tenue sensationnelle. Si c'est vous qui invitez, il faut briller. Emmenez une amie pour vous aider à choisir si vous n'êtes pas sûre de vous. Si cela vous met mal à l'aise, achetez-vous de nouveaux dessous et des chaussures.

971

Pas d'yeux boursouflés

Faites une théière de camomille avec deux sachets d'infusion, puis buvez. Lorsqu'elle sera froide, pressez les sachets, allongez-vous et placez-en un sur chaque œil. Cela calme les peaux et les yeux fatigués, ainsi que les ventres nerveux avant un grand événement.

972

Faites-vous dorloter

Ne restez pas là à vous sentir harcelée avant le début de la fête. Trouvez plutôt un salon de beauté qui propose des petits soins avant une soirée. Offrez-vous un soin du visage, des pieds et des mains, faites-vous coiffer pendant que vous sirotez une flûte de champagne et que vous vous mettez peu à peu dans l'humeur de la soirée.

973

Une arrivée tardive

Une fois que tout est prêt, trouvez quelqu'un pour accueillir vos invités, pendant que vous partez vous faire dorloter. Arrivez une heure après, afin d'éviter une heure d'inquiétude à vous demander si vos invités vont vraiment venir.

974

Limonade maison

Cette recette est simple, mais la limonade est impressionnante et délicieuse. Le goût rafraîchissant et piquant du citron en fait une boisson parfaite pour les rassemblements paresseux des après-midi d'été.

- 1 grand citron non traité à la cire
- 25 g de sucre en poudre
- des glaçons
- une poignée de feuilles de menthe fraîche

1 Retirez le zeste du citron avec un appareil, en prenant bien soin de ne pas retirer la peau blanche amère. Placez-les dans un grand broc en verre.

2 Pressez le citron et versez son jus dans le broc. Ajoutez le sucre, puis versez dessus suffisamment d'eau bouillante pour le dissoudre et remuez bien.

3 Remplissez le broc avec de l'eau froide et placez-le au réfrigérateur pour le rafraîchir avant de servir. Une fois froid, ajoutez les glaçons et les feuilles de menthe.

Faire des bulles, c'est toujours une délectation.

978

Stress des fêtes pour les enfants

Les parents qui lancent de grandes fêtes en invitant toute la classe, qui louent une salle, un amuseur, un maquilleur et un château gonflable, font monter le stress des parents suivants. Dites non ! Abandonnez le sujet. Évitez les fêtes onéreuses et arrêtez de repasser la compétition sociale à une autre génération. Invitez plutôt six amis pour un goûter d'anniversaire et pour jouer. Essayez les vieux favoris, comme le passer de cadeaux, les statues musicales ou la queue de l'âne.

979

Folie des pochettes-surprises

Les enfants s'attendent à des pochettes-surprises, mais cela les rend cupides. Alors dites non. Faites-leur faire à la place quelque chose qu'ils pourront rapporter chez eux : pourquoi ne pas enfiler des perles pour faire des bijoux (achetez des perles en forme de lettres pour qu'ils épellent des mots), faire des décorations pour chapeau, ou enfiler des perles et des boutons sur un fil de fer et le modeler en forme de cœur ou de poisson et le pendre en mobile.

975

Point de pression du mal de tête

Si votre tête commence à palpiter, essayez d'appuyer sur le dos de votre main avec le pouce opposé en le plaçant à la base du pouce et de l'index, dans le sillon naturel entre les os. Vous y trouverez peut-être un point douloureux. Tenez-le et sentez la douleur qui se dissipe.

976

Plantes contre le mal de tête

Mâcher des feuilles de grande camomille (*Tanacetum parthenium*) peut prévenir maux de tête et migraines. On peut aussi prendre 5 à 10 gouttes de teinture dans de l'eau toutes les 30 minutes environ, dès le début d'une attaque. (À éviter si vous prenez des médicaments pour fluidifier le sang ou si vous êtes enceinte.)

977

Homéopathie pour les maux de tête de tension

Ayez à portée de main quelques remèdes homéopathiques pour combattre les migraines de stress des réceptions.

● *Cocculus* 30 pour le mal de tête classique provoqué par le manque de sommeil, qui commence dans la nuque, puis se déplace à l'arrière de la tête, accompagné par de la confusion et la nausée (prenez-en une dose et retournez au lit).

● *Kali Phos* 30 pour des maux de tête à l'arrière de la tête, provoqués par le stress ou le surmenage ; ce remède convient à ceux qui sont stressés de manière chronique.

● *China* 30 pour les maux de tête épouvantables, déclenchés par la tension nerveuse, qui comprennent principalement des ondes de palpitations dans toute la tête.

980

10 jeux pour les enfants

● Envoyez-les dans le jardin avec des pistolets à eau.

● Qui est capable de souffler le plus longtemps sur une plume pour qu'elle reste en l'air ?

● Laissez les enfants plus âgés trouver eux-mêmes un jeu.

● Faites-les danser sur de la musique

classique lente (musique de prince/princesse).

● Qui peut rester allongé immobile le plus longtemps ?

● Placez une immense feuille de papier sur le sol et laissez chacun participer à un dessin collectif.

● Jouez à un jeu de chuchotements.

● Organisez une chasse au trésor.

● Jeu des bandeaux : remplissez des sacs d'articles qui ont une odeur, un goût ou une texture, pour que les enfants devinent ce que c'est.

● Laissez-les jouer à ce qu'ils veulent !

981

Faites de la poussière de fée

Indispensable aux fêtes pour les enfants – essayez de tracer une piste autour de votre jardin pour une chasse au trésor. Également bien pour la soirée de Noël pour indiquer un endroit pour un atterrissage.

● Paillettes : dans un bol, mélangez 3 cuillerées à soupe de paillettes d'argent et 2 cuillerées à soupe de talc parfumé à la rose. À éparpiller dehors de préférence.

● Poussière de renne : mélangez 3 cuillerées à soupe de confettis en métal avec 2 cuillerées à soupe d'aiguilles de pin.

● Magie d'été : mélangez 1 cuillerée à soupe de pétales de roses et 1 cuillerée à soupe d'épis de lavande. Ajoutez-y 1 cuillerée à soupe de paillettes roses.

982

Décompression du corps

Cet enchaînement vous fait atterrir si vous ne pouvez revenir sur terre après une nuit particulièrement entraînante.

Allongez-vous sur le dos, près d'un mur, puis pivotez et, en gardant les fesses près du mur, levez les jambes afin qu'elles soient posées contre ce mur (voir n° 106).

Agenouillez-vous à environ 30 cm d'un canapé, les genoux écartés de la largeur des hanches ; essayez de mettre les fesses sur le sol entre vos pieds (si c'est trop dur, empilez des coussins sous vos fesses jusqu'à ce que vous soyez à l'aise). Appuyez-vous sur le sofa, le dos et la tête totalement soutenus (ajoutez des coussins si nécessaire). Reposez-vous 5 minutes, en respirant doucement (à éviter si vous avez des varices ou une phlébite).

Maintenant asseyez-vous avec les hanches, les épaules et la tête dos au mur. Ramenez vos plantes de pieds ensemble, et laissez vos genoux s'abaisser sur le côté. Ramenez vos pieds vers vous (voir n° 670). Enfin, allongez-vous sur le dos dans une pièce sombre avec un masque pour les yeux (voir n° 321).

983

Plantes pour la gueule de bois

Bien que l'huile d'onagre soit principalement connue comme traitement pour la tension prémenstruelle, elle est aussi efficace en cas de gueule de bois. Prenez-en 2 gélules toutes les 3 à 4 heures.

984

Pour se sentir rapidement mieux

Celles qui sont sceptiques quant à l'efficacité de l'homéopathie devraient essayer *Nux vomica 30*, toutes les heures pendant quelques heures en cas de gueule de bois. Ce remède a soigné de nombreux individus de leur scepticisme et de leur gueule de bois !

N'ayez pas peur de prévoir du temps pour le jeu libre aux fêtes pour les enfants.

Leçons pour une vie détendue

De petits ajustements peuvent tout changer quand il s'agit de mener une vie plus détendue. Si vous réfléchissez chaque jour à ces conseils, vous vous sentirez moins stressée et aurez toutes vos chances de rester heureuse et en bonne santé quand vous serez âgée car la relaxation augmente l'espérance de vie.

985
Examinez vos valeurs principales
Qu'attendez-vous de la vie ? Pas une télé à écran plat ni une nouvelle voiture – pensez à vos propres valeurs. Est-ce que votre vie les reflète ? Quels changements pourriez-vous opérer pour faire jaillir ce qui est important ?

986
Bougez la tête
Nous passons nos vies à regarder nos pieds – au sens propre comme au figuré. Regardez vers l'avant et parfois vers le haut, pour détendre votre posture, soulager la tension dans vos épaules et votre dos et prendre conscience de la nature et des autres individus.

987
Les objets ne rendent pas heureux
Nous avons certes plus de choses que nos parents, mais nous n'en sommes ni plus heureux ni plus détendus : une culture qui confond les possessions avec le statut social et le bonheur est associée à davantage d'anxiété, de colère et de frustration. Avant d'acheter, demandez-vous si vous en avez besoin. Estimez aussi le caractère permanent des objets : convoitez des articles qui durent longtemps et que vous aurez envie de réparer.

988
Créez le chaos
Prenez des risques, pour vous rappeler que vous êtes un être doué de sensations, jetez la prudence par la fenêtre. Lancez-vous du haut de falaises métaphoriques !

989
Faites différemment
Essayez de nouvelles façons de faire du commerce, d'apprécier votre famille et de garder une vie stimulante, mais assurez-vous toutefois que vous vous en tenez à vos principes et que vous ne blessez pas les autres.

990
Apprenez de nouvelles choses
Chaque année acquérez une compétence nouvelle ; chaque mois écoutez quelque chose de nouveau ou allez à une exposition ; chaque semaine accueillez quelqu'un de nouveau ; chaque jour employez un nouveau mot.

991
Des moments exceptionnels
Construisez de petits moments de bonheur au milieu de tâches qui vous agacent. Des chercheurs d'University College à Londres ont découvert que les individus qui sont heureux 33 fois par jour ont 32 % de cortisol (l'hormone du stress) de moins que les autres.

992
Hors de vous
Que ce soit avec le sport, la poésie, la marche, les jeux avec les enfants ou la cuisine, vivez dans le lieu et l'instant et trouvez un endroit où vous êtes vous-même. C'est la gestion de la colère, la méditation, le répit et la récupération.

993
Célébrez vos relations
Des psychologues suggèrent de faire une chose chaque jour pour renforcer une union : certains disent même que c'est plus important pour la santé que l'exercice. Pourquoi ne pas vous marier : les gens mariés se détendent plus que ceux qui vivent en couple sur le long terme.

994
Pensez à Dieu
L'Église orthodoxe nous pousse à laisser tomber l'esprit dans le cœur et à nous tenir debout devant Dieu. Soyez consciente de cette présence divine, quel que soit le nom que vous lui donnez.

995
Respirez, c'est tout
En période de stress, fermez les yeux, placez les mains sur votre abdomen et suivez votre respiration. Ne faites rien d'autre avec votre corps ou votre esprit.

996
Mangez méditerranéen
Basez votre alimentation sur des fruits et des légumes frais, des céréales complètes, du poisson, de l'huile d'olive et des yaourts, avec des quantités moins importantes de viande et de vin rouge. Le plus relaxant de tout : apprenez à cuisiner, mangez autour d'une table dressée et posez votre couteau et votre fourchette entre chaque bouchée.

997
De l'exercice
Une demi-heure seulement d'activité quotidienne qui vous laisse légèrement hors de souffle protège le corps, l'esprit et les émotions des conséquences négatives du stress. Selon une étude réalisée par l'université de Maastricht, marcher, faire du vélo, les tâches ménagères et du jardinage, semble plus efficace qu'une séance de gym intensive.

998
Soyez réceptive
Ouvrez-vous à ce que la vie a à vous offrir avec le mudra de méditation (geste de la main). Asseyez-vous ou agenouillez-vous avec les yeux fermés et reposez vos mains doucement sur vos cuisses, paumes droites, l'une en coupe dans l'autre, doigts alignés et pouces se touchant presque (imaginez un grain de riz entre les deux) pour faire un ovale près de votre nombril. Retrouvez alors les sensations d'ouverture et de paix.

999
Souriez simplement
Se sentir optimiste peut réduire la pression sanguine et le rythme cardiaque ainsi que le risque de maladie cardiovasculaire, révèle une étude réalisée par l'université de Pittsburgh. Cela dynamise aussi l'immunité et l'espérance de vie et vous avez l'air moins stressée, comme le chanteur de reggae U-Roy le proclame « Souriez un peu et reposez votre visage ».

1000
Éteignez votre cerveau
Lorsque votre cerveau est fatigué, laissez votre corps prendre la relève en faisant quelque chose qu'on ne peut apprendre intellectuellement, mais qui est intuitif. Faire du hula hoop est super, ou du saut à la corde avec deux personnes qui tournent. Vous pouvez aussi essayer de couper du bois pour une flambée. Se mesurer avec quelque chose de réel apporte une vraie sérénité.

1001
Où est la maison ?
Arrêtez de déserter votre maison le week-end et en soirée. Décidez où est votre foyer et vivez-y.

Pour rétrécir votre monde à des proportions gérables, débrouillez-vous pour savoir qui dort de l'autre côté du mur, qui tient les boutiques, les cafés et les écoles. Marchez à pied et trouvez des informations en parlant aux gens et en fréquentant les bibliothèques. Passez du temps avec votre voisinage pour entretenir un environnement bienveillant.

Index

Abricots 16
Accompagnante
  de naissance 136
Accouchement 136-139
  sous hypnose 138
Acides gras oméga 30, 51
Acupression
  mains 26, 51
  oreilles 173
  pour arrêter de fumer 173
  tête 33, 184
  yeux 68
Aide, accepter 121
Ail 75-76
Air 106-109
Aliments
  à l'heure du coucher 84
  apaisants 16
  après-midi 21
  cerveau 51
  colorés 40, 166
  commerce équitable 79
  cueillette 95-96
  de saison 90
  déjeuner 21
  distances 78
  goûter 71
  livrés à la maison 78
  méditerranéens 187
  pendant les réceptions 182
  petit-déjeuner 10
  pour éliminer
    la pression 171
  pour les enfants 154
  pour réparer la peau 30
  pour se protéger
    du soleil 111
  remonter les sources 78
  sautes d'humeur 30
  stressants et
    déstressants 166
Aliments booster de
  tyramine 10
Allaitement 141, 142
Allocations 94
Amitiés 42, 116-121
  nouveau bébé et 140-141
  pendant la grossesse 132
  repas 71
Anandamide 128
« Ancrage » 97, 186
Angoisse dentaire 168
Animaux de compagnie 72,
  93, 121, 167
Antioxydants 16, 18, 30, 40,
  41, 70
Anxiété
  éviter l' 165
  pour les enfants 153, 155
  remède de fleurs pour 33
Arbres 94, 107
Arbres fruitiers 94
Art 60, 108, 169

Attention positive envers
  les enfants 154
Avocats 16

Bains 84-85, 98
  pour l'accouchement 137
  pour l'allaitement 142
  pour les bébés 146
Bain aux œillets d'Inde 111
Bananes 18
Bébés 140-143
  première année 144-148
  retraites pour mère et
    enfant 158
Beltane 103
Bénévolat 23, 119, 120, 176
Berceaux 142
Bilan de compétences 48-49
Biodynamiques 112-113
Biscuits d'avoine 20
Boissons
  citron 10, 183
  eau 18, 22, 99, 101-102
  gin de prunelles 96
  pendant les réceptions 182
  tasse pour 25
  vin 18
Bonheur 186
Bonnes actions 120
  voir aussi bénévolat
Bouchers 78
Boue
  masque corporel 95
Bougies 85

Cadeaux 125, 141, 178-179
Café 16, 72
  remplacement 41
Câlins 126, 151
Camping 90, 176
Carillons à vent 106
Carnavals 120
Caroténoïdes 40
Carte de crédit 79, 164
Cerf-volant 107
Cerveau
  aliments 51
  calmer 83
  exercices 12, 16, 43
  musique pour 54
  tyramine 10
Chagrin 169
Chakra 26, 97, 102, 109, 173
Chant
  à Noël 180
  apprendre le 76
  choral 117
  des oiseaux 106
  duos 129
  en voiture 14
  sous la douche 10
Châteaux de sable 94
Chats 72

Chaussures 67, 97
Chewing-gum, antitabac 173
Chiens 73
Chlorophytum 16
Chocolat 18, 128-129
Classes prénatales 131
Clubs 117, 118
Colique 145
Colonne vertébrale,
  exercices 17
Comédie 71, 77
Commerce équitable 79
Compost 94
Concentration 46
Concerts 77
Conseiller 126
Conservation marine 100-101
Contemplation des fleurs 108
Contemplation du ciel 22
Cortisol 169
Couleurs relaxantes à
  la maison 59-60, 82
Couleurs, thérapie
  ayurvédique 62
Coups de soleil 110
Coupure de midi 20-21
Coussinets d'allaitement 142
Covoiturage 13
Crayons, encre 19
Créativité 151
Cuisiner 74-75, 129
Culpabilité 180
Curries 21, 75

Danse 70, 120
Décompresser 64, 67-71, 187
Décompresser à
  la maison 72-73
Défis 43
Déléguer 45, 178
Dépoussiérage 65
Dépression saisonnière 110
Dessiner 23
Déstresser
  à la maison 56-87
  après les réceptions 185
  au travail 6-55
  dans la nature 88-113
  enfants 153-155
  grossesse 131-139
  relations 114-161
  voir aussi yoga
Dettes 79, 164-165
Développement
  du langage 146
Disputes 124, 166, 180
Dorloter, se 182
Dos, bas du 37-39
  massage pour
    l'accouchement 139
Douceurs 23, 133, 135,
  171, 173
Douche, gel 10, 62

Douche, méditation dans la 68
Douleur
  comédies pour 71
  exercices pour 37
  musique pour 168

Eau 18, 22, 98-102
Eau de mer, cures, 99
E-cartes 93
Éclairage
  d'ambiance 61
  éteindre 82
  lanternes 177
  naturel 61, 111
  occultation 145
Économies 79
Écrans solaires 111
Écrans solaires pour
  le petit matin 11
Écriredeslettres118,122-123,180
Éliminer la pression 170-171
Embrasser 126
Emploi
  changer d' 48
  description 48-49
  voir aussi travail
Emportement au travail 50-53
En-cas 16, 18, 20, 109, 138
Encens 51, 61, 63, 86, 159
Enfants
  après un divorce 181
  calmer 153-156
  fêtes pour les 184-185
  première année 144-148
  soins 150
  temps avec les 148-153
Entremetteuse 122
Épaules
  exercice 14, 35, 36
  massage à
    l'accouchement 139
Épices 105, 129
Équitation 92
Espace de stockage 66
Espace de travail 46
  à la maison 54, 93
  personnaliser 15
  ranger 46
Étirement 23
Études 170-171
Exercices
  après une réception 185
  avant une célébration 179
  bas du dos 37-38
  bras 35
  cerveau 12, 16, 43
  chevilles 29
  chiffre huit 38
  colonne vertébrale 17
  contre la pression 170-171
  cou 13
  épaules 14, 35, 36
  étirements des orteils 29

étirements le matin 10
étirements pendant la
   grossesse 131-133
groupes 120
jambes 17
jogging 53
kickboxing 53
mains et poignets 26
matin 84
penchée en avant 86-87
pour les enfants 154
pour les périodes
   de stress 169
régulier 41, 187
relaxation à l'extérieur
   90-94
soulagement corporel 34
tête 36
vélo 13
week-ends 77
Exercices d'écriture 19
Exercices du sacrum 38
Exercices pour le cou 14
Exercices pour les bras 35
Exercices pour les chevilles 29

Faire ses valises pour
   les vacances 174
Famille
   à Noël 180-181
   arbre de Noël 152
   parler de 152
   temps ensemble 8
   voir aussi *enfants*
Fatigue 127
Festivals 176
Fête de rue 119
Feu 103-105
   faire un 104
   sécurité 104
Feux d'artifice 103
Feux de camp 105
Feux de joie 103-105
Films
   comédie 71
   regarder avec
      les enfants 150
   romantiques 126
Flottaison, cabine 99
Friction des muscles 35
Fruits 21, 111
Fruits à coque 20
Fumer, arrêter de 172-173
Funambule 53

Galets 96
Gants 24
Gel pour les yeux 31
Gestion de la colère 50-53
Gestion du temps
   avec les enfants 149-153
   famille et 8
   quand on travaille
      à la maison 54
   transport 11
   travail 44-47
Gin de prunelles 96
Goûter la nourriture 71
Graines 20

Graisses dans
   l'alimentation 30
Grossesse 49, 131-139
Groupes de protestation
   118-119
Groupes de soutien 132, 168,
   172
Groupes de tricotage 173
Guérilla de jardinage 119
Guides 120
Guimauves 105

Happening 119
Heure du coucher 82-83
   enfants 144, 155
Hobbies 53, 73, 93, 126
Horaires flexibles
   au travail 14
Huile aphrodisiaque pour
   le bain 130
Huile d'olive 21
Huiles 21, 154
   voir aussi *huiles essentielles*
Huiles essentielles
   faire brûler des 41, 51
   gel de douche 10
   grossesse 131
   huiles pour le bain 68-69,
      84, 128-129, 130
   massage 129
   nettoyer la maison 65
   pour la fatigue 19
   relaxation 171
   sels de bain 85
Huiles de bain 68-69, 84, 98,
   128-129, 130, 141
Hydrates de carbone 51
Hyperactivité 153-154

Infusions 18
   pendant la grossesse 135
   pour l'allaitement 141
   pour le syndrome
      prémenstruel 113
Internet
   amis 118, 122
   groupes de soutien 132
   shopping 78

Jambes
   exercices pour les 17
   massage pendant
      l'accouchement 139
Jardinage 73, 75, 94
   guérilla 119
Jeûne 160
Jeux
   à Noël 180
   avec les enfants 149, 150,
      184-185
Jogging 53
Jouer avec les enfants 146-147
   voir aussi *jeux*
Jour de l'An 181
Journal intime
   déclencheurs de colère 50
   gestion de la pression 171
   pour arrêter de fumer 172
   pour la gestion du temps 44

rêves 86
symptômes 43
Journée sans achats 77
Jus de grenade 41, 111

Kickboxing 53

Langues étrangères,
   apprendre 176
Lanternes 177
Lecture 12, 80, 83, 118
Lieux saints 160
Lion, comme un 31
Listes 44-45
   accouchement 136
   courses 77
   près du lit 85
   rangement 64
   votre profil 123
Lits 82, 140
   clubs 118
   manuels sur les bébés 148
   sur la nature 90
   sur les femmes 80
Location de personnel 45
Lune 112-113

Mains
   acupression 26, 51
   relaxation 24-26
Magnets pour le frigo 72
Maison
   accouchement à la 136-137
   couleurs relaxantes 59-60
   entrée 58
   espace 58-59
   nettoyage de 64-66
   relaxation à la 56-87
   se centrer sur la 187
   souvenirs 58
   travail 93
   travail à la 54-55
Manucure 24
Marche
   au clair de lune 112
   groupe 90-91
   pendant les pauses 22
   pour aller travailler 12-13
   randonnée et auto-stop
      90-91
   retraites 158
   sur des galets 96
Mariage 122-126
Masala 105
Masque corporel 95
Massage
   bébés 143, 146, 147
   bénévolat 120
   du périnée 135
   enfants 151
   front 31
   jambes, pendant
      l'accouchement 159
   mélange d'huiles 128-129
   pieds 32, 87, 146
   postnatal 147
   pour l'accouchement 139
   tête, indien 32
Matelas 82

Maux de tête 184
Maux de ventre 153
Méditation
   à la maison 62-63
   à Noël 179
   arrêter de fumer 173
   au sommet 92
   avec des bougies 85
   bonté 121
   chakra 97, 102, 109
   comment faire 46
   contre la pression 171
   dans des refuges 156
   de l'étoile 109
   d'observation
      des arbres 107
   douche 68
   du levant 109
   du mandala 63
   eau 100, 102
   enfants 154-155
   geste de la main 187
   grossesse 134
   matin 9
   musique 12, 63, 73
   parfum 63
   pendant la marche 91
   pensée pour la journée 32
   plexus solaire 105
   position pour 43
   prana mudra 107
   prier 22
   sexe et 128
   soir 87
   sur l'immensité 106
   tonglen 169
   tournesol 109
   train 11
   troisième œil 112
   vents du changement 107
   voir aussi *respiration*
Menhirs 96
Mentor 23, 49
Méthode Feldenkrais 36
Modèle 49
Muesli 8
Musique
   à l'extérieur 61
   à l'heure du coucher 86,
      144
   airs favoris 76
   bain 69
   cerveau 54
   chanter 76
   conduite 14
   danse 70
   de fond 60-61
   en période de stress 169
   enfants 153
   festivals 176
   jouer de la 73
   live 77
   méditation, 12, 63, 73
   pour soulager
      la douleur 168
Myrtilles 16

Natation 99, 100-101, 132
Nature 88-113
Nerfs 170-171

Nettoyage des vitres 61
Nettoyage, produits de 54, 66
Noël 178-179
Nourrir bébé 141
Nourriture spirituelle
158-161, 186
Nuit des célibataires 123
Nuit Robert Burns 119-120

Objectifs, se fixer des 49
Observation des oiseaux 106
Observer les nuages 22, 106
Olives : recette 179
Ongles 18, 24
Optimisme 168
Ordinateurs
faire un break 42
position assise 34, 37
Ordre, mettre de
espace de travail 46
finances 164
maison 64-66

Parfum
décompresser 68
fleurs 60
pour la méditation 63
vaporisateur d'intérieur
53, 61
Partenaires 122-129
Partenaire de naissance 136
Pâtes 71
Pause, faire une 20, 170
Peau
aliments réparateurs
crème 18
écrans solaires 111
masque pour le corps
à la boue 95
produits biologiques 113
Peaux de mouton 142-143
Pêche 101
Pédicurie 28
Pensée positive 8, 32, 45, 50,
66, 167
Pères
massages de bébé 147
parent métier de 149
Perfectionnisme 46
Périnée
massage 135
douleur 141
Petit-déjeuner 10, 125
Peur 168
Phényléthylamine 128
Photos 18
bébés 148
nature 60
Phytothérapie
pour dormir 86
pour la gueule de bois 185
pour le mal de tête 184
pour les enfants 153
pour les périodes
de stress 169
pour s'arrêter de fumer 173
Pieds
bains de 28
douloureux pendant
la grossesse 133

massage 32, 87, 146
masseur pour les 27
relaxation 27-29
Pierre de lune 112
Pique-niques 108
Pilates, relâchement
des épaules 36
Planning de festivités 178-185
Plantes, faire pousser 58, 75
Plantes pour la relaxation 16,
61, 75
Pleurs 52
Plier du papier 25
Plusieurs tâches 45
Poèmes 15, 72, 92, 158
Poisson gras 30, 51, 101, 154
Pollution intérieure 16, 60
Polyphénols 41, 70
Pommes
danse des 150
faire pousser des 152
journée des pommes 95
pour une belle peau 30
Pommes de terre
braisées 104-105
Porter les bébés 148
Porter ses courses 79, 179
Positive, pensée 8, 32, 45, 50,
66, 167
Position assise 34, 37
Position de la chaise 37
Possessions 186
Posture 34, 35, 36, 37, 186
Potassium 16, 21
Poulets 73
Prier 22, 71, 111, 159-161
Prière, position de 26
Prise de risques 186
Protéines 40
Ptérosilbène 16

Qigong, respiration 24-25
Quartz rose 122
Quercétine 30

Ragas 12
Raisins noirs 18
Réceptions 182-185
aliments pour 182
déstresser 182-183
enfants 184-185
feu de joie 103-104
maux de tête 184
nuit Robert Burns 119-120
pochettes surprises 184
préparation du sapin
de Noël 179
rue 119
trouver de l'aide 182
Recettes (beauté)
bain aux œillets d'inde 111
bain de pieds 27-28
bain de vapeur pour
le visage 98-99
bain pour les ongles 24
friction musculaire 35
gel douche 10, 62
huile de bain 68-69, 84, 98,
128-129, 130, 141
huile pour le visage 30-31

masque corporel 95
masque pour le visage 74
masque pour les yeux 69,
183
sels de bain 85
vaporisateur d'intérieur 54,
66, 129
Recettes (cuisine)
café 72
en-cas à l'avocat 16
gin de prunelles 96
guimauves 105
limonade 183
masala 105
müesli 8
olives de fête 179
pain 76
pâtes 71
pommes de terre
braisées 105
salade de chou cru 25
Recyclage 65
Réflexologie 29
Régime voir aliments
Relâchement de
la mâchoire 33, 34
Relations 114-161, 180, 186
Relaxation à l'extérieur 61,
90-94, 120
Relaxation au bureau 15
Relaxation dehors assise 61
Relaxation du front 31
Relaxation du style
de vie, leçons 186-187
Religion 158-161, 179, 186
Remèdes aux fleurs
accouchement 139
amour 123
ancrage 97
anxiété 33
arrêter de fumer 173
changements dans
la vie 143
confiance en soi 121
contre le stress 17, 166
enfants 153
faire face aux urgences 41
grossesse 131, 134
idées claires 18
individus « air » 109
individus « eau » 102
individus « feu » 105
individus « terre » 96, 97
pour s'accepter 81
relations 125
remède Rescue 181
sexe 130
Remèdes homéopathiques
« ancrage » 96-97
accouchement 136
anxiété 33
arrêter de fumer 173
chagrin 169
colère 52
colique 145
douleurs de dos 39
enfants 153
gueule de bois 185
individus « eau » 102
individus « feu » 105

peur du dentiste 168
postnatal 141
protection solaire 110
sexe 130
sommeil 86
stress financier 165
syndrome prémenstruel 113
traiter les urgences 41
voyage 177
Remettre au lendemain 46,
54, 165
Rendez-vous en ligne 123
Repas
avec des amis 71
avec les enfants 149
déjeuner 20-21
dîner 71
en-cas 16, 18, 20, 109, 138
faits maison 74-75
petit-déjeuner 10
pour les partenaires 125
réguliers 40-43
Resvératrol 16
Respiration
avec un sourire
intérieur 53
contrôle de la 52
fredonner et 14
gestion de la colère 51-52
méditation 53
méthode Feldenkrais 36
nourrir bébé et 141
pendant
l'accouchement 138
pendant la marche 91
pour arrêter
de fumer 172-173
Qigong 24-25
rééquilibrage 22
relâcher 36, 39
se détendre avec 81
soirée 87
superficielle 34
technique de la respiration
du lotus 171
toxines et 106
voir aussi méditation, yoga
Retraites 156-158, 173
Réunions 45, 46
pour le travail à
la maison 54
Rêvasser 12
Rhume, pensée positive et 8
Rides 30-33
Rire 15, 71, 77, 142
Romance 124-125
Rubis 111

S'emmitoufler 142
Sachets de lavande 153
Sages-femmes 136
Salade de chou cru 25
Salons bio structure 32
Samhain 103
Saunas 74, 107
Sautes d'humeur 30
Scouts 120
Sécurité à la plage 101
Sels de bain 85
Sérotonine 51

Sexe 127-130
Shopping 77-79
Siestes, voir *sommeil*
Silence 22, 52, 93, 156
Soin du visage 32, 98-99
Soins des seins 141
Soins postnataux 140-142
Solitude 180
Sommeil 82-87
  enfants 144, 154
  grossesse 135
  lieux étranges 176
  sachets de lavande 153
  siestes 41, 76, 131, 145, 171
  sous les étoiles 112
Soulagement de la tension 166
Soulagement de la toux 173
Soulagement du haut
  du corps 34-36
Soulever correctement 79
Source sacrée 101
Sourire 43, 53, 120, 187
Sous-vêtements 129
Spas 99-100, 135, 157
Speed dating 123
Sports 93, 118
  voir aussi *exercices*
Stores d'occultation 145
Stress
  cause 7
  évaluation 48
  signes d'alerte 43
  voir aussi *déstresser*
Stress financier 164-165, 179
Stretching voir *exercices*
Sudoku 12
Supermarchés 77*78
Surf 101
Syndrome prémenstruel 113
Système de classement 66
Système immunitaire
  colère et 50
  dynamiser 40
  pensée positive et 8
  rire et 15

Taï-chi 38
Taille des robes 80-81

Tailler au couteau 177
Tailles 80-81
  marche 91
  sous-vêtements 129
Tasse origami 25
Technique Alexander 35
Technique de la respiration
  du lotus 171
Techniques de visualisation
  lors de l'accouchement 137
  pour les enfants 155
Technologie, faire face 58
Télévision
  la bannir de la chambre
    des enfants 151
  l'éteindre 73, 127
Téléphones mobiles 67, 174
Testaments 165
Tête
  acupression 33
  massage 32
  rotations de la 36
Thalassothérapie 99
Thé 16, 168-169
  bains 98
  blanc 18
  divination aux feuilles de 23
  vert 69
Thérapie aux pierres
  chaudes 96
Thérapie ayurvédique
  couleurs 62
  pour la colère 52
Thérapie cognitive pour
  les enfants 155
Thérapie cranio-sacrale 155
Thérapie du jardin 92
Thérapie par la parole 166-167
Thérapie par le cristal 59, 96,
  122, 165
Thérapie par le soleil 109-111
Tomates 75
Top-modèle, ultra-mince 80
Tourisme 77
Tournesols
  graines 109
  méditation 109
Tradition, garder les 119

Training autogène 33
Traitement capillaire 32
Transports 11-14
Transports pour aller
  au travail 11-14
Trapèze volant 53
Travail
  déstresser au 6-55
  grossesse et 131
Traversins de grossesse 135
Tryptophan 20

Unions 49, 53
Urgences 40-43

Vaastu sbastra 62, 82
Vacances 174-177
Vacances dans la canopée
  177
Valeurs profondes 186
Vapeur 98-99, 107
Vaporisateur d'intérieur 54,
  61, 66, 129
Vélo 13, 119
Vêtements
  après la grossesse 143
  créer des 80
  customiser les 81
  grossesse 133
  pour bébé 135
  pour les fêtes 183
  ranger les 64, 65
Viande 78
Vin
  rouge 18, 70
  terroir 113
Visage
  dans ses paumes 31-32
  huile 30-31
  masque 74
  relaxation 30-33
  vaporisateur d'eau 31, 139
Vitamine A 30
Vitamine C 21, 30
Vitamine E, 30
Vitamine K 25

Vitamines du groupe B 12, 16,
  18, 21
  Voir aussi yoga
Voisins 118

Week-ends 74-77
  avec les enfants 149

Yaourts 41
Yeux
  acupression 68
  masque 69, 183
  paumes sur les 31-32
Yoga 38
  à l'extérieur 93
  à la maison 62
  avec partenaire 126
  comme un lion 31
  conscience détachée 165
  équipement 62
  gomukhasana 35
  jambes sur le mur 29
  penché en avant 86-87
  pendant les transports 177
  posture de l'arbre 107
  posture de l'enfant 38-39
  posture du cadavre 68
  posture du chat 151
  posture du chien
    renversé 73
  posture du guerrier 104
  posture du papillon 151
  posture du serpent 151
  posture pour soulager
    des gaz 145
  pour bébés 147-148
  pour la force en période
    difficile 168
  pour les enfants 151
  regard adouci 166
  relâcher la tension corporelle
    166
  salutation à la lune 113
  salutation au soleil 10,
    109-110

Zinc 21

Au sujet de l'auteur

Susannah Marriott est spécialisée dans les soins en médecine douce. Elle a écrit 15 livres illustrés sur le yoga, les spas, la méditation, la prière et les approches naturelles de la grossesse et de l'art d'être parent, dont *Senteurs et spa*, *1001 recettes naturelles pour rester jeune* et *Grossesse au naturel*, parus aux éditions Vigot. Elle a également rédigé de nombreux articles pour des journaux du monde entier comme *Weekend Guardian*, *The Times*, *Zest*, *Top Santé*, *Elle* et *Junior*, et elle participe à des émissions sur la BBC. Susannah vit en Cornouailles avec son mari et ses trois fillettes ; elle donne des conférences à University College Falmouth. Elle passe son temps libre à la pratique du yoga et de la natation dans l'Atlantique, elle passe ses vacances en camping-car et elle danse sur de la musique de jazz.

Remerciements

Remerciements de l'auteur

Des remerciements particuliers à Amanda Brown pour ses conseils en yoga, à Julia Lightfoot pour ses conseils en homéopathie et en herboristerie. Je remercie aussi Mat et Sue Johnstone-Clarke for leurs conseils et leurs recettes sur l'horticulture ; Kate Holiday pour la recette des olives et pour allumer un feu ; Rosie Hadden pour ses pensées sur les rendez-vous, les communautés, le deuil et le moonwalking ; Kelly Thompson pour déstresser au travail ; alisailments.blogspot.com et le Round Chapel à Hackney pour l'inspiration spirituelle ; Richard et Daisy Trayford pour leurs conseils sur les chevaux ; Ian et Hazel Potter parce qu'ils aiment le cricket ; Emily Apple pour son action directe ; Judy Hemingsley pour ses conseils sur le travail chez soi ; Andy Cox pour ses conseils sur le surf et le sauvetage ; Jen Wright pour ses conseils sur l'escalade ; David et Dominic Bate pour une nuit Burn inoubliable, et tous mes étudiants pour l'inspiration. Merci à tous ceux de chez Dorling Kindersley pour leurs encouragements et leur expertise, surtout Carole et Claire, Penny et Peggy, et tout le monde à la maison, surtout mon mari qui m'a laissé du temps pour écrire et remplir la maison de musique.

Collaborateurs

Julia Linfoot est une homéopathe diplômée pratiquant à Londres depuis 1999. Elle prescrit les teintures de plantes, les essences de fleurs, les sels de Schüssler, ainsi que les remèdes homéopathiques. Elle supervise les étudiants en homéopathie et enseigne dans des ateliers et des cours d'introduction à l'homéopathie et la santé. Ballenden Therapies.
e-mail : juliahomeopathe@btinternet.com.

Amanda Brown enseigne le yoga depuis 17 ans. C'est aussi une artiste et une thérapeute de médecine naturelle.
e-mail : magicbean_99@yahoo.co.uk.

Crédits photographiques.